TEACH YOURSELF BOOKS

# HUNGARIAN

A COMPLETE COURSE FOR BEGINNERS

# HUNGARIAN

## A COMPLETE COURSE FOR BEGINNERS

Zsuzsa Pontifex

TEACH YOURSELF BOOKS

## Acknowledgements

Above all I would like to thank James, my husband, who has been so supportive and understanding and has put up with my absences during the past year while writing *Teach Yourself Hungarian*. His observations and patient correcting of of my manuscript have been invaluable.

I would like to express my special thanks to Paul Aston, who very generously offered to read the whole manuscript and spent considerable time scrutinising it with an expert eye. His observations greatly enriched the text. I would like to thank György Fenyő, my friend for many years, who also read and helped to improve the manuscript.

I am very grateful to my brother, Gyula Gáncs, who collected material and took some of the photographs in the book. My thanks also go to Imre Szmodis for allowing me to use his cartoon and to István Orosz, whose computer skills were a great help to me.

And last but not least I would like to thank Gizella Polgár my brilliant teacher of English at Fazekas Mihály secondary school in Budapest. I learnt more from her about language teaching that from anyone else. I owe my love of English to her. Without this love for the language, culture and country I would never have come to Britain. With this book I hope I am able to do something of the same for someone with Hungarian.

The author and publishers would also like to thank the Magyar Nemzeti Múzeum for permission to reproduce *Solitary Cedar*.

Long-renowned as the authoritative source for self-guided learning – with more than 30 million copies sold worldwide – the *Teach Yourself* series includes over 200 titles in the fields of languages, crafts, hobbies, sports, and other leisure activities.

*British Library Cataloguing in Publication Data*
A CIP catalogue record for this title is available from the British Library.

*Library of Congress Catalog Card Number:* 95-82575

First published in UK 1968 by Hodder Headline Plc, 338 Euston Road, London NW1 3BH

First published in US 1992 by NTC Publishing Group, 4255 West Touhy Avenue, Lincolnwood (Chicago), Illinois 60646 – 1975 U.S.A.

Copyright © 1993 Zsuzsa Pontifex

Typeset by Transet Ltd, Coventry, England.
Printed in Great Britain by Cox & Wyman Ltd, Reading, Berkshire.

Impression number    14 13 12 11 10 9
Year                 1999 1998 1997

# CONTENTS

# — ABOUT THE AUTHOR —

Zsuzsa Pontifex (née Gáncs) was born in Hungary and has a degree in Hungarian and English from Eötvös Loránd University in Budapest. She has studied Russian and English literature in Moscow and in London. After three years teaching English and Hungarian in a Budapest secondary school she came to Britain, where she first worked as a programme assistant for the Hungarian section of the BBC World Service.

Since 1990 Zsuzsa and her husband have been running Hungarian Language Services (HLS), their own language school and translation/ interpreting agency in Chiswick, West London. At HLS Zsuzsa has developed her own coursebook and has taught Hungarian to diplomats, businessmen and private individuals. She also sets Hungarian language exams for the Foreign Office and the Institute of Linguists.

## Dedication

To James, without whom this book would probably never have been written.

# INTRODUCTION

Hungarian is the mother tongue of about 16 million people. Of these 10.5 million live in Hungary, 3.5 million are minorities in the neighbouring states of Romania (in Transylvania), Slovakia, Serbia (in Vojvodina), Austria (in Burgenland) and the Ukraine. The rest are scattered throughout the world.

Unlike most European tongues, which belong to the Indo-European family of languages, Hungarian is a Finno-Ugrian language. It is related to Finnish, Estonian and some other languages spoken by peoples living in the northern parts of the former Soviet Union. Hungarian, therefore, is different from the majority of European languages both in its vocabulary and grammatical structure.

A hungry traveller would easily find a place to eat in most European countries, since *restaurant* is 'restaurant' in French, 'ristorante' in Italian, 'Restaurant' in German or 'restaurante' in Spanish. But in Hungary he or she might just get hungrier and hungrier searching for an **étterem**. The most striking feature of Hungarian grammar is that words can have one or more endings. For example, *the restaurant* is **az étterem**. To express the phrase *in the restaurant* Hungarian uses an ending instead of a separate word before it: **az étteremben**.

# ———— Who is the course for? ————

This is a practical course designed for the absolute beginner who might not have studied any languages before and who wishes to communicate in everyday, straightforward situations when going to Hungary. You will learn, for example, how to give information about yourself and ask for similar information about other people, how to order a meal at a restaurant, how to ask your way in the street, how to express your likes or dislikes, agreement or disagreement, how to apologise, accept or refuse invitations and so on. The course will also provide you with some background information about Hungary and the Hungarians so that you can get more out of your visit.

Let us say you are going on a short holiday or business trip to Hungary. You want to acquire a small amount of Hungarian at a very simple level in order to make your visit more rewarding. For this, it is enough for you to study Part One. It will acquaint you with the basic vocabulary and grammar that you will need to be able to 'survive' in straightforward situations. After working your way through the five units of Part One you should be able to make up simple sentences of your own. You will find the additional vocabulary you might need in the relevant units of Part Two. (The key vocabulary is listed in a box after each dialogue or exercise).

Part Two is for students who wish to acquire more than just a 'survival' knowledge of the language. It builds on the language skills acquired in Part One. By the end of the course you will have mastered enough knowledge of both the spoken and the written language to be able to deal with most everyday situations.

# ———— How to use this course ————

First work carefully through the section on pronunciation and the alphabet. Hungarian is a phonetic language (i.e. it is pronounced as it is written), so once you have learnt how to pronounce the letters you should be able to read almost anything. Practise reading Hungarian by doing the exercises after the pronunciation section.

After this section each unit follows this pattern:

A summary in English of what you are going to learn in the unit.

**Párbeszéd** (*Dialogue*): This is the core of the unit. Through an everyday situation you will encounter the main expressions and grammatical structures that you are going to study.

**Szavak és kifejezések** (*Words and expressions*): The boxed vocabulary after the *Dialogue* in Part One gives you all the new words and phrases that occur in the passage. In Part Two it contains only the key expressions which are necessary to understand the *Dialogue*. The other words are given in the **Hungarian-English vocabulary** at the end of the book. This is to encourage you to work out the unknown words from the context.

**Kérdések** (*Questions*): They are of three kinds: True or false?, open-ended and multiple-choice questions. They will test you to help you find out if you have properly understood the *Dialogue*.

**Magyarország és a magyarok** (*Hungary and the Hungarians*): This includes background information which is relevant to the *Dialogue*, as well as an explanation of certain expressions used in it.

**Nyelvtan** (*Grammar*): This explains and illustrates the main grammatical structures used in the *Dialogue*. As this book is not written for linguists, elaborate definitions are avoided. Grammar is explained clearly and simply, and grammatical terms are excluded wherever possible. Terms that are unavoidable are explained as you come to them. In Part One only simple structures are explained. Other expressions are given as set phrases since you will not need to know them in depth at this level. If you want to learn Hungarian at a higher level, you will find these explained in Part Two.

**Gyakorlatok** (*Exercises*): These will help you to consolidate the vocabulary and the grammar you have learnt in the unit. They also provide a means for you to test your own progress and see in what other situations you can use what you have just learnt. The correct answers are given in the **Key to the exercises** at the end of the book.

**Érti?** (*Do you understand?*): This section, at the end of selected units, contains a conversation or a text. It is based on a topic similar to that of the *Dialogue* and contains much of the same vocabulary and grammar. It is therefore a good test of how well you have understood the language of the unit. Immediately after it are the key words and phrases necessary to understand the passage. The other words can be found in the **Hungarian-English vocabulary** at the end of the book. The conversation, or the text, is followed by a set of questions which will help you to test your understanding of it.

## Steps for studying each unit

- Read the summary to learn about the purpose of the unit.
- Study the *Dialogue* carefully with the help of the vocabulary provided.
  In Part Two, first only look at the key expressions given in the box immediately after the *Dialogue*. Try to understand the passage, working out the meanings of the other words from the context. If you can't, turn to the **Hungarian-English vocabulary** at the end of the book.
- Read the relevant background information in *Hungary and the Hungarians*.
- To understand the main grammatical structures, refer to *Grammar*.
- Go back to the *Dialogue* and make sure you fully understand it.
- Turn to the *Questions* to test your understanding of it. (Check your answers in the **Key to the exercises**).
- Imagine that you are the characters in turn and act out the *Dialogue*.
- Do the exercises. Having checked your answers make sure you understand why they are the correct ones.
- Finally, test your understanding of the language introduced in the unit by doing the *Do you understand?* exercise at the end of it. Again, read the brief introduction in English first, and then read the passage and try to understand it. Even in the early stages try to get into the habit of not looking at the vocabulary provided, working out the meaning of the unknown words from the context. If you can't, refer to the vocabulary provided here, or at the end of the book. Test your understanding of the passage by answering the questions that follow. Check your answers. Finally, act out the conversation or speak the text aloud to a fictional friend.

# How to use the course with ____ the cassette

Although the book is self-contained, you will find the accompanying cassette of great help in your pronunciation and your understanding of spoken Hungarian. The cassette contains recordings of the **Pronunciation**, the **Párbeszéd** (*Dialogue*) in each unit, as well as additional oral exercises and the **Érti?** (*Do you understand?*) sections.

It is suggested that you start the units in Part One by listening to the recording of the **Párbeszéd** at the same time as you read it. When you have grasped the general meaning, listen to it again, this time without looking at the book. Pay special attention to the pronunciation and intonation of the speakers, and try to imitate them aloud sentence by sentence. At some stage in Part Two, you may well find that you can listen to the cassette straightaway without looking at the text at the same time.

The conversations and texts at the end of the unit can be used as listening comprehension exercises. They will test your understanding of the new language introduced in the unit, and also your ability to understand a conversation in which not all the words are familiar.

The more you listen to the cassette, and try to imitate the speakers, the better.

# How to study

Everybody has their own way of learning. Here are a few suggestions. Try them, and find out what works best for you.

### Learning vocabulary

Repeat aloud several times the new words and phrases. After having learnt about a dozen of them, cover the Hungarian side and try to supply the English equivalents. Then do it vice versa.

Write down each expression a few times, saying it aloud simultaneously. (Writing helps you to remember.) Or, write the Hungarian words to be learnt on separate cards, each with their English equivalent written on the back. Look at one side of the card and try to remember what is on the other side. Check your memory by turning the card over. Or, associate the new words with pictures or situations.

## Studying grammar

Rather than just learning abstract rules, always learn the examples given. This will help you to remember the rules when you have to apply them.

Remember that understanding grammar is just the first step. When speaking your own mother tongue, you do not have to think about what structures to use. It comes instinctively. To be able to do that in a foreign language, you need lots of practice. Therefore do not rush on to the next unit until you feel confident that you have thoroughly mastered the structures introduced in the previous unit, i.e. until you can make up sentences of your own using the new structures reasonably fluently. Otherwise you will take a long time to finish a sentence always having to think how to construct it. The great advantage about studying on your own is that you can set your own pace. So you can always spend more time at more difficult stages.

## Studying the *Dialogues* and the conversations/texts

First repeat full sentences aloud. Then imagine that you are a native speaker and act out the whole *Dialogue*, or conversation/text, playing the role of all the participants.

## Improving your pronunciation and understanding of spoken Hungarian

Try to attend classes or speak to native Hungarians. Failing that, listen to recordings of native speakers. (You could try to catch the Hungarian programmes of the BBC World Service. For details write to the Hungarian Section of the BBC World Service, Bush House, PO Box 76, The Strand, London WC2B 4PH.) Do not worry if you do not understand much of it. Just listening to Hungarian being spoken – even if it is only in the background while you are doing something else – will help the music, rhythm, pronunciation and intonation of the language to sink in.

Record yourself while reading/acting out the *Dialogues*, or the conversations/texts, and then compare your recording with the cassette. Concentrate on improving one thing at a time: your pronunciation of certain sounds, intonation or stressing the right syllable.

### Improving your fluency

When learning a new word or phrase, always try to use it in a sentence of your own. At a more advanced level, try to find other words or phrases with a similar or opposite meaning. Failing that, try to explain their meaning in Hungarian.

Do thinking exercises. That is, even if you have very little time to spare for learning the language, you can make a habit of saying things to yourself in Hungarian. This can be done while you are walking to work, waiting for the bus or washing up. First, you could just repeat the *Dialogues*, and conversations/texts to yourself and make up similar ones. Later, you could try to say to yourself in Hungarian what you are doing at that particular moment, or just try to think in Hungarian instead of in English. You might find this quite difficult to start off with, but it will get easier with habit.

Learn the *Dialogues* and conversations/texts by heart (including the ones in the *Exercises*). In real life you won't always be able to use exactly the same sentences that you have learnt, but they will help you to assimilate structures and vocabulary.

Even though you might normally give short answers, when doing the exercises always answer in complete sentences.

## *Some general tips*

Try to avoid the habit of thinking in English first and translating what you want to say into Hungarian afterwards. This will only leave you frustrated. Make an effort to think in Hungarian with the simple, limited vocabulary and grammar that you have learnt, right from the start. You will be surprised to find that even complicated things can be expressed simply!

Remember: you will not always be able to understand every single word that people say to you in Hungarian. Therefore, accept the idea of getting the gist of what was said by catching the key expressions and trying to work out the rest from the context.

Learning a language is a bit like learning to play a musical instrument: you need constant practice. Doing a little regularly is much more effective than long sessions every now and then. Make a habit of setting aside a short study period every day. Remember: language learning can be great fun, but you will not make real progress unless you are prepared to put time and energy into it!

When faced with the difficulties of the language, be positive. Learning a new language might enrich you in all sorts of unforeseen ways: you might be able to make friends with people whom you otherwise would not, or it might open up for you a new way of thinking or a new culture. So be determined to carry on.

Every language reflects a different way of thinking, and this is not always logical. Therefore, do not try to find a logical explanation behind every single phenomenon you come across. Just accept that there is no rule and learn it as it is.

Remember, you are not a native speaker. Therefore you are quite likely to have an accent and make mistakes. Try to do your best, but bear in mind that the aim is to understand and be understood – not to be perfect.

And finally do not forget that the minute you say something in Hungarian, you are a winner. Hungarians are not used to foreigners speaking Hungarian. Most of them will be touched or impressed if you make an effort with their rare and unusual language.

# —— Symbols and abbreviations ——

|  | = | This indicates material included on the cassette. |
|---|---|---|
|  | = | This indicates dialogue. |
|  | = | This indicates exercises – places where you can practise using the langugage. |
|  | = | This indicates key words or phrases. |
|  | = | This indicates grammar explanations – the nuts and bolts of the language. |
|  | = | This highlights advice for learning special points. |

vmi – valami (*something*); vki – valaki (*somebody*); m – male; f – female; cf. – compare; fam. familiar; form. – formal; i.e. – that is; Lit. – literally; off. – official; pl. – plural; *pron.* – pronounced; sg – something; sing. – singular; sy – somebody; adj. – adjective.

# ____ PRONUNCIATION ____

This brief summary offers you guidelines which will enable you to produce sounds recognisable to Hungarians. However, the best way of acquiring a good accent is to listen to and to try to imitate native speakers.

Hungarian is a phonetic language so, on the whole, unlike English it is pronounced as it is written. The pronunciation of words that do not follow this rule is given in brackets as they occur e.g. utca (*pron.* ucca). The great advantage of this is that once you have learnt the sound of each particular letter, you will be able to pronounce almost every word.

There are two important things to bear in mind when pronouncing Hungarian words.

- All Hungarian sounds should be pronounced distinctly.
- The stress is always on the first syllable of every word.

## ____ Vowels ____

With the exception of **a**, **á**, **e** and **é**, Hungarian vowels have a short and a long version of the same sound. Long vowels should be pronounced about twice as long as their short equivalents. In writing, short vowels might have one or two dots above them. Long vowels are marked with one or two acute accents. All the consonants in the examples below are pronounced in exactly the same way as in English. (When pronouncing the English examples, use standard British English.)

| Hungarian letter | How to pronounce it | Example |
|---|---|---|
| a | similar to **o** in *hot*, only drop your chin | **hat** |
| á | like **u** in *hut*, but twice as long | **hát** |
| e | like **e** in *pen* | **nem** |
| é | like **a** in *play*, only stop before you get to the **y** and linger a bit on the **a** | **dél** |
| i | similar to **i** in *sit*, only put your tongue a bit forward | **mit** |
| í | like **ee** in *meet* | **víz** |
| o | like **aw** in *paw*, only shorter and round your lips | **hol** |
| ó | like **aw** in *paw*, only round your lips | **ló** |
| ö | like **o** in *polite*, but round your lips (like **e** in the French word *le*) | **ön** |
| ő | like **o** in *polite*, but round your lips and make it about twice as long | **nő** |
| u | like **u** in *put*, only round your lips | **fut** |
| ú | like **oo** in *soon* | **búg** |
| ü | say **i** like in *sit*, purse your lips and put your tongue forward (like **u** in the French word *tu*) | **ül** |
| ű | say **i** like in *sit*, purse your lips, put your tongue forward and make it about twice as long | **tűz** |

# Consonants

Hungarian consonants are spelt with one or two letters. (There is one three-letter consonant in Hungarian **dzs**, but it is very rarely used.) Every consonant can be short or long. Long consonants should be pronounced about twice as long as their short equivalents. (This is achieved by lingering on the same sound before going on to the next one.) In writing, long consonants are doubled, e.g. **ép – éppen**. In the case of double letter consonants, only the first letter is repeated, e.g. **ágy – ággyal**.

The following consonants are pronounced and spelt the same as in English:

| Hungarian letter | How to pronounce it | Example |
|---|---|---|
| b | like **b** in *bath* | baba |
| d | like **d** in *deep* | de |
| f | like **f** in *face* | fal |
| g | like **g** in *gull* | Gizi |
| h | like **h** in *house* | ház |
| k | like **k** in *park* | kép |
| l | like **l** in *laugh* | láb |
| m | like **m** in *man* | mama |
| n | like **n** in *no* | néni |
| p | like **p** in *tip* | pék |
| t | like **t** in *hot*, only put your tongue right behind your upper teeth | tél |
| v | like **v** in *vet* | váza |
| z | like **z** in *zoo* | zene |

The following consonants are pronounced and/or spelt differently from English:

| Hungarian letter | How to pronounce it | Example |
|---|---|---|
| c | like **ts** in *hats* | cica |
| cs | like **ch** in *teacher* | csak |
| dz | like **ds** in *roads* | edz |
| dzs | like **j** in *jam* | dzsem |
| gy | similar to **d** in *during*, only press your tongue behind your upper gum | Gyula |
| j/ly | spelt differently but pronounced the same way, like **y** in *you* | jó hely |
| ny | like **n** in *new* | anya |
| r | like the Scottish **r** in *Robert*, roll the tip of your tongue | tér |
| s | like **sh** in *ship* | és |
| sz | like **s** in *sea* | szép |

| ty | similar to **t** in *student*, only press your tongue behind your upper gum | **tyúk** |
|---|---|---|
| zs | like **s** in *pleasure* | **zseb** |

# Kiejtési gyakorlatok (*Pronunciation exercises*)

1   The following words differ only in their vowels. Try to pronounce them correctly to avoid being misunderstood.

|  |  |
|---|---|
| **a – o** | hal, hol |
| | kar, kor |
| | karom, korom |
| **e – é** | meg, még |
| | szel, szél |
| | felet, felét |
| **ö – ü** | öt, üt |
| | öl, ül |
| | föl, fül |
| **ő – ű** | hő, hű |
| | tőr, tűr |
| | szőr, szűr |
| **u – ü** | sut, süt |
| **ú – ű** | hú, hű |
| | hús, hűs |
| | túr, tűr |

kor, kór, kar, kár, kér, kör, kűr
szár, szor, szór, ször, sző, szer, szír, szúr, szűr

2   Practise your **gy** and **s** sounds. (Remember: you have to forget your instincts and pronounce **s** as **sh** in *ship*.)

> gyalog    vagyok    gyönyörű    gyümölcs
>       gyufa    gyógyul    gyógyszertár
>   só    mese    és    sör    piros    sok    vörös

3   Can you roll your **r**s? Try to say this tongue-twister:

**Répa, retek, mogyoró,
Korán reggel ritkán rikkant a rigó**.

4   Practise pronouncing your long vowels and consonants long. This

will not only improve your pronunciation, but it might also help you to avoid a misunderstanding.

kin, kín     sok, sók
örül, őrül    fiuk, fiúk

has, hass    kel, kell
ad, add     felet, felett
megy, meggy   épen, éppen

5 These are signboards that you might come across when walking in the streets of a Hungarian town. Read them out making sure that you pronounce the long vowels and long consonants correctly.

| | |
|---|---|
| **Posta** | *post office* |
| **Trafik** or **Dohánybolt** | *tobacconist's* |
| **Áruház** | *department store* |
| **Mozi** | *cinema* |
| **Színház** | *theatre* |
| **Jegypénztár** | *ticket office* |
|  (*pron.* jetypénsztár) | |
| **Presszó** or **Cukrászda** | *café* |
| **Gyógyszertár** or **Patika** | *chemist's* |
| **Közért** or **ABC** (*pron.* ábécé) | *small supermarket* |
| **OTP** (*pron.* ótépé) | *a bank* |
| **Rendőrség** | *police* |
| **Tisztító** or **Patyolat** | *dry cleaner's* |

6 Read out the following Budapest street names, making sure that you always stress the first syllable. In Hungary, many street names are named after famous people. As some Hungarian family names retain their traditional spelling you might need to know how to pronounce them. Here are some traditional letters with their pronunciations.

| traditional spelling | pronounced |
|---|---|
| y | i |
| ch/ts | cs |
| cz | c |
| th | t |
| w | v |

Vörösmarty tér, Rákóczi út, Váci utca, Kossuth tér, Bartók Béla út, Móricz Zsigmond körtér, Múzeum körút, Madách körút, Andrássy út.

| | | | |
|---|---|---|---|
| **utca** (*pron.* ucca) | *street* | **út** | *road* |
| **tér** | *square* | **körtér** | *circus* |
| **körút** | *boulevard* | | |

7   Read out the names of Hungarian towns, rivers and lakes below. Make sure you pronounce every single sound clearly and distinctly. Do not swallow the final syllable of the word.

8   There are a few Hungarian words that have an English origin. Which English words do you recognise in the following?

(a) dzsungel
(b) bridzs
(c) dzsem
(d) menedzser
(e) dzsessz

(f) bojler
(g) szendvics
(h) hippi
(i) gengszter

# A magyar ábécé
## (The Hungarian alphabet)

You will need the alphabet when trying to find a word in the dictionary or spelling your name. The Hungarian names of the letters are given in brackets. The asterisk means that the letter only occurs in Hungarian family names or words of foreign origin.

A (a)
Á (á)
B (bé)
C (cé)
CS (csé)
D (dé)
DZ (dzé)
DZS* (dzsé)
E (e)
É (é)
F (ef)
G (gé)
GY (gyé)
H (há)
I (i)
Í (í)
J (jé)
K (ká)
L (el)
LY (elipszilon)
M (em)
N (en)

NY (eny)
O (o)
Ó (ó)
Ö (ö)
Ő (ő)
P (pé)
Q* (kú)
R (er)
S (es)
SZ (esz)
T (té)
TY (tyé)
U (u)
Ú (ú)
Ü (ü)
Ű (ű)
V (vé)
W* (duplavé)
X* (iksz)
Y* (ipszilon)
Z (zé)
ZS (zsé)

Look up the English equivalents of these words in the **Hungarian–English vocabulary** at the end of the book.

zseb, óra, öreg, hosszú, és, hely

# PART ONE
# 1

## AZ ÚTLEVELÉT, LEGYEN SZÍVES!
*Your passport, please!*

### In this unit you will learn how to

- give your name, nationality and occupation
- ask for and give similar information about other people
- exchange greetings in formal situations

## Párbeszéd (*Dialogue*)

Robert Stuart, from Edinburgh, arrives at Ferihegy airport in Budapest. He is going through passport control where a young man checks his passport.

| | |
|---|---|
| **Fiatalember** | Jó napot kívánok! |
| **Robert** | Jó napot! |
| **Fiatalember** | Az útlevelét, legyen szíves! |
| **Robert** | Tessék. |
| **Fiatalember** | Köszönöm. Mi a neve? |
| **Robert** | Robert Stuart. |
| **Fiatalember** | Ön angol? |
| **Robert** | Nem, skót vagyok. |
| **Fiatalember** | Skót? |
| **Robert** | Igen, skót vagyok. |

ÚTLEVÉL

| | |
|---|---|
| **Fiatalember** | Á, skót! Értem. Rendben van. Viszontlátásra! |
| **Robert** | Viszontlátásra! |

## Szavak és kifejezések
## (*Words and expressions*)

| | |
|---|---|
| **fiatalember** *young man* | **Ön angol?** *Are you English?* |
| **Jó napot (kívánok)!** *Good morning/afternoon!* | **nem** *no, not* |
| | **Skót vagyok.** *I'm Scottish.* |
| **Az útlevelét, legyen szíves!** *Your passport, please!* | **igen** *yes* |
| | **Értem.** *I see.* |
| **Tessék.** *Here you are.* | **Rendben van.** *All right.* |
| **Köszönöm.** *Thank you.* | **Viszontlátásra!** *Goodbye!* |
| **Mi a neve?** *What's your name?* | |

## Kérdések *(Questions)*

1  Igaz vagy nem igaz? (*True or false?*) Correct and re-write the false statements.

   (*a*)  A fiatalember magyar.
   (*b*)  Robert amerikai.
   (*c*)  Robert nem angol.

   | | |
   |---|---|
   | **magyar** | Hungarian |

2  Feleljen (*pron.* felejjen) a kérdésekre! (*Answer the questions.*)

   (*a*)  A fiatalember angol? [⌣]
   (*b*)  Mi a skót turista neve? (*What is the Scottish tourist's name?*)

## Magyarország és a magyarok
## (*Hungary and the Hungarians*)

### Names

In Hungary surnames come first, followed by first names, e.g.

**Nagy István, Kovács Erzsébet**. However, foreign names keep their original sequence, e.g. **Robert Stuart**.

The English title *Mr* is **úr** in Hungarian and it follows the person's surname, e.g. **Nagy úr**. However, it is not as frequently used as in English. It is perfectly polite to refer to someone as **Nagy István**. *Mrs* is **-né** in Hungarian, and it is joined to the husband's surname or full name. Nagy István's wife is therefore **Nagyné** or **Nagy Istvánné**. The Hungarian word for *Miss* sounds old-fashioned and is rarely used. There is no equivalent for *Ms*.

If you know someone you address them by their first name in both formal and informal situations. Elderly women are called **néni** and elderly men are addressed as **bácsi**. (Though these words literally mean *aunt* and *uncle*, they are widely used outside the family). They can also be used with the person's surname or first name, e.g. an elderly man called Kis Lajos can be addressed as **Kis bácsi** or **Lajos bácsi** and his wife, called Kati as **Kis néni** or **Kati néni**. **Néni** and **bácsi** are also used by children when talking to adults.

# Ön, önök, maga, maguk, te *and* ti

These all mean *you* in English. In official situations, **ön** is used when talking to one person (i.e. it is the singular form) and **önök** when talking to more than one person (i.e. it is the plural form), e.g. at passport control, at the hotel reception, when changing money, etc. These forms are also used in advertisements and instruction leaflets.

**Maga** (sing.) and **maguk** (pl.) are formal. They are used by adults who do not know each other very well.

**Te** (sing.) and **ti** (pl.) are used when speaking to children, friends and members of the family. This familiar form of address is very popular with young people, and it is becoming more widespread among older people as well.

People who address each other as **maga** to start off with might decide after a while to use the familiar **te** form. They celebrate this occasion at a **pertu** when, arms linked, they might drink a liqueur or **pálinka** (the Hungarian brandy) and exchange two **puszis** (*a light kiss*) on both cheeks saying **Szia!** (*Hello!*).

When uncertain, wait to see which form the Hungarian speaker is using and do likewise.

## Greeting people

In formal and official situations the following greetings and farewells are used:

---

Greetings

| | | |
|---|---|---|
| up to about 10am: | **Jó reggelt (kívánok)!** | *Good morning.* |
| between 10am and 7pm: | **Jó napot (kívánok)!** | *Good morning/afternoon.* |
| after 7pm: | **Jó estét (kívánok)!** | *Good evening.* |

Farewells

| | | |
|---|---|---|
| any time of the day: | **(A) viszontlátásra!** | *Goodbye.* |
| | **Viszlát!** | (short for the above – but less formal) |
| late at night: | **Jó éjszakát (kívánok)!** | *Good night!* |

---

**Kívánok** (*I wish*) can be left out, though the expressions using **kívánok** are slightly more polite.

**Tessék** is a multi-purpose expression. It means all of the following:

*Here you are* when handing something to somebody,
*Come in* when answering a knock at the door,
*Hallo* when answering the phone,
*What can I do for you?* in a shop,
*Take a seat* when pointing to a chair,
*Yes, it is* when asked if a table or chair is free,
*Pardon?* if you raise your voice on the last syllable making it a question.

 ——— **Nyelvtan (Grammar)** ———

## 1 Personal pronouns (i.e. I, you, he, she, etc.)

---

| | Singular | | Plural | |
|---|---|---|---|---|
| 1st person | **én** *I* | | **mi** *we* | |
| 2nd person | **te** (fam.) | | **ti** (fam.) | |
| | **maga** (form.) | } *you* | **maguk** (form.) | } *you* |
| | **ön** (off.) | | **önök** (off.) | |
| 3rd person | **ő** *he, she* | | **ők** *they* | |

---

• Except for **ő** and **ők**, personal pronouns are usually omitted.

| | |
|---|---|
| **Magyar vagyok.** | *I am Hungarian.* |
| **Skót vagy?** [⌣] | *Are you Scottish?* |
| **Ő angol.** | *He/she is English.* |

However, they are retained for emphasis or clarity.

| | |
|---|---|
| **Én** angol vagyok. És **te?** | *I'm English. And what about you?* |
| **Én** magyar vagyok. | *I'm Hungarian.* |

• Note that **ő** means *he* or *she*, but it can never mean *it*.

## 2  Lenni *(to be)*

| Singular | Plural |
|---|---|
| (én) **vagyok**  *I am* | (mi) **vagyunk**  *we are* |
| (te) **vagy**  *you are* (fam.) | (ti) **vagytok**  *you are* (fam.) |
| (maga) **van**  *you are* (form.) | (maguk) **vannak**  *you are* (form.) |
| (ön) **van**  *you are* (off.) | (önök) **vannak**  *you are* (off.) |
| (ő) **van**  *he/she is* | (ők) **vannak**  *they are* |

**Van** and **vannak** are omitted when describing people or giving their jobs and nationalities.

| | |
|---|---|
| **John skót.** | *John is Scottish.* |
| **Ön angol?** [⌣] | *Are you English?* |
| **Maga tanár?** [⌣] | *Are you a teacher?* |
| **Jill csinos.** | *Jill is pretty.* |

**Ön** and **maga** are used with the 3rd person singular form (i.e. **van**), and **önök** and **maguk** are used with the 3rd person plural form (i.e. **vannak**).

As there is no difference between the forms taken by **ön** and **maga**, or **önök** and **maguk**, they will be referred to as formal.

## 3  The (a, az)

The word for *the* (the definite article) is **a** or **az** in Hungarian. **A** is used before words starting with a consonant, e.g. **a fiatalember** (*the young man*). **Az** is used before words beginning with a vowel, e.g. **az útlevél** (*the passport*).

## 4  Nationalities

Names of nationalities are spelt with a small letter: such as **angol**
(*English*) and **magyar** (*Hungarian*).

## 5  Intonation

(*a*) Statements in Hungarian have a falling intonation. (In the
diagrams below the three lines indicate the pitch, i.e. the height of
your voice.)

Angol vagyok.

Marlon amerikai.

(*b*) Question-word questions (i.e. those beginning with a question
word like **mi?** *what?*) rise high on the first syllable and then fall to a
medium pitch.

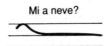

Mi a neve?

(*c*) Yes-or-no questions (i.e. those which do not begin with a question
word and can be answered with yes or no such as **Ön angol?** *Are you
English?*) pose the only real difficulty for English speakers. Your
voice starts on medium pitch and then drops a bit before going up
either on the last or on the penultimate syllable. In the latter case, it
has to come down again.

Ön angol?

Marlon amerikai?

You will find in square brackets an indication of the correct
intonation for yes-or-no questions.

**Ön angol?** [⌣]          *Are you English?*
**Marlon amerikai?** [⌣⌃]   *Is Marlon American?*

Listen to native speakers and try to imitate their intonation (the signs, e.g. [⤵], in this book are a guideline only). After a while it will come instinctively. It is important that you make an effort, because the only difference between a statement and a yes-or-no question might be whether your voice is going up or coming down at the end of a sentence.

Péter magyar.

Péter magyar?

## Gyakorlatok (*Exercises*)

1 Select the correct response to each of the following questions and requests:

(a) Jó estét kívánok!
  (i) Jó éjszakát!
  (ii) Viszontlátásra!
  (iii) Jó estét!

(b) Az útlevelét, legyen szíves!
  (i) Köszönöm.
  (ii) Tessék.
  (iii) Rendben van.

(c) Mi a neve?
  (i) Skót vagyok.
  (ii) Franks Joe.
  (iii) Joe Franks.

(d) Ön skót?
  (i) Értem.
  (ii) Joe.
  (iii) Igen, skót vagyok.

(e) Van valami elvámolnivalója?
  (i) Nem értem.
  (ii) Köszönöm.
  (iii) Viszontlátásra!

---

**Van valami elvámolnivalója?** [⤵]   *Have you got anything to declare? (form.)*

---

**2** Write down the appropriate greetings and farewells.

(a) It is 9 o'clock in the morning and you want to have some breakfast. You have run out of milk. You go down to the local **ABC** to get some. How do you greet the shop assistant?

(b) After breakfast you go to see the sights of Budapest. First you need a map of Budapest. You enter a **trafik**. It is 11.30. Greet the woman behind the counter.

(c) It is 7 o'clock in the evening and you are very hungry and thirsty. You have an hour before your concert starts. You go to an **étterem**. How do you reply to the waiter's greeting?

(d) You have had a good meal and you are ready to leave. How do you say goodbye to the cloakroom attendant?

(e) It is late. After a long day, you are very tired and decide to take a taxi home. Having arrived, you hand the driver the fare with your tip. What do you say?

**3** Jane Morris is a tourist from England. She decides to rent an **Ibusz szoba** while staying in Budapest (it is like an English bed and breakfast without the breakfast). She goes to a travel agency where, among other things, she is asked the following:

| | |
|---|---|
| **Fiatal nő** | Neve? [⌣] |
| **Jane** | Jane Morris. |
| **Fiatal nő** | Angol? [⌣] |
| **Jane** | Igen. |
| **Fiatal nő** | Mi a foglalkozása? |
| **Jane** | Diák vagyok. |

| | |
|---|---|
| **fiatal** *young* | **Mi a foglalkozása?** *What is your* |
| **nő** *woman* | *occupation?/What do you do?* (form.) |
| | **diák** *student* |

The following people are also queuing to book a room. What are they being asked, and what are their answers? Make up similar dialogues using the information provided, and then act them out.

| **név** | **állampolgárság** | **foglalkozás** |
|---|---|---|
| (a) Shirley Smith | kanadai | titkárnő |
| (b) Jane Ferguson | brit | tanár |
| (c) Michael Collins | ír | üzletember |

| | |
|---|---|
| **név** *name* | **brit** *British* |
| **állampolgárság\*** *citizenship* | **tanár** *teacher* |
| **foglalkozás** *occupation* | **ír** *Irish* |
| **kanadai** *Canadian* | **üzletember** *businessman* |
| **titkárnő** *secretary* | |

\*On official forms in Hungary you are asked about your citizenship, not your nationality, e.g. an English national is a British citizen.

4   What do you know about the person who filled in this form?

| | |
|---|---|
| **családi neve** *your family name* (form.) | **ausztrál** *Australian* |
| **utóneve** *your first name* (form.) | **foglalkozása** *your occupation* (form.) |
| **állampolgársága** *your citizenship* (form.) | **mérnök** *engineer* |

John McGregor ausztrál mérnök.

Write similar sentences about the following people:

| **Családi neve** | **Utóneve** | **Állampolgársága** | **Foglalkozása** |
|---|---|---|---|
| (a)  Szabó | Géza | magyar | orvos |
| (b)  Long | Elizabeth | amerikai | újságíró |
| (c)  Campbell | George | brit | rendőr |

| | |
|---|---|
| **orvos** *doctor* | **rendőr** *policeman* |
| **újságíró** *journalist* | |

**5**  Answer the following questions using the information provided.

Tim Scott angol pincér.    Jeremy Douglas skót színész.    Patrick Murphy ír autószerelő.

| pincér | waiter | autószerelő | car mechanic |
|--------|--------|-------------|--------------|
| színész | actor | | |

(a)  Tim ír? [⌣]
(b)  Mi Tim foglalkozása? (*What is Tim's occupation?*)
(c)  Mi Tim családi neve? (*What is Tim's surname?*)
(d)  Jeremy skót? [⌣]
(e)  Jeremy autószerelő? [⌣]
(f)  Patrick angol? [⌣]
(g)  Mi Patrick foglalkozása?

**6**  Which is the correct alternative: **a** or **az**?

(a)  **A/Az** Ibusz szoba tiszta.
(b)  **A/Az** pincér skót.
(c)  **A/Az** színész neve Laurence Olivier.
(d)  **A/Az** autószerelő neve nem Douglas.

| tiszta | clean |
|--------|-------|

**7**  Answer these questions about yourself.

(a)  Mi a neve?
(b)  Mi a családi neve?
(c)  Mi a foglalkozása?
(d)  Ön ír? [⌣]

— 25 —

**8** Look at the writing below, and write similar sentences about yourself.

*Pontifex Zsuzsa vagyok.*

*Magyar vagyok.*

*Tanár vagyok.*

## — Érti? (*Do you understand?*) —

After seeing the sights of Szeged, Henry Trowte finds a good restaurant where he wants to try the famous fish soup Szeged-style. He approaches a table where a young woman is studying the menu.

| | |
|---|---|
| **Henry Trowte** | Jó estét kívánok! |
| **Halász Edit** | Jó estét! |
| **Henry Trowte** | Szabad? |
| **Halász Edit** | Tessék. Maga nem magyar, ugye? |
| **Henry Trowte** | Nem, angol vagyok. Milyen itt a halászlé? Jó? |
| **Halász Edit** | Igen, nagyon finom. |
| **Henry Trowte** | Kíváncsi vagyok, mert szakács vagyok. És mi a maga foglalkozása? |
| **Halász Edit** | Én újságíró vagyok. |

| | | | |
|---|---|---|---|
| **Szabad?** [⌣] | *Is this place free?* | **finom** | *delicious* |
| **Milyen...?** | *What is...like?* | **kíváncsi** | *curious* |
| **itt** | *here* | **mert** | *because* |
| **halászlé** | *fish soup* | **szakács** | *cook* |
| **jó** | *good* | | |

Igaz vagy nem igaz? (*True or false?*) Correct and re-write the false statements.

(a) Henry Trowte angol újságíró.
(b) Halász Edit magyar szakács.
(c) A halászlé itt finom.

# 2

## KÉRSZ EGY FEKETÉT?
### Would you like a black coffee?

### In this unit you will learn how to

- offer somebody food or drink
- accept or refuse an invitation
- introduce people and what to say when you are introduced
- ask if someone speaks a language
- express regret
- say whether you like, or do not like, something

 ──────────── **Párbeszéd** ────────────

Jill is in Budapest for the first time. After a day spent sightseeing she drops in to see Mari, her Hungarian friend.

| | |
|---|---|
| **Jill** | Szia, Mari! |
| **Mari** | Szia, Jill! Hogy vagy? |
| **Jill** | Kösz, jól. Csak egy kicsit fáradt vagyok. |
| **Mari** | Kérsz egy feketét? |
| **Jill** | Köszönöm, kérek. |
| **Mari** | (handing it to her) Tessék! |
| **Jill** | Köszönöm szépen. |
| **Mari** | Szívesen. |

| | |
|---|---|
| **Jill** | (*taking a sip*) Egy kicsit erős, de nagyon finom. |
| | (*Ildi, Mari's sister, enters the room. Mari introduces them.*) |
| **Mari** | (*pointing to them*) Ildi, Jill, Jill, Ildi. |
| **Ildi** | Szia, Ildi vagyok. |
| **Jill** | Szia, Jill vagyok. |
| | (*They shake hands.*) |
| **Ildi** | Hogy tetszik Budapest? |
| **Jill** | Szerintem nagyon szép város. |
| **Ildi** | Jól beszélsz magyarul! |
| **Jill** | Én? Á, nem. Sajnos csak egy kicsit tudok magyarul. |

 ———— **Szavak és kifejezések** ————

| | |
|---|---|
| **Szia!** *Hello!* | **de** *but* |
| **Hogy vagy?** *How are you?* (fam.) | **Nagyon finom.** *It is delicious.* |
| **Kösz, jól.** *Fine thanks.* (fam.) | **Hogy tetszik** (pron. teccik) |
| **jól** *well* | **Budapest?** *How do you like* |
| **csak** *only* | *Budapest?* |
| **egy kicsit** *a little, a bit* | **szerintem** *in my opinion* |
| **Fáradt** (pron. fáratt) **vagyok.** *I am* | **nagyon** *very* |
| *tired.* | **szép** *beautiful* |
| **Kérsz egy feketét?** [⌣] *Would you* | **város** *city* |
| *like a black coffee?* | **Jól beszélsz magyarul!** *You speak* |
| **fekete** *black coffee* | *Hungarian well.* |
| **Köszönöm, kérek.** *Yes, please.* | **Én?** *Me?* |
| **Köszönöm szépen.** *Thank you* | **Á, nem.** *Oh, no.* |
| *very much.* | **sajnos** *unfortunately* |
| **Szívesen.** *You are welcome.* | **Csak egy kicsit tudok magyarul.** |
| **erős** *strong* | *I only know a little Hungarian.* |

Note: the **-t** ending of **feketét** is explained in Unit 3. At this stage just learn the particular expression when you come across it.

## Kérdések

1 Igaz vagy nem igaz? (*True or false?*) Correct and re-write the false statements.

   (*a*) Jill jól van.

(b) Jill egy kicsit éhes.
(c) Jill nem kér feketét.
(d) A fekete nagyon finom.
(e) Jill nagyon jól tud magyarul.

---

**éhes** hungry

---

2 Feleljen a kérdésekre! (*Answer the questions.*)

(a) Hogy van Jill?
(b) Fáradt Jill? [↶]
(c) Kér Jill feketét? [↶]
(d) Finom a fekete? [↶]
(e) Jól beszél Jill magyarul? [↶]

# — Magyarország és a magyarok —

## *Informal greetings*

In informal situations (i.e. when addressing people with **te** or **ti**) the following words are used as both greetings and farewells at any time of the day:

| To one person | To two or more people |
|---|---|
| Szia! | Sziasztok! |
| Szevasz! | Szevasztok! |
| Szervusz! | Szervusztok! |

**Szervusz!** and **Szervusztok!** are out of fashion now, though they are often used by the older generation when speaking to friends, relatives and children. Most people pronounce these words with a **b** (szerbusz, szerbusztok).

### Hogy vagy?

In Hungary this question is not asked as often as in England. It is usually a real question, therefore you can complain! In informal situations use **Hogy vagy?** (sing.) and **Hogy vagytok?** (pl.); and in formal situations (i.e. when you address people as **maga/maguk** or **ön/önök**) use **Hogy van?** (sing.) and **Hogy vannak?** (pl.).

## Introducing people

In Hungary, just as in England, people shake hands when they are introduced. When you are introduced in an informal situation, say **Szia!** and give your first name, e.g. **Jill vagyok.** *I'm Jill.* In formal situations give your full name, e.g. **Jill Hunter vagyok.** *I'm Jill Hunter.*

When saying goodbye you can use the expression: **Örülök, hogy megismertelek.** (sing. fam.) or **Örülök, hogy megismertem.** (sing. form.) *It was nice to meet you.*

In informal situations (e.g. at a party) you do not have to wait for someone to introduce you. You can introduce yourself.

## Shaking hands

An introduction is not the only occasion when people shake hands. Men shake hands every time they meet or part. Some men, with an old-fashioned sense of courtesy, like to kiss the hand of a woman. Women friends or relatives give a light kiss called a **puszi** on both cheeks. Men and women can also exchange two **puszis** when they are friends or relatives.

## Hungarian hospitality

Hungarians are famous for their hospitality. But be prepared! This often means filling their guests with food and drink. If you are offered some food or drink and you are happy to accept it, say: **Köszönöm, kérek.** *Yes, please.* If you do not want it, be firm and say: **Köszönöm, nem kérek.** *No, thank you.* If you are offered a choice, when accepting, you also have to say what you want:

**Kérsz kávét vagy teát?** [↵]    *Would you like coffee or tea?*
**Köszönöm, kávét kérek.**    *I'd like coffee, please.*
**Köszönöm, teát kérek.**    *I'd like tea, please.*

Before starting a meal it is customary to say to people: **Jó étvágyat kívánok!** or just **Jó étvágyat!** *Bon appetit!* People will respond by either saying the same, or **Köszönöm, viszont.** *Thank you, the same to you.* Before drinks people say:

**Egészségedre!** (*pron.* egésségedre)    *To your health!* (sing. fam.)
**Egészségetekre!** (*pron.*egésségetekre)    *To your health!* (pl. fam.)

**Egészségére!** (*pron.* egésségére)    *To your health!* (sing. form.)
**Egészségükre!** (*pron.* egésségükre)    *To your health!* (pl. form.)

If all these forms seem too much to learn, just remember **Egészségünkre!** (*pron.* egésségünkre) *To our health!* It is good in any situation.

After a meal or a drink it is polite to say thank you for it.

**Köszönöm a kávét.**    *Thank you for the coffee.*

**Köszönöm a teát.**    *Thank you for the tea.*

And a little praise is most welcome:

**Nagyon finom volt.**    *It was delicious.*

They will probably answer: **Egészségedre!** (fam.) or **Egészségére!** (form.)

Note that **Egészségedre!** or **Egészségére!** meaning *Bless you!* are also used when somebody sneezes.

### Hungarian coffee and tea

Hungarian coffee is called **kávé** (*coffee*), **fekete kávé** (*black coffee*) or just **fekete** (*black*). (In cafés, it is sometimes called **dupla** (*double*).) Hungarians drink a lot of it. It is small and very strong and probably not to the taste of most English people. You might want to ask for a little extra water. Just say to the waiter:

**A kávé nagyon erős. Kérek**    *The coffee is very strong.*
**még vizet bele.**    *I'd like more water in it.*

Hungarians will probably regard this as highly eccentric or amusing as they consider the coffee served at cafés and restaurants as very weak. Tea is drunk with lemon in Hungary. It is usually much weaker than in Britain.

## Visiting friends

In Hungary, even in big cities, friends just drop in on each other without telephoning beforehand. However, if your stay is short and you do not want to waste your time, it is advisable to establish first that people are in at the time you want to see them. If you are invited to lunch or dinner, the customary gift to take is a bunch of flowers for the hostess, not a bottle of wine! (Unless your host is a man.)

**Hogy tetszik ..?** This is an impersonal form. (The nearest equivalent in English would be: *How does... appeal to you?*) When answering this question you can say:

| | |
|---|---|
| Tetszik. | *I like it.* |
| Nagyon tetszik. | *I like it very much.* |
| Nem tetszik. | *I don't like it.* |

Or describe what or who you are asked about.

| | |
|---|---|
| Hogy tetszik Budapest? | *How do you like Budapest?* |
| Szép város. | *It is a beautiful city.* |

**Szerintem** (Lit. *according to me*) is used when expressing what one thinks about somebody or something, e.g. **Szerintem Szeged szép város**. *In my opinion, Szeged is a beautiful town.*

**Kösz** and also **köszi** mean *thanks*. They are used only in informal situations.

---

# Nyelvtan

## 1 Verbs

Verbs (i.e. words expressing an action or state like *go, be, happen*, etc.) are conjugated in Hungarian. This means that you put endings after the stem of the verb. (The stem is the simplest form of a word i.e. without any ending like **tud** *know* or **beszél** *speak*.)

The function of an ending is to identify who you are talking about and to establish the time of the action (i.e. whether it takes place in the past, present or future). The form of a verb which shows the time of an action is called the *tense*, (e.g. *walked* past tense, *walks* present tense, and *will walk* future tense).

As the ending of a verb always identifies who you are talking about, the personal pronouns are usually omitted. They are only retained for emphasis or clarity.

**Én** beszélek angolul, nem Zoltán.  *I speak English, not Zoltán.*

Hungarian verbs are listed in dictionaries in their 3rd person singular form, e.g. **tud** and **beszél**. They are presented in the same way throughout this book.

✳ When learning a new verb, say all the forms aloud (or 'conjugate' the verb) at least once as a matter of course. (You might find it helpful to write down the conjugation as well.) This will help you to remember the correct form when you have to use it and will greatly improve your fluency.

## 2 Present tense: standard verbs with singular forms

### Back vowel verbs

| (én) | tud**ok** | *I know* |
| (te) | tud**sz** | *you know* (fam.) |
| (maga/ön) | tud | *you know* (form.) |
| (ő) | tud | *he/she knows* |

Note that **tudsz** is pronounced tucc.

### Front vowel verbs

| (én) | beszél**ek** | *I speak* |
| (te) | beszél**sz** | *you speak* (fam.) |
| (maga/ön) | beszél | *you speak* (form.) |
| (ő) | beszél | *he/she speaks* |

There is only one present tense in Hungarian (i.e. there is no difference between *I speak* and *I am speaking*). Both these phrases can be translated as **beszélek**.

In the case of most verbs (see other types in later units) the verb stem and the 3rd person singular form are the same.

**Ön** and **maga** always take the 3rd person singular form of the verb. In the case of the 1st person singular there are two endings **-ok** and **-ek**. Because of vowel harmony (see below), back vowel verbs take **-ok** and front vowel verbs take **-ek**.

## 3 Vowel harmony

Hungarian vowels fall into two groups: *back vowels* and *front vowels*.

(Back vowels are formed at the back of the mouth and front vowels are formed at the front of your mouth. Hence the name.)

| The back vowels are: | The front vowels are: |
|---|---|
| a – á | e – é |
| o – ó | i – í |
| u – ú | ö – ő |
| | ü – ű |

✳ The easiest way to remember whether a vowel is front or back is by learning the word **autó** (*car*). It contains three back vowels: **a**, **u** and **ó**. By adding the second half of each pair (i.e. **á**, **ú** and **o**) you get all the back vowels. All the others are front vowels.

Hungarian words also fall into two groups: back vowel words and front vowel words. Front vowel words only have front vowels in them, e.g. **fekete**, **beszél**. Back vowel words, however, may contain not only back but also front vowels, e.g. **tud**, **amerikai**.

Front vowel words take front vowel endings and back vowel words, with a few exceptions, take back vowel endings. So the vowels of the word stem and its ending(s) are in harmony. This is called *vowel harmony*, and it is a feature of Hungarian.

Most endings have two forms: one with a back vowel, the other with a front vowel in it. With the exception of a few endings which have only one form, vowel harmony has to be applied when deciding on the right form of ending to be joined to the word stem.

## 4 The -ul and -ül ending

Because of vowel harmony, back vowel words take **-ul**, and front vowel words take **-ül**. This ending has no English equivalent and is used when referring to languages with phrases such as:

| | | | |
|---|---|---|---|
| **tud** németül | *know German* | **tanul** franciául | *learn French* |
| **beszél** magyarul | *speak Hungarian* | | |

**Beszél angolul?** [⌐]    *Do you speak English?* (form.)
Sajnos **nem tudok németül.**    *Unfortunately I don't know German.*

**Magyarul tanulok.**      *I'm learning Hungarian.*

Note that **a** and **e**, at the end of words, usually change to **á** and **é** before endings, e.g. **francia** – **franciául**.

## 5 Van

**Van** and **vannak** cannot be omitted when asking or stating how somebody is:

| | |
|---|---|
| **Hogy van** Jill? | *How is Jill?* |
| Jill **jól van**. | *Jill is fine.* |
| Cf. **Jill fáradt**. | *Jill is tired.* |

## 6 A and an (egy)

A/an (the indefinite article) is **egy** in Hungarian. It has only one form, e.g. **egy** fekete *a black coffee*, **egy** angol fiatalember *a young Englishman*. Note that it is used less in Hungarian than in English. It is not used when giving someone's profession, e.g. **Péter orvos.** *Péter is a doctor.*

 ————— **Gyakorlatok** —————

1   Select the correct response to each of the following questions and statements:

| | | |
|---|---|---|
| (a) Szia! | (i) | Jó napot! |
| | (ii) | Hogy vagy? |
| | (iii) | Szia! |
| (b) Kér egy feketét? | (i) | Köszönöm, nem kérek. |
| | (ii) | Kérsz. |
| | (iii) | Én? Á, nem. |
| (c) Kérsz kávét vagy teát? | (i) | Köszönöm, kérek. |
| | (ii) | Kávét. |
| | (iii) | Köszönöm, kávét kérek. |
| (d) Hogy vagy? | (i) | Szívesen. |
| | (ii) | Kösz, jól. |
| | (iii) | Köszönöm szépen. |

(e)  Köszönöm szépen.     (i)   Tessék.
                          (ii)  Szívesen.
                          (iii) Kösz.
(f)  Jó étvágyat!          (i)   Egészségére!
                          (ii)  Tetszik.
                          (iii) Jó étvágyat kívánok!
(g)  Ildi, Jill, Jill, Ildi.  (i)   Szia, Jill vagyok.
                          (ii)  Örülök, hogy megismertelek.
                          (iii) Hogy vagy?

**2** Some words below are misplaced. Put them in their correct circles.

**Back vowel words**

tanár
rendőr     fáradt
ön
foglalkozás
itt

**Front vowel words**

étterem
éhes        skót
fiatalember
finom
sajnos

**3** Which is the correct alternative?

(a)  Én **beszélek/beszél** angolul.
(b)  Ön **tanul/tanulsz** németül.
(c)  Te **beszél/beszélsz** franciául? [⌁]
(d)  Ő **tanulok/tanul** spanyolul.
(e)  Maga **tudok/tud** magyarul? [⌁]

| **német** | *German* | | **spanyol** | *Spanish* |
|---|---|---|---|---|
| **francia** | *French* | | | |

**4** Make up sentences using the information provided below. Here is the first one for you: (a) Jól tudok angolul.

|     | Ki? | Hogy? | beszél | tud | tanul | nyelv |
|-----|-----|-------|--------|-----|-------|-------|
| (a) | én | jól | | ✓ | | angol |
| (b) | ön | elég jól | ✓ | | | francia |
| (c) | te | egy kicsit | | ✓ | | német |
| (d) | maga | nagyon jól | ✓ | | | olasz |
| (e) | én | | | | ✓ | magyar |
| (f) | János | csak egy kicsit | | ✓ | | spanyol |

| | |
|---|---|
| **Ki?** *Who?* | **elég jól** *quite well* |
| **Hogy?** *How well?* | **olasz** *Italian* |
| **nyelv** *language* | |

**5** A Hungarian woman stops you in the street to ask you something.

(a) Ask her to repeat it.

(b) Say that you do not understand.

(c) Tell her that you are English.

(d) Tell her that unfortunately you only know a little Hungarian.

(e) Ask her if she speaks English.

(f) She says she does not. Say goodbye.

**6** You are invited to a **buli** (*party*) by your Hungarian friend, Gabi. She offers you some food and drink. Fill in your part of the dialogue and then act it out from memory.

**Gabi** Szia!

(a) *Say hello to her.*

**Gabi** Hogy vagy?

(b) *Tell her that you are well, but you are a bit thirsty* (**szomjas**).

**Gabi** Kérsz sört vagy üdítőt? [↴]

(c) *Tell her that you want some beer.*

**Gabi** Tessék. Egészségedre!

(d) *Say 'Cheers'.*

**Gabi** Milyen a sör? Finom? [↳]

(e) *Say that it is very nice.*

**Gabi** Éhes vagy? [↴]

(f) *Say that you are hungry.*

**Gabi** Kérsz egy szendvicset? [↴]

(g) *Accept it.*

**Gabi** Tessék. Jó étvágyat!

(h) *Say 'Thank you very much.'*

**Gabi** Szívesen.

| | |
|---|---|
| **sör** *beer* | **szendvics** *sandwich* |
| **üdítő** *soft drink* | |

**7** Gabi's friend, Zoli has arrived. She introduces you to him and you have a chat. Fill in your part of the conversation and then act it out.

**Gabi** Zoli, ——, ——, Zoli

**Zoli** Szia, Zoli vagyok.

(a) *Give him your name.*

**Zoli** Bocsánat, hogy hívnak?

(b) *Repeat your name.*

**Zoli** Te angol vagy? [⌣]

(c) *Give your nationality.*

**Zoli** Nagyon jól beszélsz magyarul!

(d) *Say that unfortunately you only know a little Hungarian.*

**Zoli** Nehéz nyelv a magyar? [⌣]

(e) *Say that it is, but it is interesting (***érdekes***).*

**Zoli** És hogy tetszik Magyarország?

(f) *Tell him that you like it very much.*

---

**Bocsánat.** *Sorry.*     **nehéz** *difficult*
**Hogy hívnak?** *What do they call*   **Magyarország** *Hungary*
*you?* (fam.)

---

**8** Who thinks what? Make up sentences using the information given below. Here is the first one for you:

(a) Ági szerint az angol nem nehéz nyelv.

| Ki szerint? | nyelv | Milyen? |
| --- | --- | --- |
| (a) Ági | angol | nem nehéz |
| (b) Kati | német | elég nehéz |
| (c) Pál | francia | egy kicsit nehéz |
| (d) Andrea | olasz | nehéz |
| (e) John | magyar | nagyon nehéz |

---

**Ági szerint** *in Ági's opinion* (Lit. *according to Ági*)

---

**9** You are staying with friends in Hungary. It is very late and you are tired. Tell them that you are very sleepy and wish them good night. Complete the crossword puzzle below, and you will find the Hungarian word for sleepy.

(a) *tired* in Hungarian.
(b) Hungarian fish soup.
(c) *businessman* in Hungarian.
(d) *English* in Hungarian.
(e) *and* in Hungarian.

# Érti?

John Taylor is an American businessman. He has come to see Mr Halmos, the director of the Hungarian Institute for Market Research. He finds Irénke, Mr Halmos's secretary in the office.

| | |
|---|---|
| **Taylor úr** | Jó reggelt kívánok! John Taylor vagyok. Itt van Halmos Géza? |
| **Irénke** | Jó reggelt! Egy pillanat. (*She goes into the other room.*) Igazgató úr\*, John Taylor keresi. |
| **Halmos úr** | (*coming out of his room*) Jó reggelt kívánok! John Taylor? |
| **Taylor úr** | Igen. |
| **Halmos úr** | Halmos Géza vagyok. (*They shake hands.*) |
| **Halmos úr** | (*pointing to a chair*) Tessék, foglaljon helyet! |
| **Taylor úr** | Köszönöm. |
| **Halmos úr** | Kér kávét vagy üdítőt? |
| **Taylor úr** | Köszönöm, ha lehet egy kólát kérek. Nagyon szomjas vagyok. |
| **Halmos úr** | Irénke, egy kólát és egy kávét, legyen szíves! |

---

**Egy pillanat.** *Just a moment.*
**igazgató** *director*
**John Taylor keresi.** *John Taylor is here to see you.*

**Foglaljon** (*pron.* foglajjon) **helyet!** *Take a seat.*
**ha lehet** *if possible*
**legyen szíves** *please* (form.)

---

\*Men are sometimes addressed by using the name of their profession followed by the word **úr**, e.g. **igazgató úr, mérnök úr**.

**Igaz vagy nem igaz?** (*True or false?*) Correct and re-write the false statements.

(a) Halmos Géza igazgató.
(b) Taylor úr angol üzletember.
(c) Irénke újságíró.
(d) Taylor úr kávét kér.
(e) Halmos Géza üdítőt kér.

# 3

## PINCÉR!
### *Waiter!*

### In this unit you will learn how to

- order a meal at a restaurant
- book a room
- ask somebody to speak more slowly
- say if you like or dislike some food or drink

 ——————— **Párbeszéd** ———————

On Jenny's last day in Hungary, her friend János treats her to a meal at a restaurant.

*(They enter.)*

| | |
|---|---|
| **János** | Szabad ez az asztal? |
| **Pincér** | Sajnos foglalt. De az ott szabad. |

*(They sit down.)*

| | |
|---|---|
| **János** | Kérünk egy étlapot. |
| **Pincér** | Tessék. |
| **János** | Köszönöm. Mit kérsz, Jenny? |
| **Jenny** | Egy gulyáslevest és utána pörköltet. |

| | |
|---|---|
| **János** | Salátát is kérsz? |
| **Jenny** | Igen, uborkasalátát is kérek. |
| **János** | És mit kérsz inni? |
| **Jenny** | Talán egy pohár vörös bort. |
| **János** | Én is vörös bort kérek. Pincér! |
| **Pincér** | Mit parancsolnak? |
| **János** | Először egy gulyáslevest és egy hideg gyümölcslevest kérünk, utána pedig egy pörköltet és egy paprikás csirkét. És két uborkasalátát is, legyen szíves. |
| **Pincér** | És inni mit hozhatok? |
| **János** | Egy üveg egri bikavért kérünk. |
| | *(after the waiter has brought the soup)* |
| **János** | Hogy ízlik a magyar gulyás, Jenny? |
| **Jenny** | Nagyon finom! |
| **János** | Örülök, hogy ízlik. |
| | *(after the meal)* |
| **János** | Pincér! Fizetek! |

 ——— **Szavak és kifejezések** ———

**Szabad ez az asztal?** [⌐]   *Is this table free?*
**pincér**   *waiter*
**foglalt**   *taken*
**Az ott szabad.**   *That one over there is free.*
**Kérünk egy étlapot.**   *The menu, please.*
**Mit kérsz, Jenny?**   *What would you like, Jenny?*
**Egy gulyáslevest és utána pörköltet.**   *A goulash and then a stew.*
**Salátát is kérsz?** [⌐]   *Would you like salad as well?*
**uborkasaláta ('-t)**   *cucumber salad*
**És mit kérsz inni?** [⌐]   *And what would you like to drink?*

**Talán egy pohár vörös bort.**   *Perhaps a glass of red wine.*
**Mit parancsolnak?**   *What will you have?*
**először**   *first of all*
**hideg**   *cold*
**gyümölcsleves (-t)**   *fruit soup*
**pedig**   *and*
**paprikás csirke ('-t)**   *paprika chicken*
**két**   *two*
**És inni mit hozhatok?** [⌐]   *And what can I bring you to drink?*
**egy üveg egri bikavér (-t)**   *a bottle of 'Bull's Blood'*
**Hogy ízlik ..?**   *How do you like ..?*
**Örülök.**   *I am glad.*
**Fizetek!**   *The bill, please!*

## Kérdések

1 Melyik igaz? (*Which is true?*) Select the correct expression.

(*a*) Jenny ... kér.       (i) gulyáslevest
                      (ii) egy étlapot
(*b*) Jenny ... vörös bort kér   (i) egy üveg
     inni.                (ii) egy pohár
(*c*) Jenny szerint a magyar  (i) finom
     gulyás ...          (ii) szép

2 Feleljen a kérdésekre!

(*a*) Milyen levest kér János?
(*b*) Utána pörköltet kér? [↶]
(*c*) János is kér salátát? [↶]
(*d*) Az egri bikavér fehér bor? [↶]

---

| | |
|---|---|
| **Milyen?** *What kind of?, what sort of?* | **fehér bor** *white wine* |

---

## —— Magyarország és a magyarok ——

### *Restaurants*

There are all sorts of places where you can eat in Hungary. **Étterem** is the most common word for a restaurant. However, you might also come across a **vendéglő**, also a restaurant, but usually cheaper, or a **csárda**, a country inn with a rustic atmosphere. If you are a student trying to eat cheaply, an **önkiszolgáló étterem** (*self-service restaurant*) is the place for you. You might just want a quick bite, in which case try a **bisztró**, a small restaurant or a **büfé** (*buffet*) for hot and cold sandwiches. At a **pecsenyés** or a **falatozó** or a **lángossütő**, quick Hungarian specialities are served.

In some restaurants gypsy music is played at night. The fiddlers like to go up to tables to play people's favourite melodies. Once they have come to your table, the only way to make them leave, is to stick some banknotes in their fiddles!

**Pincér!** (*Waiter!*) To call the waiter try to catch his or her eye, and lift your hand saying: **Pincér!**

## Paying

It is advisable to take cash with you, though more and more places accept credit cards as well.

If you are a businessman and want to keep the receipt, say **Közületi számlát kérek.** *I'd like to have an official receipt.*

## Tipping

Service is not usually included in the bill. Therefore it is customary to give some **borravaló** (*tip*). It is usually between 10 and 15 per cent. Hungarians do not leave the tip on the table in restaurants. They give it to the waiter when paying. If you want the waiter to keep the change just say: **Köszönöm**, or alternatively, you can wait for your change and give him his tip, saying **Köszönöm**. Tipping is common in Hungary (though sometimes it is less than 10 per cent). Hungarians tip taxi drivers, waiters, hairdressers, petrol pump attendants, hotel staff, cloakroom attendants, newsagents, gas and electricity meter readers, doctors, nurses and so on.

## Cafés

Hungarians like to meet and chat at places where they can have a cake and a coffee or a soft drink. **Cukrászda, presszó** or **eszpresszó** are the most common words for a café.

## Places for a drink

The most common words for a pub are **kocsma** or **italbolt**. These, however, usually mean rather basic places for local workmen. They serve not only beer, but wine as well. **Söröző** would be the nearest equivalent to a pub. **Borozó** is a wine bar but again, usually it does not really correspond to its Western equivalents.

## *Hungarian cuisine*

This boasts a great variety of delicious dishes. Hungarians like their food. It is spicy and there is plenty of it. **Reggeli** (*breakfast*) is bread and butter with cheese, ham or salami. **Ebéd** (*lunch*) is the main meal of the day. Hungary is a land of soups. Most lunches, sometimes even dinners start with it. (The famous **gulyás**, though substantial, is mostly a soup, not a stew in Hungary.) Pork dishes are very popu-

lar. If there is a third course, it is usually some heavy cake!
Traditionally, Hungarians cook with animal fat rather than oil, and
**pirospaprika** (*red pepper*) gives Hungarian dishes a special colour
and flavour. **Vacsora** (*evening meal*) for some people is just as sub-
stantial as lunch, but others prefer to have something cold and light.
Sunday lunch is the main meal of the week when most families are
together.

**Hogy ízlik..?** Just like **Hogy tetszik..?**, this is also an impersonal
form and means *How do you like..?* The word **tetszik** is used for
things or people which can be described as **szép** (*beautiful*), e.g.
**Tetszik Pécs?** [~] *Do you like Pécs?* **Ízlik** is used for things which
can be described as **finom** (i.e. food or drink), e.g. **Ízlik a gulyás?**
[~] *Do you like goulash?*

**Parancsol** (Lit. *order*) is often used by people who provide some kind
of service for other people. For example:

(in a shop):       **Tessék parancsolni.** *What can I do for you?*
(in a taxi):       **Hova parancsol?** *Where would you like to go?*
(at a restaurant): **Mit parancsolnak?** *What would you like?*

**Legyen szíves** (*please* – sing.) is used in formal situations. In infor-
mal situations, use **légy szíves** (sing.). The plural forms are
**legyenek szívesek** (form.) and **legyetek szívesek** (fam.).
Hungarians do not use these phrases as often as the English. They
are very useful though when asking for something, e.g. **Egy pörköl-
tet, legyen szíves.** *A stew, please.*

**Foglalt** can be used when *asking if* or *stating that*:

(a) a table or a seat is occupied:

**Szabad ez a hely?** [~]   *Is this seat free?*
**Sajnos foglalt.**          *Unfortunately it is taken.*

(b) the toilet is occupied

**A WC** (*pron.* vécé) **foglalt.**

(c) the telephone is engaged:

**A telefon foglalt.** or
**Foglalt a vonal.**   *The line is engaged.*

──────── **Nyelvtan** ────────

## 1 Present tense: standard verbs with plural forms

**Back vowel verbs**

| (mi) | tud**unk** | *we know* |
|---|---|---|
| (ti) | tud**tok** | *you know* (fam.) |
| (maguk/önök) | tud**nak** | *you know* (form.) |
| (ők) | tud**nak** | *they know* |

**Front vowel verbs**

| (mi) | beszél**ünk** | *we speak* |
|---|---|---|
| (ti) | beszél**tek** | *you speak* (fam.) |
| (maguk/önök) | beszél**nek** | *you speak* (form.) |
| (ők) | beszél**nek** | *they speak* |

**Tudtok** angolul? [↴]      *Do you speak English?* (pl. fam.)
**Beszélnek** németül? [↴]      *Do you / they speak German?*

## 2 Is *(too, also, as well)*

The word **is** always comes after the word that it refers to. It is never stressed, and it is pronounced together with the preceding word as if they were one word:

**Én is** kérek sört.     *I also want beer.* (i.e. someone else wants beer and so do I).

Én **sört is** kérek.     *I want beer as well.* (i.e. I want beer as well as something else).

The same in English is achieved by stressing the relevant word.

## 3 Pedig *(and, however, but, on the other hand)*

**Pedig** is usually the second expression after a pause in the second half of the sentence. It is used when expressing contrast.

Először levest kérek, utána
**pedig** pörköltet.
Ica kávét kér, Ági **pedig** teát.

*First I want a soup and then*
*a stew.*
*Ica wants coffee, but Ági wants tea.*

## 4 The -t ending

● The object of a Hungarian sentence is marked by **-t**. This is called the object (or accusative) ending. (Grammatically, the object is the person or thing that is the object of the action expressed by the verb. For example, in the sentences: *I saw Tom*, and *I gave him an apple*, the words *Tom* and *apple* are the objects.)

● Certain verbs, like for example **kér** (Lit. *ask for*) usually take an object and therefore require the use of the object ending, e.g. **Kérek egy levest.** *I'd like a soup, please.* Note that the word **köszönöm** also requires the object ending, e.g. **Köszönöm a vacsorát.** *Thank you for the supper.*

● If a word ends in a vowel the **-t** comes straight after it. As usual, the final **a** changes to **á**, and the final **e** to **é** before it.

| | |
|---|---|
| mi – mit | kávé – kávét |
| fekete – feketét | tea – teát |

If a word ends in a consonant, a linking vowel will join the object ending to the word stem. In the case of back vowel words, the linking vowel is mostly **o**, sometimes **a**. In the case of front vowel words, the linking vowel is usually **e**, sometimes **ö**.

| | |
|---|---|
| étlap – étlapot | pörkölt – pörköltet |
| ház – házat | gyümölcs – gyümölcsöt |

Quite a few words ending in a consonant, though, do not need a linking vowel before the object ending, e.g. sör – sört, asztal – asztalt.

✳ This might seem complicated at this stage. To help you, in Part One, the object form of all new words will be given as they occur. In Part Two, as well as in the **Hungarian – English vocabulary** at the end of the book, only the object form of words ending in a consonant is given. It is a good start if you learn the words introduced in this unit with their object endings. But do not worry: even if you do not know the object form when you want to ask for something using the word **kérek**, just say the word itself. Though grammatically incorrect, people will still understand you.

Make a habit of learning the object form of each word as you come across them.

———— **Gyakorlatok** ————

1 Choose the correct response to each of the following questions and requests:

(*a*) Szabad ez az asztal?  (i)  Fizetek!
                                    (ii)  Sajnos foglalt.
                                    (iii)  Szívesen.

(*b*) Mit kér, Németh úr?  (i)  Egy gulyásleves.
                                    (ii)  Köszönöm, nem kérek.
                                    (iii)  Egy pörköltet.

(*c*) És mit parancsolnak  (i)  Az étlapot, legyen szíves.
    inni?                      (ii)  Köszönöm.
                                    (iii)  Egy üveg vörös bort, legyen szíves.

(*d*) Hogy ízlik a paprikás  (i)  Finom.
    csirke?             (ii)  Nagyon szép.
                                    (iii)  Tetszik.

2 Mr Fitzpatrick is on a business trip to Hungary. After a long day of meetings, he is taken out for a meal by his Hungarian colleague, Mr Kerekes. Study the menu overleaf first, and then match Mr Kerekes's questions with Mr Fitzpatrick's answers on page 49. Write down the whole conversation and then act it out from memory.

| | |
|---|---|
| **levesek** (-et)  *soups* | **zöldbabfőzelék** (-et)  *bean dish* |
| **Újházy tyúkhúsleves** (-t)  *Újházy chicken soup* | **hasábburgonya** ('-t)  *chips* |
| **paradicsomleves** (-t)  *tomato soup* | **rizs** (-t)  *rice* |
| **Jókai bableves** (-t)  *bean soup Jókai style* | **saláták** (-at)  *salads* |
| **zöldségleves (-t)** (pron. zölcség)  *vegetable soup* | **paradicsom saláta** ('-t)  *tomato salad* |
| **borsóleves** (-t)  *pea soup* | **vegyes saláta** ('-t)  *mixed salad* |
| | **savanyúság** (-ot)  *pickles* |
| | **tészták** (-at)  *pasta dishes* |

**gombaleves** (-t) *mushroom soup*
**hideg/meleg előételek** (-et)
*cold/hot starters*
**hortobágyi palacsinta** ('-t)
*savoury (meat) pancake*
**kaszinótojás** (-t) *Russian eggs*

**készételek** (-et) *main dishes*
**töltött káposzta** ('-t) *stuffed cabbage*
**töltött paprika** ('-t) *stuffed peppers*
**sertéspörkölt** (-et) *pork stew*
**bécsi szelet** (-et) *Wiener Schnitzel*
**rántott hal** (-at) *fish in batter*

**főzelékek** (-et) / **köretek** (-et)
*vegetable dishes/side dishes*
**zöldborsófőzelék** (-et) *pea dish*

**káposztás kocka** ('-t) *pasta with cabbage*
**túrós csusza** ('-t) *pasta with cottage cheese*
**szilvás gombóc** (-ot) *plum dumpling*

**édességek** (-et) *desserts*
**meggyes rétes** (-t) *morello cherry strudel*
**Gundel palacsinta** ('-t) *Gundel-style chocolate pancakes*
**fagylalt** (-ot) *ice-cream*

**italok** (-at) *drinks*
**pezsgő** (-t) *champagne*
**tokaji aszú** (-t) *a type of tokaji dessert wine*
**száraz bor** (-t) *dry wine*
**édes fehér bor** (-t) *sweet white wine*

| Levesek | | Saláták | |
|---|---|---|---|
| Újházy tyúkhúsleves | 45 Ft | Paradicsom saláta | 44 Ft |
| Paradicsomleves | 36 Ft | Vegyes saláta | 68 Ft |
| Jókai bableves | 51 Ft | Savanyúság | 29 Ft |
| Zöldségleves | 37 Ft | | |
| Borsóleves | 41 Ft | **Tészták** | |
| Gombaleves | 32 Ft | Káposztás kocka | 37 Ft |
| | | Túrós csusza | 41 Ft |
| **Hideg/meleg előételek** | | Szilvás gombóc | 47 Ft |
| Hortobágyi palacsinta | 77 Ft | | |
| Kaszinótojás | 45 Ft | **Édességek** | |
| | | Meggyes rétes | 33 Ft |
| **Készételek** | | Gundel palacsinta | 57 Ft |
| Töltött káposzta | 83 Ft | Fagylalt | 25 Ft |
| Töltött paprika | 98 Ft | | |
| Sertéspörkölt | 108 Ft | **Italok** | |
| Bécsi szelet | 114 Ft | Pezsgő | 258 Ft |
| Rántott hal | 99 Ft | Tokaji aszú | 368 Ft |
| | | Száraz fehér bor | 95 Ft |
| **Főzelékek/köretek** | | Édes fehér bor | 100 Ft |
| Zöldborsófőzelék | 52 Ft | | |
| Zöldbabfőzelék | 65 Ft | | |
| Hasábburgonya | 41 Ft | | |
| Rizs | 32 Ft | | |

(a) Mit kér, Fitzpatrick úr?
(b) Milyen levest kér?
(c) És utána? [↶]
(d) A töltött káposzta nagyon finom.
(e) És inni? Bort vagy sört kér? [↶]
(f) Édes vagy száraz bort kér? [↶]

(i) Nem is tudom. Mit ajánl?
(ii) Talán egy borsólevest kérek.
(iii) Jó, akkor töltött káposztát kérek.
(iv) Először egy levest kérek.
(v) Fehér bort kérek.
(vi) Száraz bort kérek.

---

**Nem is tudom.**  *I don't really know.*
**Mit ajánl?** (sing. form.)
**Mit ajánlasz?** (sing. fam.) ⎫   *What do you recommend?*
**Mit ajánlanak?** (pl. form.) ⎬
**Mit ajánlotok?** (pl. fam.) ⎭

---

3  Imagine that you are sitting in the same restaurant at a nearby table. What, and how, would you order?

4  After some sightseeing in Budapest you decide to have an afternoon tea and a cake at the **New York kávéház** (*New York café*). First study the menu, then fill in your part of the conversation with the waiter.

| Sütemények és torták | | Italok | |
|---|---|---|---|
| Csokoládé torta | 72 Ft | Ásványvíz | 42 Ft |
| Somlói galuska | 97 Ft | Paradicsomlé | 68 Ft |
| Gesztenyepüré | 89 Ft | Narancslé | 76 Ft |
| Krémes | 69 Ft | | |

| | |
|---|---|
| **sütemények** (-et) *cakes* | **krémes** (-t) *cream cake* |
| **torták** (-at) *cakes* | **ásványvíz (ásványvizet)** *mineral* |
| **csokoládé torta** ('-t) *chocolate* | *water* |
| *cake* | **paradicsomlé (paradicsomlevet)** |
| **somlói galuska** ('-t) *cake with* | *tomato juice* |
| *chocolate sauce and cream* | **narancslé (narancslevet)** |
| **gesztenyepüré** (-t) *sweet* | *orange juice* |
| *chestnut purée* | |

**Pincér**  Jó napot kívánok!

(a)  *Greet him and ask for the menu.*

**Pincér**  Tessék.

(b)  *Thank him. A few minutes later call him again.*

**Pincér**  Tessék parancsolni.

(c)  *Ask for a chestnut purée. Ask him if it is fresh (**friss**).*

**Pincér**  Igen, friss. És inni mit hozhatok?

(d)  *Ask him for tea.*

**Pincér**  (*delivering your tea and chestnut purée*) Tessék parancsolni. Jó étvágyat kívánok!

(e)  *Say thank you. After you have finished, ask for the bill.*

---

**Tessék parancsolni.**  *Here you are.*

---

5  You have ordered some Jókai bean soup at a restaurant. When the soup arrives, you find that it is cold. Call the waiter and complain. At the same time, ask for some bread and salt as well. You will need to know the following words: **kenyér** (kenyeret) *bread*, **só** (-t) *salt*.

6  Put **is** in the correct place, so that the Hungarian and the English sentences mean the same.

(a)  Én amerikai vagyok. *I'm American, too*. (i.e. not only you.)

(b)  Attila franciául tud. *Attila also speaks French*. (i.e. he speaks another language as well.)

(c)  Éva beszél angolul. *Éva speaks English, too*. (i.e. someone else speaks English as well.)

(d)  Sört kérek. *I also want beer*. (i.e. I want something else too.)

(e)  Te kérsz üdítőt? *Do you want a soft drink too?* (i.e. someone else wants one as well.)

(f)  Palacsintát kér? *Do you want a pancake as well?* (i.e. you want something else as well.)

**7** Which is the correct alternative?

(a) Mi száraz bort **kérünk/kértek**.
(b) Szerintem ők nem angolul **beszélnek/beszéltek**.
(c) Ti hol **tanulsz/tanultok** magyarul?
(d) Önök **tudtok/tudnak** spanyolul is?
(e) Maguk mit **kértek/kérnek** inni?

**8** You are having a glass of beer at a **söröző**, and a fast-talking Hungarian starts speaking to you. You do not understand him. Ask him to speak more slowly. Complete the word puzzle and you will find the word for *more slowly*:

(a) *soup* in Hungarian
(b) a typical Hungarian male name (there was a great Hun by this name...)
(c) ... **galuska** – a Hungarian dessert
(d) *pickles* in Hungarian
(e) *English* in Hungarian
(f) *pea* in Hungarian
(g) *potato* in Hungarian
(h) *American* in Hungarian
(i) *very* in Hungarian

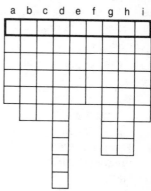

## ◖◗——————— Érti? ———————

Robert Redford has come to Hungary on business. He is checking in at the Fórum Hotel in Budapest.

**Portás**     Jó estét kívánok!
**Redford úr**     Jó estét! Egy egyágyas szobát szeretnék.
**Portás**     Szabad a nevét?
**Redford úr**     Robert Redford.
**Portás**     Tessék?
**Redford úr**     Robert, magyarul Róbert. A Redford pedig, er mint Rózsi, e mint Erzsi, dé mint Dávid, ef mint Ferenc, o mint Olga, er mint Rózsi és dé mint Dávid. *Robert Redford, mint a híres amerikai filmsztár.

**Portás**       Á, értem. És ön is amerikai?
**Redford úr**   Igen, de én nem vagyok színész.
**Portás**       Tessék, itt a kulcs. A viszontlátásra!
**Redford úr**   Viszontlátásra!

---

**egyágyas szoba** ('-t)   *single room*        **mint**   *like, as*
**Szeretnék...**   *I would like...*            **híres**   *famous*
**Szabad a nevét?** [⌐]   *Can I have*           **kulcs** (-ot)   *key*
   *your name, please?*

---

*As English names are pronounced differently from the way they are spelt, you might have to spell your name. It is done by pronouncing the letters (see the alphabet) and giving a Hungarian first name with each one of them. Below you can find a Hungarian first name for each letter of the English alphabet.

(Where no English equivalent exists for the Hungarian name *f* stands for female and *m* for male.)

| | | | |
|---|---|---|---|
| a | Anna (*Ann*) | l | Lajos (*Louis*) |
| b | Béla (*m*) | m | Mihály (*Michael*) |
| c | Cecília (*Cecilia*) | n | Nóra (*Norah*) |
| d | Dávid (*David*) | o | Olga (*Olga*) |
| e | Erzsi (*Liz*) | p | Péter (*Peter*) |
| f | Ferenc (*Francis*) | r | Rózsi (*Rosie*) |
| g | Géza (*m*) | s | Sára (*Sarah*) |
| h | Helga (*Helga*) | t | Tibor (*m*) |
| i | Ilona (*Helen*) | u | Ubul (*m*) |
| j | Júlia (*Julia*) | v | Virág (*Fleur*) |
| k | Katalin (*Catherine*) | z | Zoltán (*m*) |

For **w** just say: duplavé, for **x**: iksz and for **y**: ipszilon.

Igaz vagy nem igaz? (*True or false?*) Correct and re-write the false statements.
(a)  Robert Redford egy kétágyas szobát kér.
(b)  Robert Redford is amerikai, mint a híres amerikai filmsztár.
(c)  Redford úr nem színész.

---

**kétágyas szoba** ('-t)   *double room*

---

— **52** —

# 4

## MENNYIBE KERÜL?
### How much does it cost?

### In this unit you will learn how to

- buy some food
- take a taxi
- change some money
- buy train tickets
- express your approval or disapproval

## Párbeszéd

Kati is expecting her Australian friend from Sydney. She wants to cook dinner for her friend so she has to do some shopping. First she is making a shopping list.

**Kati**   (*to herself*) Kell egy kiló krumpli, fél kiló paradicsom, három-negyed kiló paprika, negyed kiló gomba, egy kiló alma és egy kiló barack. Kenyér és hús is kell. Azután pedig a közértbe megyek. Kell két liter tej, sajt, sonka, szalámi és kolbász.
(*Having done some of her shopping, Kati enters an ABC. She walks up to the counter.*)

**Eladó**   Tessék.

| | |
|---|---|
| **Kati** | Húsz deka sajtot, tizenöt deka sonkát és huszonöt deka téliszalámit kérek. Mennyibe kerül most tíz deka téliszalámi? |
| **Eladó** | Ötvennégy forintba. |
| **Kati** | Hm. Nagyon drága. Elég lesz tíz deka is. |
| **Eladó** | Tessék. Még valamit? |
| **Kati** | Van gyulai kolbász? |
| **Eladó** | Sajnos nincsen. |
| **Kati** | Nem baj, jó lesz a házi kolbász is. Harminc dekát, legyen szíves. |
| **Eladó** | Harminchárom deka. Jó lesz? |
| **Kati** | Jó. |
| **Eladó** | Más valamit? |
| **Kati** | Köszönöm, mást nem kérek. |
| | *(Kati looks at her watch and she suddenly realises that she will be late at the airport unless she takes a taxi. She approaches a taxi stand.)* |
| **Kati** | Szabad a taxi? |
| **Taxis** | Igen. Hová parancsol? |
| **Kati** | A Ferihegyi repülőtérre, legyen szíves. |
| | *(They arrive at the airport.)* |
| **Kati** | Mennyit fizetek? |
| **Taxis** | Hatszáznyolcvan forintot kérek. |
| **Kati** | Tessék. *(She is handing him the fare with the tip.)* Köszönöm. |
| **Taxis** | Én köszönöm. |

 ———— **Szavak és kifejezések** ————

| | |
|---|---|
| **kell**   *is necessary, needed* | **drága**   *expensive* |
| **egy kiló krumpli** (-t)   *one kilogram of potatoes* | **Elég lesz tíz deka is.**   *100 grams will be enough.* |
| **fél kiló paradicsom** (-ot)   *half a kilogram of tomatoes* | **Még/más valamit?** [⌣]   *Anything else?* |
| **háromnegyed**   *three quarters* | **Van gyulai kolbász?** [⌣]   *Have you got any 'gyulai' sausages?* |
| **negyed kiló gomba** ('-t)   *a quarter of a kilogram of mushrooms* | **Sajnos nincsen.**   *Unfortunately, we haven't any.* |
| **alma** ('-t)   *apple* | **Nem baj.**   *It doesn't matter.* |
| **barack** (-ot)   *peach, apricot* | **Jó lesz a házi kolbász is.**   *Home-* |
| **hús** (-t)   *meat* | |

**Azután pedig a közértbe megyek.** *And afterwards I'll go to the supermarket.*
**két liter tej** (-et) *two litres of milk*
**sajt** (-ot) *cheese*
**sonka** ('-t) *ham*
**szalámi** (-t) *salami*
**kolbász** (-t) *sausage*
**eladó** *sales assistant*
**deka** ('-t) *a unit of 10 grams*
**téliszalámi** (-t) *Hungarian salami called 'winter salami'*
**Mennyibe kerül?** *How much does it cost?*
**most** *now*
**Ötvennégy forintba.** *(It costs) 54 forints.*

*made sausages will do as well.*
**harminc** *thirty*
**harminchárom** *thirty-three*
**Köszönöm, mást nem kérek.** *No, thank you. That's all.*
**Szabad a taxi?** [⌐] *Is the taxi available?*
**A Ferihegyi repülőtérre, legyen szíves.** *To Ferihegy airport, please.*
**Mennyit fizetek?** *How much do I pay?*
**Hatszáznyolcvan forintot kérek.** *680 forints, please.*

## Kérdések

**1** Melyik igaz? (*Which is true?*) Select the correct expression.

(*a*) Katinak kell _____.
   (i) két kiló krumpli
   (ii) egy kiló krumpli

(*b*) Kati húsz deka _____ kér.
   (i) sajtot
   (ii) kolbászt

(*c*) A téliszalámi _____.
   (i) drága
   (ii) olcsó

(*d*) Kati azután _____ megy.
   (i) a Ferihegyi repülőtérre
   (ii) a közértbe

**olcsó** *cheap*

**2** Feleljen a kérdésekre!

(*a*) Hány liter tej kell?
(*b*) Hány deka sonkát kér Kati?
(*c*) Drága vagy olcsó a téliszalámi? [⌐]
(*d*) Hová megy Kati a közért után?

**Hány?** *How many?*   **Hová?** *Where to?*   **után** *after*

# —— Magyarország és a magyarok ——

## Kilograms, dekagrams and litres

Fruit, meat, bread and most vegetables are bought by the kilo (kg) in Hungary. (One kilogram is 2.2 pounds.) Milk and other liquid food items, as well as petrol, are sold by the litre (l.) (One litre is 1.76 pints.) In a food shop, at a delicatessen counter, cheese, salami, ham and sausages are sold by the **dekagram** or for short **deka** (dkg). (One dekagram is 10 grams.)

### Közért

There are few big supermarkets in Hungary. In cities, women usually buy some fresh food every day after work in small shops like: **közért** or **ABC** or **csemege** (*small supermarket*), **zöldség – gyümölcs** (*pron.* zölcség) (*vegetables and fruit*), **hentes** or **húsbolt** (*butcher's*), **pék** (*baker's*), **piac** (*market*), **csarnok** (*covered market*).

If you do not know the name of the item you want to buy, just point to it and say: **Ezt** (*pron.* eszt), **legyen szíves**. *This one, please.* or **Azt** (*pron.* aszt), **legyen szíves**. *That one, please.*

### Gyulai kolbász, házi kolbász, téliszalámi

These are spicy, characteristically Hungarian sausages and salami. **Házi kolbász** (*home-made sausage*) is very popular with Hungarians. People in the country like to make their own pork sausages. The **házi kolbász** you get in food shops or at the butcher's is not quite the same, but similar in taste.

## Taxi

If you want to call a taxi, just raise your arm and shout: **Taxi!** If you cannot say where you want to go in Hungarian, write the address down, show it to the driver and say: **Ide, legyen szíves**. *Here, please.* When you arrive and you want him to stop, just say: **Köszönöm, itt jó lesz.** *Thank you. It'll be fine here.* On top of the fare, most people give between 10 and 15 per cent extra as a tip.

### Ferihegyi repülőtér

There are two terminals at Ferihegy airport in Budapest. Foreign airlines arrive at and depart from **Ferihegy egy** (*Ferihegy No 1*).

**Malév** (the Hungarian airline) arrives at and departs from **Ferihegy kettő** (*Ferihegy No 2*).

## Forint

The Hungarian currency is called **forint** (Ft). There are 100 **fillér**s (f) to the forint. Sometimes people, just like in England, leave out the words **forint** and **fillér**, e.g. **Mennyibe kerül? Hatvannégy ötvenbe.** *How much does it cost? Sixty-four fifty.*

**Krumpli** is the colloquial word for *potato* (like spud in English). The official word is **burgonya**. This is used in menus, etc.

**Szabad** is a word used in a number of situations:

(*a*) when finding out if something is available:

    **Szabad a taxi?** [⌐]        *Is the taxi available?* (or *free*)

(*b*) when getting past somebody in a crowded place, or getting off a bus:

    **Szabad?** [⌐]        *Can I get past?*

(*c*) when walking up to a table at a restaurant where somebody is already sitting:

    **Szabad?** [⌐]        *Do you mind if I sit here?*

(*d*) when knocking at the door:

    **Szabad?** [⌐]        *Can I come in?*

(*e*) when asking if somebody is free:

    **Szabad vagy ma este?** [⌐]
      (sing. fam.)
                       } *Are you free tonight?*
    **Szabad ma este?** [⌐]
      (sing. form.)

(*f*) in the sense *allowed* (and **nem szabad** in the sense *not allowed*):

    **Szabad itt parkolni?** [⌐]    *Can one park here?*
    **Itt nem szabad parkolni.**      *Parking is not allowed here.*

# Nyelvtan

## 1 *Cardinal numbers (one, two, etc.)*

● These numbers answer the questions **Hány?** (*How many?*), and **Mennyi?** (*How much?*).

| 0 | nulla | 16 | tizenhat |
|---|---|---|---|
| 1 | egy | 17 | tizenhét |
| 2 | kettő/két | 18 | tizennyolc |
| 3 | három | 19 | tizenkilenc |
| 4 | négy | 20 | húsz |
| 5 | öt | 21 | huszonegy |
| 6 | hat | 22 | huszonkettő/huszonkét |
| 7 | hét | 23 | huszonhárom |
| 8 | nyolc | 24 | huszonnégy |
| 9 | kilenc | 25 | huszonöt |
| 10 | tíz | 26 | huszonhat |
| 11 | tizenegy | 27 | huszonhét |
| 12 | tizenkettő/tizenkét | 28 | huszonnyolc |
| 13 | tizenhárom | 29 | huszonkilenc |
| 14 | tizennégy | 30 | harminc |
| 15 | tizenöt | | |

From 30 upwards add the relevant number after the teens. For example *31* will be **harmincegy**, *32* **harminckettő/harminckét**, etc. So all you need to know is the teens.

| 40 | negyven | 100 | száz |
|---|---|---|---|
| 50 | ötven | 1000 | ezer |
| 60 | hatvan | 10000 | tízezer |
| 70 | hetven | 100000 | százezer |
| 80 | nyolcvan | 1000000 | millió |
| 90 | kilencven | billion | milliárd |

The same principle applies after the hundreds. So for example *101* is **százegy**, *200* is **kétszáz**, *845* is **nyolcszáznegyvenöt**, *2,600* is **kétezer-hatszáz**, *43,000* is **negyvenháromezer** and *500,000* is **ötszázezer**.

* **Két** and **kettő** both mean *two*. **Két** is used before another word, (i.e. when you want to express two of something), while **kettő** is used on its own. The same goes for **tizenkettő** and **tizenkét**, etc.

**Két kiló** almát kérek.      *Two kilograms of apples, please.*
Hány kiló alma kell? **Kettő?** [⌣]   *How many kilograms of apples*
                                  *do we/you need? Two?*

**Kettő** is often used instead of **két** when speaking on the phone, as **két** could easily be taken for **hét**.

* Numbers as well as words like **sok** (*a lot of, many, much*) **kevés** (*a little, a few*) **néhány** (*a few*) are followed by the singular.

Cf. **Három barack van** itt.     *There are three peaches here.*
  **Sok olasz turista volt** az     *There were a lot of Italian*
    étteremben.     *tourists in the restaurant.*

● The following characters are slightly different from their English equivalents in writing:

$$1=1 \quad 2=2 \quad 4=4 \quad 7=7 \quad 9=9$$

● There is no comma after the thousands in Hungarian. (A comma is the same as the decimal point in English). Sometimes a full stop is used instead.

● Names of years are read out in full like this:

**Ezerkilencszázkilencvenkettő.**     *1992.*

## 2 The -ba and -be ending

This ending is the equivalent of the English prepositions *to* and *into* (prepositions are words like *on*, *onto*, *off*, *with*, etc.). Back vowel words take **-ba**, and front vowel words take **-be**. As usual the final **a** changes to **á**, and the final **e** to **é** before it.

| Mi? | Hová? | | Mi? | Hová? | |
|---|---|---|---|---|---|
| **London** | Londonba | *to London* | **Berlin** | Berlinbe | *to Berlin* |
| **Prága** | Prágába | *to Prague* | **Firenze** | Firenzébe | *to Florence* |

The **-ba/-be** ending is used:

(*a*) after all foreign and some Hungarian place names;

  Hova mész?     *Where are you going?*
  **Londonba** megyek.     *I'm going to London.*
  Hová mentek?     *Where are you going?*
  **Debrecenbe** megyünk.     *We're going to Debrecen.*

(*b*) after words denoting enclosed spaces, like **mozi** (*cinema*), **színház** (*theatre*), **opera** (*opera*), **bank** (*bank*), **uszoda** (*swimming-pool*), **hotel** (*hotel*) and so on;

  **Moziba** megyek.     *I'm going to the cinema.*

Note the questions **Hova?** or **Hová?** (*Where to?*) (both forms are used).

Note that the words **Budapest** and **Magyarország** take different endings (**-ra/-re**):

**Magyarországra** megyünk.    *We are going to Hungary.*
**Budapestre** is mentek? [↘]    *Are you going to Budapest as well?*

## 3 Mennyibe kerül? (*How much does it cost?*)

When answering this question put **-ba** or **-be** after the number denoting the price, or the name of the currency:

**Mennyibe** kerül a kolbász?    *How much does the sausage cost?*
  Ötvenhat **forintba.**    *Fifty-six forints.*
Hány **forintba** kerül a sajt?    *How much does the cheese cost?*
  **Negyvenötbe.**    *Forty-five.*

## 4 Nincs, nincsen

● These are the negatives of **van**.

Either form is correct, though **nincs** is more common.

Ági itt **van**.    *Ági is here.*
Ági **nincs** itt.    *Ági is not here.*

Note the change in word order!

● **Nincs** and **nincsen** can also mean *there isn't any, we haven't got any*. If you want to ask if something is available, use **van**.

Van gyulai kolbász? [↘]    *Have you got any gyulai sausages?*

Igen, **van**.    *Yes, we have.*
Sajnos **nincsen**.    *Unfortunately, we haven't.*

## 5 Megy (*go*)

This is an irregular verb (i.e. its conjugation does not follow rules), therefore you have to learn all of its forms separately.

| (én) | megyek | *I go* | (mi) | megyünk | *we go* |
|---|---|---|---|---|---|
| (te) | **mész** | *you go* | (ti) | **mentek** | *you go* |
| (maga/ön) | megy | *you go* | (maguk /önök) | **mennek** | *you go* |
| (ő) | megy | *he/she goes* | (ők) | **mennek** | *they go* |

Luckily, there are not many irregular verbs in Hungarian. Make sure you learn them by heart, otherwise it will take you too long to finish a sentence trying to remember the correct form.

## 6 Lesz (*will be*)

This is not a standard verb, therefore it is not conjugated in quite the same way. Note the 2nd person singular form: **leszel**.

| | | | | | |
|---|---|---|---|---|---|
| (én) | leszek | *I will be* | (mi) | leszünk | *we will be* |
| (te) | **leszel** | *you will be* | (ti) | lesztek | *you will be* |
| (maga/ön) | lesz | *you will be* | (maguk /önök) | lesznek | *you will be* |
| (ő) | lesz | *he/she will be* | (ők) | lesznek | *they will be* |

# Gyakorlatok

1   These are famous events in Hungarian history. Write the dates in words.

(*a*) ——— ——— ——— (*896*): The Hungarians conquered the Carpathian Basin, led by the Chieftain Árpád.

(*b*) ——— ——— ——— (*1000*): The first Hungarian king, István (*Stephen*) was crowned.

(*c*) ——— ——— ——— (*1526*): At the battle of Mohács, the Turkish army defeated the Hungarian army, after which Hungary split into three parts.

(*d*) ——— ——— ——— (*1825*): István Széchenyi (*pron.* szécsényi) started the Reform Movement by founding the Academy of Sciences.

(*e*) ——— ——— ——— (*1848*): The March 15 revolution broke out, led by the poet Sándor Petőfi. This led to the war of independence against Austria.

(*f*) ——— ——— ——— (*1956*): The Hungarian uprising against Soviet rule took place.

2   You are doing some shopping at a **zöldség-gyümölcs**. You want to buy some fruit, but first you want to find out about prices. What are your questions and what are the shopkeeper's answers? Make up similar dialogues to the example overleaf:

– Mennyibe kerül egy kiló eper?
– Egy kiló eper hetven forintba kerül.

| | |
|---|---|
| **eper** (epret) *strawberry* | **banán** (-t) *banana* |
| **körte** ('-t) *pear* | **szőlő** (-t) *grape* |
| **szilva** ('-t) *plum* | **cseresznye** ('-t) *cherry* |
| **narancs** (-ot) *orange* | |

3 The people below (*a*) – (*e*) were in the queue in front of you. What did they ask for and how much did they have to pay? Make up dialogues like the one below. Then act them all out.

(*a*) – Egy kiló almát és két kiló szőlőt, legyen szíves.
– Tessék, kétszáztizenegy forintot kérek.

| | alma | körte | szilva | szőlő | barack | eper |
|---|---|---|---|---|---|---|
| (*a*) | 1 kg | | | 2 kg | | |
| (*b*) | | | 1,5 kg | | | 0,5 kg |
| (*c*) | | 1 kg | | | 1 kg | |
| (*d*) | 1,5 kg | | 0,5 kg | | | |
| (*e*) | | 2 kg | | | 0,5 kg | |

4 You are on a round-the-world trip and Hungary is your last stop. You go to a **bank** (*bank*) to change the money that you have left. You have (*a*) **angol font** (*English pound*), (*b*) **ausztrál dollár** (*Australian dollar*), (*c*) **ír font** (*Irish pound*) and (*d*) **amerikai dollár** (*American dollar*). Study the exchange rate. What questions will you ask and what answers will you be given? Here is the first one for you:

(*a*) – Hány forint egy angol font?
– Száznegyvennégy forint hetvenöt fillér egy angol font.

| | angol font | ausztrál dollár | ír font | amerikai dollár |
|---|---|---|---|---|
| **vétel** | 144,75 | 58,40 | 132,54 | 77,79 |
| **eladás** | 146,25 | 58,95 | 133,18 | 78,19 |

| | | |
|---|---|---|
| **vétel** *buying* | | **eladás** *selling* |

5 There were five tourists queuing behind you in the bank. You overheard the first tourist saying: **Száz fontot szeretnék beváltani.** And the bank clerk answering: **Tessék, tizennégy-ezer-négyszázhetvenöt forint.** What did the others say and what

was the response? Write it down and then act it out from memory.

(a) Bruce: 200 ausztrál dollár  (c) Caroline: 180 amerikai dollár
(b) Patrick: 160 ír font        (d) Simon: 70 angol font

| beváltani | to change |
|---|---|

6 You are doing some shopping in a **közért**. Fill in your part of the conversation and then act it out.

**Eladó** Tessék.
(a) *Say that you want 10 dekagrams of cheese and 15 deka-grams of sausages.*
**Eladó** Melyik sajtot kéri?
(b) *Say: That one, over there.*
**Eladó** Tessék. A kolbász tizenhét deka. Jó lesz?
(c) *Say that it is O.K.*
**Eladó** Még valamit?
(d) *Say that you want some ham as well and ask her how much 100 grams costs.*
**Eladó** Negyvenhat forintba.
(e) *Say that it is very cheap and ask for 200 grams. At the same time ask for 100 grams of **téliszalámi** as well.*
**Eladó** Téliszalámi sajnos nincsen. Még valamit?
(f) *Thank her and say that you do not want anything else.*

| Melyik sajtot kéri? | Which cheese do you want? |
|---|---|

7 Several people are queuing for some train tickets (**vonatjegy** train ticket). What are they saying? Follow this example: (a) Két jegyet kérek Debrecenbe.

|  | Hány jegy kell? | Milyen városba? |
|---|---|---|
| (a) | 2 | Debrecen |
| (b) | 3 | Budapest |
| (c) | 5 | Eger |
| (d) | 1 | Sopron |
| (e) | 4 | Győr |

| jegy (-et) | ticket | Milyen? | What? |
|---|---|---|---|

**8** Give the correct form of the verb **megy**.

(a) Én Bécsbe —————— (b) És te Párizsba —————? (c) Ti hova ————?

# ————————— Érti? —————

Marlon D. Johnson is an American businessman. He is on a business trip to Hungary. He has a day off and decides to venture out on his own. First he needs a map of Budapest and a few other things. He enters a **trafik***.

| | |
|---|---|
| **Johnson úr** | Jó reggelt kívánok! |
| **Trafikos** | Jó reggelt! Tessék. |
| **Johnson úr** | Egy Budapest térképet kérek. |
| **Trafikos** | Tessék. |
| **Johnson úr** | Mennyibe kerül? |
| **Trafikos** | Százharminchat forintba. Kéri? |
| **Johnson úr** | Igen, kérem. És öt budapesti képeslapot is szeretnék. |
| **Trafikos** | Tessék. Parancsol még valamit? |
| **Johnson úr** | Igen, öt bélyeget is, legyen szíves. |

**Trafikos**     Hová kéri a bélyeget?
**Johnson úr**   Amerikába, New Yorkba.
**Trafikos**     Sajnos, itt csak Magyarországra van bélyeg.
**Johnson úr**   És hol kapok bélyeget Amerikába?
**Trafikos**     A postán.
**Johnson úr**   Értem. Mennyit fizetek?
**Trafikos**     Százkilencvenhét forintot kérek.

---

| | |
|---|---|
| **Budapest térkép** (-et)   *map of* *Budapest* | **budapesti képeslap** (-ot)   *postcard* *of Budapest* |
| **bélyeg** (-et)   *stamp* | **Hol?**   *Where?* |
| **Kéri?** [⁓]   *Do you want it?* (sing. form.) | **kap**   *get* |
| **Kérem.**   *I'll take it.* | **a postán**   *at the post office* |

---

*You can buy all sorts of things in a **trafik** or **dohánybolt**: post-cards, stamps for Hungary, cigarettes, small souvenirs, sweets and tickets for public transport.

Igaz vagy nem igaz? Correct and re-write the false statements.

(a) Johnson úr Budapest térképet, képeslapot és bélyeget kér.
(b) Johnson úr kéri a térképet.
(c) Amerikába nincsen bélyeg a postán.
(d) Johnson úr százkilencvenhét forintot fizet.

# 5

## HOL VAN A
## BLAHA LUJZA TÉR ?
### Where's Blaha Lujza Square?

### In this unit you will learn how to

- ask for and give directions
- read maps and addresses
- ask for help
- apologise
- respond when somebody apologises to you
- express agreement
- deal with some emergency situations

 ——————— **Párbeszéd** ———————

Janet has decided to pay a surprise visit to her friend in Budapest.
But first she wants to send some postcards to her family in York.
Unfortunately she has lost her way. She stops a man in the street.

**Janet**   Bocsánat, eltévedtem. Tudna segíteni?
**Férfi**   Hogyne. Hová akar menni?
**Janet**   Egy pillanat! (*She pulls the address out of her pocket and
reads it out.*) Itt a cím: Vas utca három, második emelet
négy.
**Férfi**   A Vas utca nagyon közel van. Talán tíz perc gyalog. Ismeri a
Blaha Lujza teret?
**Janet**   Nem, sajnos nem ismerem. Hol van a Blaha Lujza tér?
**Férfi**   Menjen egyenesen tovább! A Blaha Lujza tér innen két perc.
A Vas utca pedig a harmadik utca balra.

**Janet** Tényleg nincs messze. Van itt valahol egy posta? Az ott zárva van.

**Férfi** Nem tudom. Én csak a Petőfi Sándor utcában tudok egy postát.

**Janet** És hol van a Petőfi Sándor utca?

**Férfi** Menjen egyenesen tovább a Rákóczi úton! Az Astoria innen talán húsz-huszonöt perc. A Petőfi Sándor utca pedig onnan a harmadik utca jobbra.

**Janet** Hm. Egy kicsit messze van. Lehet metróval is menni?

**Férfi** Igen. A metrómegálló a Blaha Lujza téren van. Az Astoria az első megálló.

**Janet** Nagyon szépen köszönöm.

**Férfi** Kérem. Nincs mit.

 ——— # Szavak és kifejezések ———

**Bocsánat, eltévedtem.** *Excuse me, I have lost my way.*
**Tudna segíteni?** [↵] *Could you help?* (sing. form.)
**férfi** (-t) *man*
**Hogyne.** *Of course.*
**Hová akar menni?** *Where do you want to go?* (sing.form.)
**akar** *want*
**Itt a cím.** *Here is the address.*
**Vas utca három** *No 3, Vas Street*
**második emelet négy** *Flat No 4, second foor*
**Közel van.** *It is near here.*
**talán** *perhaps*
**Tíz perc gyalog.** *10 minutes on foot.*
**Ismeri a Blaha Lujza teret?** [↵] *Do you know Blaha Lujza Square?* (sing.form.)
**Nem ismerem.** *I don't know it.*
**Hol van ..?** *Where is ..?*
**Menjen** (pron. mennyen) **egyenesen tovább!** *Go straight on!* (sing.form.)

**innen** *from here*
**a harmadik utca** (pron: ucca) **balra.** *the third street on the left.*
**tényleg** *indeed, really*
**Nincs messze.** *It isn't far.*
**Van itt valahol egy posta?** [↵] *Is there a post office somewhere here?*
**valahol** *somewhere*
**Az ott zárva van.** *That one there is closed.*
**az** *that, that one*
**ott** *there*
**tud** *know of*
**a Rákóczi úton** *in Rákóczi Road*
**onnan** *from there*
**jobbra** (pron. jobra) *to the right*
**Lehet metróval is menni?** [↵] *Is it possible to go by metro as well?*
**metrómegálló** (-t) *metro station*
**az első megálló** (-t) *the first stop*
**Nagyon szépen köszönöm.** *Thank you very much.*
**Kérem./Nincs mit.** *You are welcome.*

## Kérdések

1   Igaz vagy nem igaz? Correct and re-write the false statements.

   (a)  Janet a Vas utcába akar menni.
   (b)  A Vas utca nincs messze.
   (c)  Janet ismeri a Blaha Lujza teret.
   (d)  A posta a Blaha Lujza téren van.

2   Feleljen a kérdésekre!

   (a)  Hány perc gyalog a Vas utca?
   (b)  Hányadik utca balra a Vas utca?
   (c)  Hol van egy posta?
   (d)  Hol van a metrómegálló?

# —— Magyarország és a magyarok ——

## Postal addresses

Hungarian addresses are written like this:

> *city / town / village*
> Budapest
>
> *street*          *flat*
> Kerepesi út 40.  IV.  emelet 3.
>           *house*  *floor*
> 1144
>   *post code*

Note that floor levels in blocks of flats are written in Roman numerals.

Hungarian addresses are read out like this:

Budapest
Kerepesi út negyven, negyedik emelet három ezeregyszáznegyven-négy.

So use cardinal numbers (i.e. **egy, kettő**, etc.) for the number of the house or block of flats and the flat itself, as well as the post code. Use ordinal numbers (i.e. first, second, third, etc. – see **Nyelvtan** on pages 74–75) for the floor level.

Budapest and a few other big towns are divided into districts (*district* **kerület**). Districts are indicated by ordinal numbers and Roman numerals are used in writing, e.g. **VIII. kerület** (nyolcadik kerület). Districts are often left out in Budapest postal addresses, as the post code includes the district. The first number in a Budapest post code is always 1. The next two numbers indicate the number of the district. So the post code 1144 in the above address tells us that **Kerepesi út** is in the 14th district. Districts in Budapest also have names. People living in the city often refer to them by their names.

The following abbreviations are very common in postal addresses:

| | | |
|---|---|---|
| **em.** = emelet | **ker.** = kerület | **u.** = utca |
| **fszt.** = földszint | **krt.** = körút | |

Note that the abbreviated forms are always read out in full.

## Post office

You will need to go to a **posta** (*post office*) if you want to send cards, letters and telegrams or you want to telephone abroad.

(a) To send letters, find the right window or counter saying **Levelek** (*Letters*) and hand over your card or letter to the clerk saying: **Légipostán, legyen szíves** (*By air mail, please*). If you just drop your letters in a post box, they might take weeks to arrive as they will go by land.
(b) To send a **távirat** (*telegram*), say: **Táviratot szeretnék feladni** (*I would like to send a telegram*). You will be given a form to fill in.
(c) To telephone abroad, book your call at one of the windows. Say

which country and town you want to call, write the telephone number
down and hand it to the clerk:

**Angliába, Bath-ba szeretnék**     *I would like to make a call to*
**telefonálni. Itt a**              *Bath in England. Here is the*
**telefonszám.**                    *telephone number.*

When you are put through, the place where you want to telephone
and the number of the box where you will have to go will be called
out, e.g. **Bath, egyes fülke.** *Bath, box number one.* Here are the
other numbers you might need to know in this situation:

| | | | | | |
|---|---|---|---|---|---|
| **egyes** | *No 1* | **ötös** | *No 5* | **kilences** | *No 9* |
| **kettes** | *No 2* | **hatos** | *No 6* | **tízes** (*pron.* tizes) | *No 10* |
| **hármas** | *No 3* | **hetes** | *No 7* | | |
| **négyes** | *No 4* | **nyolcas** | *No 8* | | |

If there are no numbered boxes, look out for the word **nemzetközi**
meaning *international.*

Here is a list of the names of the countries that you might need when
booking your call:

**Anglia**   *England* (often used for the whole of Great Britain)
**Nagy-Britannia**   *Great Britain*
**Írország**   *Ireland*
**az Egyesült Államok** (or just **Amerika**)   *the United States*
**Kanada**   *Canada*
**Új-Zéland**   *New Zealand*
**Ausztrália**   *Australia*

You can also call direct abroad, if you are staying at a hotel or with
friends who are on the phone, or from some public telephone boxes in
big cities.

In an emergency, you can call free from any telephone box.

Dial:   **04** nulla négy for **Mentők** (*Ambulance*),
        **05** nulla öt for **Tűzoltók** (*Fire Brigade*),
and     **07** nulla hét for **Rendőrség** (*Police*).


## Public transport

This is very efficient in Budapest. You do not normally have to wait
more than five or 10 minutes (the underground is even more

frequent), but Hungarians still manage to grumble about delays.

The **metró** (*underground*) has three lines in Budapest. The **egyes metró** (*line No 1*) (also called **földalatti**, which literally means *underground*) is yellow; the **kettes metró** (*line No 2*) is red; and the **hármas metró** (*line No 3*) is blue. At **Deák tér** all three lines come together, so this is where you can change onto another line. When entering an underground station, punch your ticket in a ticket machine near the entrance (unless you have a travelcard). Your ticket is valid for one line and for one hour. Underground stations can be recognised by the letter **M** in the street.

The **autóbusz** or just **busz** (*bus*), is blue. Those displaying a black number stop at every stop, while those with a red number are express buses, (i.e. they only stop at certain stops and are therefore faster). If you want to get off a bus you might have to press a red button above the door when approaching your stop.

The **trolibusz** or **troli** (*trolley bus*) is red and the **villamos** (*tram*) is yellow. If you want to go to a suburb, you might need to take a **HÉV** (*suburban train*), which is green.

People in Hungary do not queue but form a crowd at the **villamosmegálló** (*tram stop*), **buszmegálló** (*bus stop*), **trolimegálló** (*trolley bus stop*), **HÉV megálló** (*suburban train stop*) or **metrómegálló** (*underground station*).

If you want to travel by public transport, buy a **jegy** (*ticket*). This is valid for all means of transport. Tickets can be bought at a **trafik** or **dohánybolt**, a **jegypénztár** (*ticket office*), a **posta**, an **újságárus** or **hírlap** (*news-stand*), from slot machines or outside underground stations. With the exception of the **kettes metró** and the **hármas metró**, tickets have to be punched in a ticket machine on the vehicle. Keep your ticket till the end of your journey in case an **ellenőr** (*ticket inspector*) asks to see it. If you do not have a valid ticket, you will have to pay a **büntetés** (*fine*). If you travel around a lot, you will save money by buying a **napijegy** (*day travelcard*) or a **hetibérlet** (*weekly travelcard*), **kétheti bérlet** (*fortnightly travelcard*) or **havibérlet** (*monthly travelcard*). These can only be purchased at ticket offices. To buy travelcards, you will need a passport-size photograph. A monthly travelcard is valid from the first day of the month till the fifth day of the following month. Weekly and fortnightly travelcards are valid for seven and 14 consecutive days respectively.

**Zárva**: if a shop is closed, a sign on the door will say **zárva** (*closed*). If it is open, the sign will say **nyitva** *(open)*.

**Astoria** (*pron.* asztória) is the name of a hotel in Budapest. It is also the name of a stop on the underground.

**Bocsánat** means both *I am sorry* and *Excuse me*. So you can use it when apologising for something, as well as when trying to draw attention to yourself. The expression **Elnézést.** has the same meanings. The phrases **Bocsánatot kérek.** and **Elnézést kérek.** can be used interchangeably.

If someone apologises to you, your response should be: **Nem történt semmi**. This literally means: *Nothing happened.*

**Tudna segíteni?** This is a useful phrase when you want help from people. In cases of emergency like fire, an accident, etc. shout **Segítség!** (*pron.*segíccség) (*Help!*). Other frequently used emergency words are: **Tűz!** (*Fire!*), **Vigyázz!** (sing. fam.) **Vigyázzatok!** (pl. fam.) **Vigyázzon!** (sing. form.) **Vigyázzanak!** (pl. form.) (*Watch out!*); and **veszélyes** (*dangerous*).

**Ismer**, just like **tud**, means *know* in English.

**Ismer** is used in the sense of *be acquainted with somebody* (or *something*):

**Ismered** Jánost? [↙] (sing.fam.)  *Do you know János?* (i.e. Have you met him before?)

Jól **ismeri** Budapestet? [↙] (sing.form.)  *Do you know Budapest well?* (i.e. Are you well acquainted with it?)

**Tud** means *know about somebody* (or *something*), or *have a knowledge of something*:

| | |
|---|---|
| Hol van a Baross utca? | *Where is Baross Street?* |
| Sajnos nem **tudom**. | *Unfortunately I don't know.* |
| Elég jól **tudunk** franciául. | *We know French quite well.* |

The verbs **tud** and **ismer** sometimes take an object and then require the use of the **-t** ending.

✳ Note that in most of the examples above, **tud** and **ismer** are conjugated differently from the verbs seen before. This is a different type of conjugation, called the definite conjugation (see Units 11 and 12.) At this stage it is enough for you to learn the definite conjugation of these two words and remember from the above examples when to use them.

| | | | |
|---|---|---|---|
| (én) | **tudom** | **ismerem** | *I know* |
| (te) | **tudod** | **ismered** | *you know* |
| (maga/ön/ő) | **tudja** (*pron.* tuggya) | **ismeri** | *you know, he/she knows* |
| (mi) | **tudjuk** (*pron.* tuggyuk) | **ismerjük** | *we know* |
| (ti) | **tudjátok** (*pron.* tuggyátok) | **ismeritek** | *you know* |
| (maguk/önök/ők) | **tudják** (*pron.* tuggyák) | **ismerik** | *you know, they know* |

**Kérem. Nincs mit. Szívesen.** All three expressions mean *you are welcome*. When you thank people for giving you information, they will answer **Kérem.** or **Nincs mit.** or both.

If, however, you thank people for a favour or for food, they will respond with **Szívesen**.

**Kérem** is often used in polite phrases. In this case it has no standard English equivalent, e.g. **Tessék kérem.** instead of just **Tessék.**

 ——————— **Nyelvtan** ———————

## 1 Ordinal numbers (first, second, etc.)

| | | | |
|---|---|---|---|
| **első** | *first* | **hatodik** | *sixth* |
| **második** | *second* | **hetedik** | *seventh* |
| **harmadik** | *third* | **nyolcadik** | *eighth* |
| **negyedik** | *fourth* | **kilencedik** | *ninth* |
| **ötödik** | *fifth* | **tizedik** | *tenth* |

| | | | |
|---|---|---|---|
| **tizenegyedik** | *eleventh* | **hatvanadik** | *sixtieth* |
| **tizenkettedik** | *twelfth* | **hetvenedik** | *seventieth* |
| **tizenharmadik** | *thirteenth* | **nyolcvanadik** | *eightieth* |
| **huszadik** | *twentieth* | **kilencvenedik** | *ninetieth* |
| **harmincadik** | *thirtieth* | **századik** | *hundredth* |
| **negyvenedik** | *fortieth* | **ezredik** | *thousandth* |
| **ötvenedik** | *fiftieth* | | |

Ordinal numbers follow the same pattern as cardinal numbers (i.e. add the relevant ending to the cardinal numbers). So for example 24th will be **huszonnegyedik**, 45th **negyvenötödik**, 67th **hatvanhetedik**, and so on.

Ordinal numbers have a full stop after them, e.g. **1.** (*1st.*), **2.** (*2nd*).

These numbers answer the question **Hányadik?**

**Hányadik** kerületben van a Malom utca?
**A hatodikban**.

*In which district is Malom Street?*
*In the sixth.*

## 2 Van (*is*)

It is used:

(*a*) when asking or saying *where* somebody or something is;

**Közel van** a Blaha Lujza tér? [◡] *Is Blaha Lujza Square near here?*
Tamás most **Bécsben van**. *Tamás is in Vienna now.*

(*b*) when asking or stating *how* someone is;

**Hogy van** Eszter? *How is Eszter?*
Ildi **rosszul van**. *Ildi is unwell.*

(*c*) in certain weather expressions;

**Hideg van**. *It is cold.*
**Meleg van**. *It is hot.*

(*d*) in the sense *there is...*;

**Van** itt valahol egy posta? [◡] *Is there a post office somewhere here?*

(*e*) when asking, or stating, if something is available;

**Van** gyulai kolbász? [⌐]
**Van**.

*Have you got 'gyulai' sausages?*
*Yes, we have.*

## 3 Innen (*from here*), onnan (*from there*)

The English question word *Where?* can be translated in three ways in Hungarian, depending on whether it means *Where at?*, *Where to?* or *Where from?* When answering these questions, **itt** and **ott** will also have different forms.

| **Honnan?** *Where from?* | **Hol?** *Where at?* | **Hova/Hová?** *Where to?* |
|---|---|---|
| innen | itt | ide |
| onnan | ott | oda |

**Hol** vagytok?
**Itt!**
**Hova** mész?
**Oda**.
Az Astoria **onnan** az első
  megálló.

*Where are you?*
*Here!*
*Where are you going?*
*There.*
*Astoria is the first stop on*
  *from there.*

## 4 The -ban and -ben ending

This ending is the equivalent of the preposition *in* and occasionally *at*. Back vowel words take **-ban**, and front vowel words take **-ben**. The final **a** changes to **á**, and the final **e** to **é** before it. The **-ban/-ben** ending is used with the same words as the **-ba/-be** ending. Here are some you have come across:

| **Mi?** *What?* | **Hova/Hová?** *Where to?* | **Hol?** *Where (at)?* |
|---|---|---|
| London | London**ba** | London**ban** |
| Firenze | Firenz**ébe** | Firenz**ében** |
| mozi | mozi**ba** | mozi**ban** |
| színház | színház**ba** | színház**ban** |
| opera | oper**ába** | oper**ában** |
| bank | bank**ba** | bank**ban** |
| uszoda | uszod**ába** | uszod**ában** |
| hotel | hotel**be** | hotel**ben** |
| utca | utc**ába** | utc**ában** |
| kerület | kerület**be** | kerület**ben** |

WHERE'S BLAHA LUJZA SQUARE?

Note the question word **Hol?** (*Where (at)?*)

| | |
|---|---|
| **Hol** van István? | *Where is István?* |
| **Moziban.** | *At the cinema.* |
| A Vas **utcában** nincs posta. | *There is no post office in Vas Street.* |

Remember that there are words which take different endings. At this stage it is best to learn the ones you have come across.

| Mi? *What?* | Hova/Hová? *Where to?* | Hol? *Where (at)?* |
|---|---|---|
| Budapest | Budapest**re** | Budapest**en** |
| Magyarország | Magyarország**ra** | Magyarország**on** |
| repülőtér | repülőtér**re** | repülőtér**en** |
| tér | tér**re** | tér**en** |
| út | út**ra** | út**on** |
| körút | körút**ra** | körút**on** |

**Budapesten** sok jó étterem van.　*There are many good restaurants in Budapest.*

A Blaha Lujza **téren** van egy metrómegálló.　*There is a metro station in Blaha Lujza Square.*

 ——————— **Gyakorlatok** ———————

1　You are at a restaurant with a friend. How do you ask the waiter where the gents' and the ladies' toilets are? You will need to know the following expressions: **férfi WC** (*pron.* vécé) (*gents'*), **női WC** (*ladies'*).

2　A British and an American tourist are looking for their embassies in Budapest. Read out the addresses for them.

| **Brit Nagykövetség** |
|---|
| **Budapest** |
| **V. Harmincad u. 6.** |
| **1051** |

| **Amerikai Nagykövetség** |
|---|
| **Budapest** |
| **V. Szabadág tér 12.** |
| **1054** |

Note the pronunciation of the following words:
**nagykövetség** (*pron.* natyköveccség) *embassy.* **Szabadság tér**
(*pron.* szabaccság tér) *Szabadság Square.*

3 Here are some famous sights in Budapest. A tourist wants to
know where they are. What are his questions and what answers
is he given? Here is the first one for you:

(*a*) Hol van a Halászbástya?     Budán van, a Várban.

(a)  Halászbástya (*Fishermen's Bastion*) I. Vár

(b)  Országház (*Parliament*) V. Kossuth Lajos tér

(c) Mátyás-templom (*Matthias Church*) I. Szentháromság tér

(d) Nemzeti Múzeum (*National Museum*) VIII. Múzeum körút

(e) Szent István-bazilika (*St Stephen's Cathedral*) V. Szent István tér

(f) Király fürdő (*Király baths*) II. Ganz utca

> **vár** (-at)  *castle*

**4**  Mr. Brown wants to see the **Országház** in Kossuth tér. He has
run out of tickets. He walks to the nearest underground station
at **Keleti pályaudvar** (*Eastern railway station*), where he spots
the sign **JEGYPÉNZTÁR**.

| | |
|---|---|
| **Brown úr** | Jó napot kívánok! Tizenöt jegyet, legyen szíves. |
| **Nő** | Kétszázhetven forintot kérek. |
| **Brown úr** | Tessék. Hányadik megálló innen a Kossuth tér? |
| **Nő** | A negyedik. |
| **Brown úr** | Köszönöm. |
| **Nő** | Kérem. |

(*a*)  Mennyibe kerül egy jegy?

(*b*)  Study the underground map of the **földalatti** and then
make up similar dialogues using the information given on page
82. Finally, act them all out.

Mexikói út
Széchenyi fürdő
Hősök tere
Bajza utca
Kodály körönd
Vörösmarty utca
Oktogon
Opera
Bajcsy-Zsilinszky út
Vörösmarty tér  Deák tér

| Hősök tere ('-t) | Heroes' Square | Széchenyi (*pron.* szécsényi) **fürdő** |
|---|---|---|
| | | (-t)  Széchenyi Baths |

| | Ki? | Hová megy? | Hol van? | Hány jegyet kér? |
|---|---|---|---|---|
| (i) | Black úr | Oktogon | Bajza utca | 8 |
| (ii) | Rosalie | Széchenyi fürdő | Hősök tere | 4 |
| (iii) | Gordon | Vörösmarty tér | Opera | 5 |

5 A young American tourist stops a girl in the street. Re-arrange her sentences so that their conversation makes sense. Write down the dialogue and then act it out.

**Amerikai turista**

(*a*) Elnézést.    Eltévedtem. Tudsz segíteni?

(*b*) A    Katona    József Színházba. Messze van?

(*c*) Egyenesen tovább?

(*d*) Nem jobbra van? A térkép szerint jobbra van.

(*e*) Értem. És van itt valahol egy jó uszoda?

(*f*) És hol van a Széchenyi fürdő?

(*g*) És hol kapok itt metrójegyet?

(*h*) Köszönöm szépen.

**Girl**

(i) Nincs. Talán tíz perc gyalog. Menj egyenesen tovább!

(ii) Nem. Balra van.

(iii) Nincs. De a Városligetben van a Széchenyi fürdő. Nagyon szép épület és nagyon jó uszoda.

(iv) Hová szeretnél menni?

(v) Igen. A Katona József Színház a második utcában van balra.

(vi) Ott a metrómegálló. A Széchenyi fürdő a hetedik megálló.

(vii) Nincs mit.

(viii) Ott, a jegypénztárban.

| Városliget (-et)  City Park | Hová szeretnél menni?  Where |
|---|---|
| épület (-et)  building | would you like to go? (sing.fam.) |

6 Ticket inspectors often masquerade as passengers. Then they unexpectedly put their armbands on and inspect tickets. They have a reputation for being strict. Can you understand the cartoon opposite? Translate it into English for a friend. You will need to know the following words: **szigor** (*strictness*), **jegyek** (*tickets*), **bérletek** (*travelcards*), **a férjed** (*your husband*), **BKV** (stands for **Budapesti Közlekedési Vállalat** *Budapest Transport Company*).

**SZIGOR**

➡Jegyeket, bérleteket!
➡ De Lujza, én Béla vagyok, a férjed...          *Szmodis Imre rajza*

7   It is August, and there is a long queue of tourists at the post office, all wanting to send post cards home by air mail. What does each say? Here are the names of the tourists and their nationalities.

(a)  John, angol
(b)  Patrick, ír
(c)  Sheila, ausztrál

(d)  Caroline, amerikai
(e)  Jason, új-zélandi
(f)  Pat, kanadai

8   Which is the correct alternative?

(a)  Ismeritek a **Deák tér/teret?**
(b)  Hol van az Astoria? Sajnos nem **tudjuk/ismerjük.**
(c)  Patrick **angol?/angol van?**
(d)  A Kossuth tér **nem van/nincs közel.**
(e)  Sanyi **jól./jól van.**
(f)  A jegypénztár **zárva./zárva van.**

✳ If you are going to Hungary now: **Jó utat!** (*Have a nice trip!*)

And to those who would like to be able to say and understand more – welcome to Part Two!

# PART TWO
# 6

# MI ÚJSÁG?
*How are things?*

## In this unit you will learn how to

- enquire about where someone has been
- state if you have, or have not, been to a place
- give your opinion about something
- invite someone for a drink
- accept, or refuse, such an invitation
- ask about someone's age and state your own
- express surprise and uncertainty

## Párbeszéd

Sanyi and Csaba attend the same French evening class. Sanyi has missed a few lessons as he was working abroad for a while. Now they bump into each other in the street.

**Sanyi**  Szia, Csaba!

**Csaba**  Szia, Sanyi! Mi újság? Régen voltál franciaórán...

**Sanyi**  Velencében voltam. De ráérsz? Van itt egy jó söröző. Gyere, iszunk egy korsó sört! Jössz?

**Csaba**  Jó, jövök. Most nem sietek haza. Este franciaóra lesz.
*(They sit down at a table.)*

**Csaba**  Szóval Olaszországban voltál. És milyen volt?
**Sanyi**  Nagyon érdekes! Sok olasz városban voltam már, de Velencében még nem. Nagyon romantikus város. Sajnos túl sok volt a munka, és csak este voltam szabad. Talán legközelebb többet látok. És te? Jársz még franciára?
**Csaba**  Persze. Most mindenki tanul.
**Sanyi**  Hogyhogy? Még te is?
**Csaba**  Még én is! Egész nap csak ülök az irodában, és ha nincs ott a főnök, tanulok.
**Sanyi**  Mi történt? Jól vagy?
**Csaba**  (*laughing*) Jól. Új tanárnő van az iskolában.
**Sanyi**  Hány éves? Fiatal?
**Csaba**  Azt hiszem, huszonnégy éves. Nagyon csinos...
**Sanyi**  Aha! Már értem. Azt hiszem, hogy ma este én is jövök franciaórára!

 ——— **Szavak és kifejezések** ———

---

**Régen voltál franciaórán.** *It's a long time since you've been to French classes.*
**óra** *lesson*
**Velence** *Venice*
**egy korsó sör** (-t) *a glass of beer* (*about a pint*)
**Jössz?** [↗] *Are you coming?* (sing. fam.)
**siet** *hurry*
**este** *in the evening*
**érdekes** *interesting*
**munka** *work*
**Talán legközelebb többet látok.** *Perhaps next time I'll see more.*
**talán** *perhaps*

**legközelebb** (*pron.* lekközelebb) *next time*
**Jársz még franciára?** [↘] *Are you still going to French classes?*
**mindenki** *everybody*
**egész nap** *all day*
**iroda** *office*
**főnök** (-öt) *boss*
**Mi történt?** *What has happened?*
**iskola** *school*
**fiatal** *young*
**csinos** *pretty*
**Már értem.** *Now I understand.* (Lit. *I already understand.*)
**ma este** *this evening* (Lit. *today evening*)

---

## Kérdések

1   Melyik igaz? Select the correct expressions to complete the sentences.

   (*a*)  Sanyi régen volt franciaórán, mert ———
                              (i)  Velencében volt.
                              (ii) ráér.

(b)  Csaba ráér, mert ———  (i)  este franciaórára megy.
                         (ii)  nagyon siet.

(c)  Sanyi ——— Velencében.  (i)  régen volt
                         (ii)  még nem volt

(d)  Csaba franciául tanul az irodában, ha nincs ott ———
                         (i)  az igazgató.
                         (ii)  a főnök.

(e)  Az iskolában most mindenki tanul, mert ———
                         (i)  az új tanárnő csinos.
                         (ii)  a francia nem nehéz nyelv.

mert  *because*

2  Feleljen a kérdésekre!

(a)  Miért volt Sanyi régen franciaórán?
(b)  Hol isznak egy korsó sört?
(c)  Miért nem siet Csaba haza?
(d)  Miért csak este volt szabad Sanyi Velencében?
(e)  Mit csinál Csaba egész nap az irodában, ha nincs ott a főnök?
(f)  Hány éves az új tanárnő?
(g)  Miért megy Sanyi ma este franciaórára?

miért?  *why?*           csinál  *do*

# —— Magyarország és a magyarok ——

## *Directness*

Hungarians are usually more direct than the English. They are not afraid or embarrassed to show what they feel or think. There is hardly any understatement in Hungary.

## Mi újság? (*What is the news? How are things?*)

A useful greeting inviting the other person to speak. The answer could be **Nincs semmi különös.** (*Nothing in particular.*) or a full description of what they have been doing.

# Sanyi

This is the diminutive form of **Sándor** (*Alexander*). The diminutive forms of first names are often used within the family or among friends. Sometimes the diminutive ending **-ka/-ke** is used, (e.g. Sanyi**ka**). The **-ka/-ke** forms are most frequently used for children, and less often for women. For example, a secretary called **Mária**, might be called **Marika** by her boss and colleagues. Elderly men and women also tend to be addressed by the diminutive form of their names, e.g. **Sanyi bácsi**, **Irénke néni**, and so on.

Here is a list of some typical examples. As sometimes it is difficult to work out the original full name from its diminutive form, the list is worth studying! (Some Hungarian names have no English equivalent.)

## Male Names

| Full names | Diminutives |
|---|---|
| András *Andrew* | Andris(ka), Bandi |
| Béla | Bélus(ka) |
| Ferenc *Francis* | Feri(ke) |
| Gábor *Gabriel* | Gabi(ka) |
| György *George* | Gyuri(ka) |
| Gyula *Julius Julian* | Gyuszi(ka) |
| Imre *Emeric* | Imi |
| István *Stephen* | Pista, Pisti(ke) Pityu |
| János *John* | Jancsi(ka), Jani |
| Jenő *Eugene* | Jenci, Jenőke |
| József *Joseph* | Jóska, Józsi(ka) |
| Károly *Charles* | Karcsi(ka) |
| Lajos *Lewis, Louis* | Lali(ka) |
| László *Leslie* | Laci(ka) |
| Mihály *Michael* | Misi(ke) |
| Miklós *Nicholas* | Miki |
| Pál *Paul* | Pali(ka) |
| Péter *Peter* | Peti(ke) |
| Tamás *Thomas* | Tomi(ka) |
| Tibor | Tibi(ke) |
| Zoltán | Zoli(ka) |

## Female Names

| Full names | Diminutives |
|---|---|
| Andrea | Andi |
| Anna *Ann* | Panni, Ani, Annus(ka) |
| Ágnes *Agnes* | Ági(ka) |
| Erzsébet *Elizabeth* | Erzsi(ke) Bözsi(ke) |
| Éva *Eva* | Évi(ke), Vica |
| Gabriella | Gabi(ka) |
| Györgyi *Georgina* | Györgyike |
| Ildikó | Ildi(ke) |
| Ilona *Helen Elaine* | Ilonka, Ica, Ilus(ka) |
| Irén *Irene* | Irénke |
| Judit *Judith* | Jutka |
| Júlia *Julia* | Juli(ka), Julis(ka) |
| Katalin *Catherine* | Kati(ka) |
| Klára *Clare* | Klári(ka) |
| Magdolna *Magdalen* | Magdi(ka) |
| Mária *Mary* | Mari(ka) |
| Márta *Martha* | Márti(ka) |
| Sára *Sarah* | Sári(ka) |
| Terézia *Theresa* | Teri(ke) |
| Zsuzsa *Susan* | Zsuzsi(ka) |

**Ráér** (*have time*) takes front vowel endings. Note how to negate it:

| (én) | **nem érek rá** | (mi) | **nem érünk rá** |
|---|---|---|---|
| (te) | **nem érsz rá** | (ti) | **nem értek rá** |
| (maga/ön/ő) | **nem ér rá** | (maguk/önök/ők) | **nem érnek rá** |

Sajnos most **nem érek rá**. *Unfortunately I don't have time now.*

**Gyere!** (*Come!*) (sing.fam.) and **Gyertek!** (*Come!*) (pl.fam.) are useful expressions when inviting friends for a drink, etc.

**Gyere**, iszunk egy pohár sört!   *Come, we'll drink a glass of beer.*
**Gyertek**, iszunk egy pohár bort!   *Come, we'll drink a glass of wine.*

You can accept the invitation by saying **Jó, jövök**. (*All right, I'm coming.*) and refuse it by saying **Sajnos most nem érek rá**. (*Unfortunately, I don't have time now.*).

**Szóval** (*so*) This word refers back to, or sums up, what has just been said, e.g. **Szóval** már voltál Párizsban is. *So you have been to Paris as well.*

**Jár** (*go*) While **megy** expresses a particular action, **jár** is used to express a habitual, frequent action:

Angolra **mész**? [↴]      *Are you going to English classes?*
**Jársz** angolra? [↴]      *Do you take English classes?*

**Hogyhogy?** (*How come? What do you mean?*) expresses surprise.

**Tanárnő** To denote the female equivalent of certain jobs and professions, the word **nő** (*woman*) is often added. Here are a few examples:

| doktor, doktor**nő** | *doctor* (m), *doctor* (f) |
|---|---|
| eladó, eladó**nő** | *sales assistant* (m), *sales assistant* (f) |
| igazgató, igazgató**nő** | *manager / director, manageress* |
| pincér, pincér**nő** | *waiter, waitress* |
| szakács, szakács**nő** | *cook* (m), *cook* (f) |
| titkár, titkár**nő** | *secretary* (m), *secretary* (f) |
| újságíró, újságíró**nő** | *journalist* (m), *journalist* (f) |

Sometimes the word **asszony** meaning a married or a mature woman is used instead, e.g. **üzletember** – **üzletasszony**.

However, quite often Hungarians use the male version of professions to denote females as well. For example, the phrase **magyartanár**

**vagyok** (*I'm a teacher of Hungarian*), could be said by either a man or a woman.

**Azt** (*pron.* aszt) **hiszem** (*I think*) This phrase is used when expressing uncertainty. Quite often it is followed by **hogy** (*that*):

> **Azt hiszem, (hogy)** Sanyi az     *I think (that) Sanyi is in the*
>     irodában van.                     *office.*

**Azt hiszem** on its own means *I think so* or *I believe so*:

> Sanyi az irodában van? [⌐]     *Is Sanyi in the office?*
> **Azt hiszem**.                    *I think so.*

**The exclamation mark** is used when expressing a command, a wish or a suggestion. It is more commonly used in Hungarian than in English.

### Names of countries

In Unit 5, you learnt the names of some English-speaking countries. Here is an additional list of some major European nationalities and countries that you might need:

| **Nationality** | | **Country** | |
|---|---|---|---|
| francia | *French* | Franciaország | *France* |
| lengyel | *Polish* | Lengyelország | *Poland* |
| német | *German* | Németország | *Germany* |
| olasz | *Italian* | Olaszország | *Italy* |
| orosz | *Russian* | Oroszország | *Russia* |
| osztrák | *Austrian* | Ausztria | *Austria* |
| spanyol | *Spanish* | Spanyolország | *Spain* |

 ——————— **Nyelvtan** ———————

## *1 Word order*

● The sequence of words can vary a great deal in a Hungarian sentence. There is only one golden rule to follow here. You often, though not always, want to emphasise one word, or group of words, rather than another. This stressed word or group of words, which carries the most important piece of information within the sentence, is called the focus of the sentence, and it is always followed by the verb.

|  | words before the focus | focus | verb | words after the focus |
|---|---|---|---|---|
| (i) | | **Angol** | vagyok. | |
| (ii) | | **Én** | vagyok | angol. |
| (iii) | Sanyi | **Velencében** | volt. | |
| (iv) | | **Sanyi** | volt | Velencében. |

The sentences in the table above mean:

(i) I am *English* (i.e. not German, etc.).

(ii) *I* am English (i.e. it is me who is English).

(iii) Sanyi was in *Venice* (i.e. not somewhere else).

(iv) *Sanyi* was in Venice (i.e. it was Sanyi who was in Venice).

In English, the same is achieved by just stressing the relevant word or words.

● The only two times when the focus is not followed by the verb are:

(a) when there is no verb in the sentence, e.g. **János magyar**. *János is Hungarian.*; and (b) when the focus is the verb itself, e.g. **Kérek egy feketét**. *I would like a black coffee.*

● In a Hungarian sentence, the focus is highlighted not only by word order, but also by being stressed.

When in doubt, you can work out what the focus of the sentence is by drawing a contrast: for example, **Sanyi** volt Velencében, **nem Csaba**. *Sanyi, not Csaba was in Venice.*

In speech, you will not have time to work out what the focus of each sentence is. That is why even people with otherwise very good Hungarian make mistakes here. But don't lose heart. Keep trying and, as with anything, practice makes perfect. After a while, it will become second nature.

Here is a useful hint: the question word is always the focus of a question. Therefore when answering a question-word question, first answer the question-word and then follow the word order of the rest of the question, e.g. **Hol** volt Sanyi? **Velencében** volt Sanyi. Alternatively, a short answer can be given by just answering the question-word, e.g. **Hol** volt Sanyi? **Velencében**.

## 2 Intonation

Now you will understand why in the case of yes-or-no questions the intonation varies.

● If there are only one or two syllables in and after the focus of the question, your voice will rise on the last syllable. (In the examples below, the focus is in bold.) E.g. Eszter **éhes**? [⤴]  *Is Eszter hungry?*

● If there are three or more syllables in and after the focus of the question, your voice will go up on the penultimate syllable and then come down again.

Eszter **amerikai?** [⤴]        *Is Eszter **American**?*
**Eszter** éhes? [⤴]           *Is **Eszter** hungry?*

✳ Again, when speaking, there is no time to think about the focus and to count the syllables, so it needs some practice. Listen to and try to imitate native speakers so that after a while you will get it right instinctively.

● Note that in question-word questions which do not start with the question-word itself, your voice will have to rise sharply on the first syllable of the question-word, e.g.

Szerinted milyen város Velence?

## 3 Már *and* még

● These words are often used when asking about or stating whether something has been done or has happened.

**Már** (*already, yet, before*) is used in positive sentences and questions (i.e. in sentences and questions without any negation).

**Még** (*yet, before*) is used in negative sentences and questions (i.e. where something is negated).

**Voltál már** Budapesten?        *Have you been to Budapest before?*
**Voltam már** Budapesten.        *I've been to Budapest before.*

**Még nem voltál** Budapesten?  *Haven't you been to Budapest yet?*
**Még nem voltam** Budapesten.  *I haven't been to Budapest yet.*

● In these types of questions and statements Hungarian uses the past tense. So far you have come across the past tense of two verbs: **lenni** (*to be*) and **történik** (*happen*). Here is the full conjugation of **lenni**:

| (én) | **voltam** | *I was* | (mi) | **voltunk** | *we were* |
|---|---|---|---|---|---|
| (te) | **voltál** | *you were* | (ti) | **voltatok** | *you were* |
| (maga/ön) | **volt** | *you were* | (maguk/önök) | **voltak** | *you were* |
| (ő) | **volt** | *he/she was* | (ők) | **voltak** | *they were* |

● Note that **még** means *even* in sentences and questions like:

**Még** te **is**? [↘]          *Even you?*
Igen, **még** én **is**.          *Yes, even me.*

and *still* in sentences like:

Jársz **még** angolra? [↗]          *Are you still going to English classes?*

# 4  Ül (*sit*)

This is a standard front vowel verb, yet its conjugation is different from the conjugation of the front vowel verbs you have come across so far. This is due to the **ü** sound. Standard front vowel verbs whose final vowel is **ö**, **ő**, **ü** or **ű** conjugate like **ül**.

Note that the vowel of the ending is **ö** instead of **e** in the first person singular and the second person plural forms.

| (én) | ül**ök** | *I sit* | (mi) | ülünk | *we sit* |
|---|---|---|---|---|---|
| (te) | ülsz | *you sit* | (ti) | ül**tök** | *you sit* |
| (maga/ön) | ül | *you sit* | (maguk/önök) | ülnek | *you sit* |
| (ő) | ül | *he/she sits* | (ők) | ülnek | *they sit* |

# 5  Jön (*come*)

This is an irregular verb, even though it takes the endings with **ö**. Here is its conjugation in full:

| (én) | **jövök** | *I come* | (mi) | **jövünk** | *we come* |
| (te) | **jössz** | *you come* | (ti) | **jöttök** | *you come* |
| (maga/ön) | **jön** | *you come* | (maguk/önök) | **jönnek** | *you come* |
| (ő) | **jön** | *he/she comes* | (ők) | **jönnek** | *they come* |

# 6 The -t ending

It will now be easy to understand why, in the case of front vowel words, the linking vowel before the **-t** ending can be **e** or **ö**. The **ö** linking vowel is necessary when the final vowel of the word is **ö, ő, ü,** or **ű**.

| **Mi?** | **Mit?** | **Ki?** | **Kit?** |
| gyümölcs | gyümölcsöt | főnök | főnököt |

There are a few exceptions to this rule, e.g. pörkölt-pörköltet.

# 7 Iszik (*drink*)

This is not an easy verb to conjugate. At this stage just learn all its forms by heart and in Unit 7 you will see why it conjugates like this.

| (én) | **iszom** | *I drink* | (mi) | **iszunk** | *we drink* |
| (te) | **iszol** | *you drink* | (ti) | **isztok** | *you drink* |
| (maga/ön) | **iszik** | *you drink* | (maguk/önök) | **isznak** | *you drink* |
| (ő) | **iszik** | *he/she drinks* | (ők) | **isznak** | *they drink* |

# 8 Transitive and intransitive verbs

The verb **iszik** can also take an object, e.g. Sanyi **sört iszik**. *Sanyi is drinking beer.* The object here is **sör**.

Verbs that can take an object are called transitive verbs, e.g. **kér**: **Kérek egy sört.** *I would like a beer.* Verbs that never take an object are called intransitive verbs, e.g. **megy**: **Moziba megyek.** *I am going to the cinema.* From now on transitive verbs will be shown like this: **kér** vmit (**vmi** is short for **valami** *something*), similarly vkit (**vki** being short for **valaki** *somebody*). The **-t** indicates that **kér** is a transitive verb and usually takes an object, which is marked by the **-t** ending.

## 9 Haza (*home*)

This word has different forms depending on the question it answers.

| Honnan? | Hol? | Hová? |
|---------|------|-------|
| **itthonról** (*pron.* ithonról) | **itthon** (*pron.* ithon) | **haza** |
| **otthonról** (*pron.* othonról) | **otthon** (*pron.* othon) | **haza** |
| **hazulról** | | |

**Otthonról** jössz? [⌐]     *Are you coming from home?*
Jóska nincs **itthon**.     *Jóska is not at home.*
**Haza**megyünk.     *We are going home.*

Note that the forms **itthon** and **itthonról** are used when talking about your own, or someone else's home and you are actually there when speaking. The forms **otthon** and **otthonról** or **hazulról** are used when you are talking about your own, or someone else's home but you are not there at the time of speaking.

## 10 Hány éves? (*How old is he/she?*)

When asking or answering this question, **van** is omitted.

| (én) | **huszonöt éves vagyok** |
|------|--------------------------|
| (te) | **huszonöt éves vagy** |
| (maga/ön/ő) | **huszonöt éves** |

**Hány éves vagy?**     *How old are you?*
**Harmincéves vagyok.**     *I'm thirty years old.*
**Hány éves István?**     *How old is István?*
**István kétéves.**     *István is two.*
**Hány éves?**     *How old are you?* (sing.form.)

 —————— **Gyakorlatok** ——————

1   Attila (*pron.* atilla) always gives uncertain answers, never commits himself and speaks in a rather laconic style. He is well travelled. His geography teacher asks him where he has been and

what he thinks of the places he has been to. What are the teacher's questions, and what are Attila's answers? Use the information below. The first questions and answers are provided for you.

(a) **Tanárnő**   Voltál már Párizsban, Attila?
**Attila**   Igen, voltam.
**Tanárnő**   Szerinted milyen város Párizs?
**Attila**   Azt hiszem, hogy nagyon érdekes város.

| **város** | **volt már** | **még nem volt** | **Milyen?** |
|---|---|---|---|
| (a) Párizs | ✓ | | nagyon érdekes |
| (b) Róma | ✓ | | szép, de egy kicsit piszkos |
| (c) Prága | ✓ | | romantikus |
| (d) Varsó | ✓ | | elég csúnya |
| (e) Berlin | ✓ | | egy kicsit unalmas |
| (f) Bécs | ✓ | | nagyon tiszta |
| (g) London | ✓ | | túl nagy |
| (h) Szeged | | ✓ | |

| | |
|---|---|
| **Varsó** *Warsaw* | **piszkos** *dirty* |
| **csúnya** *ugly* | **nagy** *big* |
| **unalmas** *boring* | **szerinted** *in your opinion* |
| **Bécs** (-et) *Vienna* | (sing.fam.) |

**2**   Study a page in Tibor's **naptár** (*diary*). Then answer this question: **Mit csinál ma Tibor?** Make up complete sentences and then repeat each aloud. (See overleaf for the new vocabulary).

1992 NAPTÁR

SZOMBAT

*korán reggel: futok a parkban*
*délelőtt: vásárolok az ABC-ben*
*délben: ebédelek*
*délután: a Király fürdőbe megyek*
*este: moziba megyek*

| | |
|---|---|
| **korán** *early* | **délben** *at noon* |
| **reggel** *in the morning* | **ebédel** *have lunch* |
| **fut** *run* | **délután** *in the afternoon* |
| **délelőtt** *in the morning, a.m.* | **este** *in the evening* |
| **vásárol** *do some shopping* | |

3 It is 1992. Answer these questions.

(a) Bori néni 1906-ban született. Hány éves most Bori néni?

(b) Karcsi bácsi 1897-ben született. Hány éves most Karcsi bácsi?

(c) Jutka 1957-ben született. Hány éves most Jutka?

(d) Péter tizenhét éves. Mikor született Péter?

(e) Kerekes Anna harmincnégy éves. Mikor született Kerekes Anna?

(f) Peti ötéves. Mikor született Peti?

| | |
|---|---|
| **született** *he/she was born, you were born* (sing.form.) | **születtem** *I was born* |
| **Mikor?** *When?* | **születtél** *you were born* (sing.fam.) |

4 Is (i) or (ii) the correct question in the following situations?

(i) Beszélsz angolul? [⌐]   (ii) Angolul beszélsz? [⌐]

(a) A Hungarian boy stops an English tourist in a Budapest street.

**Magyar fiú** Elnézést! Hol van a Baross utca?

**Angol turista** Tessék? Nem értem. Angol vagyok. ———

(b) An English girl asks a Hungarian teenager the way in Budapest.

**Angol lány** Excuse me, can you tell me how to get to the castle?

**Magyar tinédzser** Tessék? ——— Sajnos én csak magyarul tudok.

| | |
|---|---|
| **fiú** *boy* | **tinédzser** (-t) *teenager* |
| **lány** (-t) *girl* | |

**5**  Which Hungarian sentence has the same meaning as the English sentence? (The emphasised expression is in bold.)

(a)  Were you at your **English** class? (i)  Angolórán voltál? [⤶]
                                          (ii)  Voltál angolórán? [⤶]

(b)  I **have been** to Venice.   (i)  Velencében voltam.
                                  (ii)  Voltam Velencében.

(c)  The English class will take place **in the evening**.
                                  (i)  Este angolóra lesz.
                                  (ii)  Este lesz az angolóra.

(d)  I am twenty-four.   (i)  Huszonnégy éves vagyok.
                         (ii)  Én vagyok huszonnégy éves.

(e)  I'm learning **Hungarian**. (i)  Tanulok magyarul.
                                 (ii)  Magyarul tanulok.

**6**  Zoltán and Imre are good friends. They have not seen each other for a while and now they bump into each other in the street. Re-arrange Imre's sentences so that their conversation makes sense. Write it all down and then act it out from memory.

**Zoltán**

(a)  Szia, Imre! Mi újság?
(b)  Nem túl jól.
(c)  Nagyon fáradt vagyok. Túl sok a munka az irodában.
(d)  Még nem. De szeretnék Olaszországba menni, Velencébe. Nagyon romantikus város lehet. De te már voltál Velencében. Szerinted milyen város?
(e)  Kösz. Sietsz? Van itt egy jó söröző. Gyere, iszunk egy korsó sört. Jössz?
(f)  Hogyhogy?

**Imre**

(i)  Mi történt?
(ii)  Voltál már szabadságon?
(iii)  Jövök. Ma nem sietek. Csak késő este megyek haza.
(iv)  Romantikus, de sajnos egy kicsit piszkos. De azt hiszem, tetszik majd neked. Jó utat!
(v)  Nincs semmi különös. És te? Hogy vagy?
(vi)  Nem tudom, hol van a lakáskulcsom. A feleségem pedig csak este lesz otthon.

---

**szabadságon** (*pron.* szabaccságon)   *on holiday*
**késő este**   *late in the evening*
**a lakáskulcsom**   *the key to my flat*
**a feleségem**   *my wife*

**tetszik** (*pron.* teccik) **majd neked**
   *you will like it* (sing.fam.)
**Nagyon romantikus város lehet.**
   *I hear it's a very romantic town.*
   (Lit. *It must be a very romantic town.*)

# Érti?

Mrs Jones is on a business trip to Budapest. As she is staying over the weekend, her Hungarian colleague, Mrs Tóth, organises a trip for her to Szentendre.

| | |
|---|---|
| **Tóthné** | Mit csinál a hétvégén, Mrs Jones? |
| **Mrs Jones** | Még nem tudom. |
| **Tóthné** | Ráér szombaton? |
| **Mrs Jones** | Igen, szombaton szabad vagyok. Miért? Mit javasol? |
| **Tóthné** | Volt már Szentendrén? |
| **Mrs Jones** | Nem, még nem voltam. Hol van Szentendre? |
| **Tóthné** | A Dunakanyarban. Szép régi kisváros, és nincs messze. |
| **Mrs Jones** | És mi van Szentendrén? |
| **Tóthné** | Sok butik, templom, hangulatos épület, utca (*laughing*) és persze sok turista. Itt van a Kovács Margit Múzeum is. Ismeri Kovács Margitot? |
| **Mrs Jones** | Nem, nem ismerem. |
| **Tóthné** | Kovács Margit híres magyar keramikus és szobrász. (*She picks up a postcard from her desk.*) Tessék, itt van például egy képeslap. Ez egy Kovács Margit kerámia: „Családi fényképalbum." Hogy tetszik? |
| **Mrs Jones** | Nagyon eredeti! Jó, akkor szombaton Szentendrére megyünk a Kovács Margit Múzeumba! |

| | | | | |
|---|---|---|---|---|
| **a hétvégén** | *at the weekend* | **szobrász** (-t) | *sculptor* | |
| **szombaton** | *on Saturday* | **családi fényképalbum** (-ot) | *family* | |
| **javasol** (vmit) | *suggest* (sg) | *photo album* | | |
| **Dunakanyar** (-t) | *Danube Bend* | **eredeti** | *original* | |
| **hangulatos** | *atmospheric* | **akkor** | *then* | |
| **keramikus** (-t) | *potter* | **kisváros** (-t) | *small town* | |

Igaz vagy nem igaz? Correct and re-write the false statements.

(a) Mrs Jones ráér szombaton.
(b) Mrs Jones volt már Szentendrén.
(c) Szentendre kisváros a Dunakanyarban.
(d) Kovács Margit híres magyar színésznő.
(e) Mrs Jones szerint a „Családi fényképalbum" eredeti képeslap.

# 7

## HÉTFŐN KÖLTÖZÜNK!
### We're moving house on Monday!

## In this unit you will learn how to

- talk about houses and flats
- name the months and the days
- introduce some unusual news
- express agreement in some other situations

 ——————— **Párbeszéd** ———————

 János and Béla live in the same block of flats on a housing estate in Újpalota (XVth district of Budapest). They meet in the park while Béla is walking his dog.

**Béla**    Szervusz, János! Mi újság?
**János**   Szervusz, Béla! Képzeld, hétfőn költözünk!
**Béla**    Költöztök? Hová?
**János**   Egy szép kis családi házba Zuglóba, a tizennegyedik kerületbe. Ez a lakás nagyon kicsi, csak másfél szobás. Túl kicsi a konyha, a fürdőszoba, az előszoba. Nincs telefon. A feleségem mindig mérges, mert a szomszédban hangos a magnó. Meg aztán én sem vagyok már fiatal. Hatvanöt éves leszek júliusban. Gyakran rossz a lift, mi meg a hatodik emeleten lakunk.

**Béla**   Mi sem nagyon szeretünk itt lakni. A feleségem mindig panaszkodik, mert piszkos a lépcső és a kapu éjszaka is nyitva van. Este túl sötét van, a folyosón gyakran nem ég a villany. És milyen az új ház?

**János**   Nagyon szép! Világos, tágas, kétszobás. A kert is szép nagy. Sok gyümölcsfa és virág van benne. Augusztusban nyugdíjba megyek. A feleségem is nyugdíjas. Én majd a kertben dolgozom, ő meg majd napozik és olvas.

**Béla**   És milyen utcában laktok majd?

**János**   A Kaffka Margit utcában.

**Béla**   Nem ismerem.

**János**   És te hogy vagy?

**Béla**   Megvagyok. Most új munkahelyen dolgozom, a Mátyás téren.

**János**   És itt mennyit keresel?

**Béla**   Negyvenezer forintot kapok egy hónapban. Ez manapság nem rossz pénz!

**János**   Nem bizony!

---

# Szavak és kifejezések

| | |
|---|---|
| **költözik**   *move house* | **folyosó**   *corridor* |
| **lakás** (-t)   *flat* | **Ég a villany**.   *The light is on.* |
| **kicsi**   *small* | **világos**   *light* |
| **a szomszédban**   *next door* | **tágas**   *spacious* |
| **mindig**   *always* | **szép nagy**   *nice and big* |
| **mérges**   *angry* | **gyümölcsfa**   *fruit tree* |
| **szomszéd** (-ot)   *neighbour* | **fa**   *tree* |
| **hangos**   *loud* | **virág** (-ot)   *flower, plant* |
| **magnó**   *tape recorder* | **benne**   *in it* |
| **Meg aztán** (*pron.* asztán) **én sem** | **nyugdíjba megy**   *retire* |
| **vagyok már fiatal**.   *I'm not young* | **dolgozik**   *work* (verb) |
| *any more either*. | **napozik**   *sunbathe* |
| **gyakran**   *often* | **olvas**   *read* |
| **panaszkodik**   *complain* | **Megvagyok**.   *I'm not too bad.* |
| **lépcső**   *stairs* | **munkahely** (-et)   *workplace* |
| **kapu**   *door, gate* | **hónap** (-ot)   *month* |
| **éjszaka**   *at night* | **manapság**   *these days* |
| **sötét**   *dark* | **pénz** (-t)   *money* |

## Kérdések

1 Igaz vagy nem igaz? Correct and re-write the false statements.

(a)  János hamarosan költözik.
(b)  Zugló a tizenegyedik kerület neve Budapesten.
(c)  János felesége (*János' wife*) mindig mérges, mert a lakásban nincs telefon.
(d)  Béla sem szeret itt lakni.
(e)  Az új ház sötét, tágas, kétszobás.
(f)  Béla az új munkahelyen negyvenezer forintot keres egy hónapban.

| | |
|---|---|
| **hamarosan** | *soon* |

2 Feleljen a kérdésekre!

(a)  Hova költözik János?
(b)  Milyen ez a lakás?
(c)  Hány éves János?
(d)  Miért panaszkodik Béla felesége?
(e)  Mikor megy János nyugdíjba?
(f)  Mit csinál majd János és a felesége a kertben?
(g)  Mennyit keres Béla az új munkahelyen?

# —— Magyarország és a magyarok ——

## Housing

There is an acute shortage of flats and houses in Hungary. Flats, houses and lodgings (**albérlet** *lodging*) are very expensive, so newly married people often continue to live with their parents. As flats and houses are such precious commodities, Hungarians do look after them. In most families they offer a **papucs** (*a pair of slippers*) to the **vendég** (*guest*). The family take off their shoes and put on slippers when they come home.

**Családi ház** literally means a family house. It is a **kertes ház** (*a house with a garden*) usually in a suburb occupied by a family. In inner cities people live in blocks of flats (**bérház** *block of flats*). Many people live in a **panellakás** (*concrete construction flat*) on a **lakótelep** (*housing estate*). These are notorious for their lack of space and for the walls through which all the noises from next door can be heard. However, they all have **központi fűtés** (*central heating*) and constant **meleg víz** (*hot water*) for a set monthly charge.

**Ház**: In Hungarian this word can mean both a private house for a family or a block of flats. When referring to private houses, people talk about **szint** (*level*) in the house, e.g. **egyszintes ház** (*pron. etyszintes*) *one-storey house*, **kétszintes ház**, etc. Most private houses in Hungary are only **egyszintes**. When they talk about blocks of flats, Hungarians use the word **emelet** (*floor*) to indicate floor-level, e.g. **egyemeletes ház**, **tízemeletes ház** (*one-storey, ten-storey building*).

## Másfél szobás

Unlike in Western countries, it is not a tradition in Hungary to have a separate **nappali** (*living-room*). It is often the parents' **hálószoba** (*bedroom*) which doubles as a sitting-room during the day. That is why the **rekamié** (*sofa bed*) is so common in Hungary! As there is no distinction between types of rooms, Hungarians just use the word **szoba** (*room*) to indicate a living and sleeping area as opposed to **konyha** (*kitchen*), **fürdőszoba** (*bathroom*), **vécé** (*toilet*), **előszoba** or **hall** (*hall*). Most flats and houses would not have an **ebédlő** (*dining-room*) or a **dolgozószoba** (*study*) either. Because of this, when referring to the size of their flats and houses, Hungarians do not talk about one or two-bedroom flats or houses. They just use the word **szoba** (*room*), e.g **egyszobás** (*pron. etyszobás*) **lakás**, **kétszobás ház**, etc. A **félszoba** (Lit. *half room*) is a small room usually for children. So a **másfél szobás lakás** (Lit. *one and a half room flat*) would have a big room for the parents and a small one for a child. Similarly **két és fél szobás lakás**, **egy plusz két fél szobás lakás** (Lit. *two and a half room flat, one plus two half room flat*), etc.

**Kert**: You will hardly ever see a big lawn with flowers at a private home. Gardens have a practical function; they are meant to provide some fruit and vegetables for the family.

**Lakik, él**: These both mean *live*. **Él** is used in a more general sense:

| | |
|---|---|
| János **jól él**. | *János lives well.* |
| Anna most **Párizsban él**. | *Anna lives in Paris now.* |

The word **lakik** means *reside*. (This is what you do in your **lakás**.)

| | |
|---|---|
| Egy kis másfél szobás **lakásban laknak**. | *They live in a small flat with two rooms.* |
| A Vas **utcában lakunk**. | *We live in Vas Street.* |

**Mennyit keresel?** (*How much do you earn?*) How much one earns is not a taboo subject in Hungary. Friends and acquaintances openly discuss what their salaries are (**fizetés** *salary*). Everybody in a full or part-time job – even manual workers – is paid monthly in Hungary. Hungarians talk about monthly, not yearly pay.

**Majd**: This means *some time in the future*. It is a useful word to express a future action, using the present tense:

| | |
|---|---|
| Én **majd** a kertben **dolgozom**. | *I'll work in the garden.* |

**Meg** can be used like **és** or **pedig**. In the latter case it is usually the second expression in the second half of the sentence:

| | |
|---|---|
| **Ica meg Csaba** jön. | *Ica and Csaba are coming.* |
| Én majd a kertben dolgozom, **a feleségem meg** majd olvas. | *I'll work in the garden and my wife will read.* |

**Képzeld** (*pron.* kébzeld) means *just imagine* (sing.fam.). It is a good way of introducing some unusual news. Note the forms:

**képzeljétek** (*pron.* kébzejjétek) (pl.fam.)
**képzelje** (*pron.* kébzejje) (sing.form.)
**képzeljék** (*pron.* kébzejjék) (pl.form.)

**Nem bizony**: This is a useful phrase to express agreement with a negative statement, e.g. **Ez nem rossz pénz! Nem bizony**. *This is not bad money. It certainly isn't.* If you want to agree with a positive statement, just say **bizony** (*surely*):

| | |
|---|---|
| Most **nagyon drága** a téliszalámi. **Bizony!** | *Téliszalámi is very expensive now. It certainly is!* |

Similarly you can agree with a positive statement by saying: **Szerintem is.** (*I think so too.*) and with a negative statement by saying: **Szerintem sem.** (*I don't think so either.*):

| | |
|---|---|
| London **túl nagy. Szerintem is.** | *London's too big. I think so too.* |
| Szerintem Budapest **nem piszkos. Szerintem sem.** | *I don't think Budapest is dirty. I don't think so either.* |

## Nyelvtan

### 1 Verbs ending in s, sz, z or dz

If a verb stem ends in s, sz, z or dz (these are called sibilants), form the second person singular by adding -ol (for back vowel words), -el (for front vowel words) and -öl (for front vowel words with ö, ő, ü or ű as their final vowel). Otherwise these verbs are conjugated just like standard verbs.

| | | | | | |
|---|---|---|---|---|---|
| (én) | olvasok | *I read* | (mi) | olvasunk | *we read* |
| (te) | olvas**ol** | *you read* | (ti) | olvastok | *you read* |
| (maga/ön) | olvas | *you read* | (maguk/önök) | olvasnak | *you read* |
| (ő) | olvas | *he/she reads* | (ők) | olvasnak | *they read* |

| | | | | | |
|---|---|---|---|---|---|
| (én) | keresek | *I earn* | (mi) | keresünk | *we earn* |
| (te) | keres**el** | *you earn* | (ti) | kerestek | *you earn* |
| (maga/ön) | keres | *you earn* | (maguk/önök) | keresnek | *you earn* |
| (ő) | keres | *he/she earns* | (ők) | keresnek | *they earn* |

| | | | | | |
|---|---|---|---|---|---|
| (én) | főzök | *I cook* | (mi) | főzünk | *we cook* |
| (te) | főz**öl** | *you cook* | (ti) | főztök | *you cook* |
| (maga/ön) | főz | *you cook* | (maguk/önök) | főznek | *you cook* |
| (ő) | főz | *he/she cooks* | (ők) | főznek | *they cook* |

### 2 The -ik verbs

Verbs whose third person singular form ends in **-ik** are called -ik verbs. These are different from standard verbs not only in their third person singular form (**-ik** is added to the verb stem), but also in their first person singular form (**-om** is added for back vowel words, **-em** for front vowel words and **-öm** for front vowel words with ö, ő, ü or ű as their final vowel).

| (én) | lakom | *I live* | (mi) | lakunk | *we live* |
|------|-------|----------|------|--------|-----------|
| (te) | laksz | *you live* | (ti) | laktok | *you live* |
| (maga/ön) | lakik | *you live* | (maguk/önök) | laknak | *you live* |
| (ő) | lakik | *he/she lives* | (ők) | laknak | *they live* |

| (én) | verekedem | *I fight* | (mi) | verekedünk | *we fight* |
|------|-----------|-----------|------|------------|------------|
| (te) | verekedsz | *you fight* | (ti) | verekedtek | *you fight* |
| (maga/ön) | verekedik | *you fight* | (maguk/önök) | verekednek | *you fight* |
| (ő) | verekedik | *he/she fights* | (ők) | verekednek | *they fight* |

| (én) | öltözködöm | *I dress* | (mi) | öltözködünk | *we dress* |
|------|------------|-----------|------|-------------|------------|
| (te) | öltözködsz | *you dress* | (ti) | öltözködtök | *you dress* |
| (maga/ön) | öltözködik | *you dress* | (maguk/önök) | öltözködnek | *you dress* |
| (ő) | öltözködik | *he/she dresses* | (ők) | öltözködnek | *they dress* |

In colloquial Hungarian, some people use the **-ok, -ek, -ök** endings in the first person singular form, e.g. lak**ok**, vereked**ek**, öltözköd**ök**. With most verbs though, this sounds uneducated.

## 3 Mixed category verbs

Many verbs belong to more than one category, therefore more than just one rule will have to be applied when conjugating them. For example, some verbs can be both -*ik* verbs and end in a sibilant:

| (én) | dolgozom | *I work* | (mi) | dolgozunk | *we work* |
|------|----------|----------|------|-----------|-----------|
| (te) | dolgozol | *you work* | (ti) | dolgoztok | *you work* |
| (maga/ön) | dolgozik | *you work* | (maguk/önök) | dolgoznak | *you work* |
| (ő) | dolgozik | *he/she works* | (ők) | dolgoznak | *they work* |

## 4 Ez, az (*this, that*)

● When expressing *this is a ...*, *that is a ...* Hungarian only uses **ez** (*this*) and **az** (*that*):

**Ez templom.**      *This is a church.*
**Az iskola.**      *That is a school.*

In colloquial Hungarian, some people would use the indefinite article (i.e. **egy**) in the sentences above: **Ez egy templom. Az egy iskola**.

● In English, *this* and *that* can be followed by a noun or a phrase containing a noun. (A noun is the name of a person, a thing or some abstract idea, e.g. girl, pen, happiness.) In Hungarian, the definite article (i.e. **a, az**) is needed between **ez** or **az** and the noun:

**Ez a lakás** túl kicsi.              *This flat is too small.*
**Ez az angolóra** unalmas.       *This English lesson is boring.*
**Az a kert** elég nagy.             *That garden is quite big.*
**Az az ír lány** csinos.            *That Irish girl is pretty.*

## 5 Kis, kicsi (*small*), egy kicsit (*a bit*)

Both **kis** and **kicsi** mean *little*, or *small*, and answer the question **Milyen?** (*What is it like?/What sort of?*). **Kis** can only be used when immediately followed by a noun. **Kicsi**, however, can also be used on its own:

Magyarország **kis ország**./       *Hungary is a small country.*
  Magyarország **kicsi ország**.
Magyarország **kicsi**.               *Hungary is small.*

**Egy kicsit** (*a little, a bit*) expresses the quantity or the degree of something:

**Csak egy kicsit kérek**.           *I only want a little.*
**Egy kicsit éhes vagyok**.          *I am a bit hungry.*

## 6 Sem (*neither, not ... either*)

As with **is**, **sem** always comes straight after the word it refers to:

Most nem kérek feketét. **Én sem**.  *I don't want coffee now.*
                                      *Neither do I.*
**John sem** amerikai? [⌐]           *Is John not American either?*

## 7 The -n ending

This ending corresponds to the preposition *on* in English. For words ending in a vowel just add **-n**. (As usual the final **a** changes to **á**, and the final **e** to **é** before it.)

| ajtó – ajtón | fa – fán | Szentendre – Szentendrén |

If a word ends in a consonant, a linking vowel joins the **-n** ending to the word. In the case of back vowel words, the linking vowel is **o**. After front vowel words the linking vowel is **e** or **ö** (if the final vowel of the word is **ö**, **ő**, **ü** or **ű**).

| asztal – asztalon | kép – képen | gyümölcs – gyümölcsön |

Unfortunately, the use of the **-n** and the **-ban/-ben** endings does not always correspond to the use of their English equivalents. So it is best if you simply learn which endings to use with certain words as you come across them. Here are a few examples of the difference:

**a megállóban** *at the stop*
**munkában** *at work*
**a fán** *in the tree*
**a képen** *in the picture*

# 8 Expressions of time with the -n, and the -ban, -ben endings

These endings are also used when answering the question **Mikor?** (*When?*)

## The -n ending is used:

(*a*) after names of days –

| Milyen nap van ma? | | Mikor? | |
|---|---|---|---|
| hétfő | *Monday* | hétfőn | *on Monday* |
| kedd | *Tuesday* | kedden | *on Tuesday* |
| szerda | *Wednesday* | szerdán | *on Wednesday* |
| csütörtök | *Thursday* | csütörtökön | *on Thursday* |
| péntek | *Friday* | pénteken | *on Friday* |
| szombat | *Saturday* | szombaton | *on Saturday* |
| vasárnap | *Sunday* | vasárnap* | *on Sunday* |

*****Vasárnap** is an exception.

Note that you can either say **hétfő reggel** or **hétfőn reggel** (*on*

*Monday morning*), **kedd délelőtt** or **kedden délelőtt** (*on Tuesday morning*, i.e. *Tuesday a.m.*), **szerda este** or **szerdán este** (*on Wednesday evening*), etc.

(*b*)  in expressions like –

**a hétvégén** (*at the weekend*), **a múlt héten** (*last week*), **ezen a héten** (*this week*), **a jövő héten** (*next week*), etc.

## The -ban/-ben ending is used:

(*a*) after names of months –

| Milyen hónap van? | | Mikor? | |
|---|---|---|---|
| január | *January* | január**ban** | *in January* |
| február | *February* | február**ban** | *in February* |
| március | *March* | március**ban** | *in March* |
| április | *April* | április**ban** | *in April* |
| május | *May* | május**ban** | *in May* |
| június | *June* | június**ban** | *in June* |
| július | *July* | július**ban** | *in July* |
| augusztus | *August* | augusztus**ban** | *in August* |
| szeptember | *September* | szeptember**ben** | *in September* |
| október | *October* | október**ben** | *in October* |
| november | *November* | november**ben** | *in November* |
| december | *December* | december**ben** | *in December* |

(*b*)  in expressions like –

**a múlt hónapban** (*last month*), **ebben a hónapban** (*this month*), **a jövő hónapban** (*next month*), etc.

(*c*) when talking about years, e.g. **1967-ben**, **1988-ban**.

Note that the names of days and months are spelt with a small letter.

 ——————— **Gyakorlatok** ———————

1  Which is the correct alternative?

   (*a*)  Kedden délután **költözöm/költözek**.
   (*b*)  Tamás Debrecenben **élsz/él**.
   (*c*)  Lajos bácsi a József körúton **él/lakik**.
   (*d*)  Miért **panaszkodol/panaszkodsz** mindig?
   (*e*)  A folyosón gyakran **nem ég/égnek** a villany.

    (f)  A kertben **napozol/napozsz?**

**2**  Which is the correct expression in these sentences?

    (i)  kis    (ii)  kicsi    (iii)  kicsit

    (a)  Edit néni egy _____ családi házban lakik.
    (b)  Peti nagyon _____.
    (c)  Köszönöm, csak egy _____ kérek.
    (d)  Egy _____ szomjas vagyok.
    (e)  Csak egy _____ pálinkát kérsz? [◄]
    (f)  London nem _____ város.

**3**  Put **sem** in the correct place, so that the Hungarian and English sentences mean the same. The stressed English words are in bold.
    (a)  Én ismerem Király Dezsőt. *I don't know Király Dezső either.*
    (b)  Vörös bort kérek. *I don't want **red wine** either.*
    (c)  Zsolt tud franciául. ***Zsolt** doesn't speak French either.*
    (d)  Az egri bikavért ismered? [◄] *Don't you know **egri bikavér** either?*
    (e)  Mi májusban költözünk. ***We** aren't moving in May either.*
    (f)  Barack kell. *We don't need **peaches** either.*

**4**  Jack is a lazy student of Hungarian. He has made a few mistakes in these sentences. Can you spot them? Put **jó** after the sentences that he got right, and **rossz** after the ones that he got wrong. Correct the latter.

    (a)  Ez ház nem tetszik.
    (b)  Az az iskola szerintem nem jó.
    (c)  Az tokaji? [◄]
    (d)  Ez alma nagyon finom!
    (e)  Ez citrom vagy narancs? [◄]
    (f)  Az villamos nem itt jár.

| | |
|---|---|
| **citrom** (-ot) | *lemon* |

**5**  Karcsi is a bit untidy (see picture overleaf). Especially when there is something interesting on television, he cannot bother to put things away. Where are his belongings? Make up complete sentences, using the vocabulary given on page 110. The first sentence is provided for you.

    (a)  A papucs az ágyon van.

You will need to know the following words:

| | |
|---|---|
| **ágy** (-at)  *bed* | **szék** (-et)  *chair* |
| **szótár** (-t)  *dictionary* | **táska**  *bag* |
| **föld** (-et)  *floor* | **tévé**  *T.V.* |
| **szekrény** (-t)  *cupboard, wardrobe* | **szőnyeg** (-et)  *carpet* |

**6** Kati's **macska** (*cat*) is very restless. She keeps jumping around the kitchen. Where is she? Make up complete sentences following the examples.

(a) A macska az ablakban ül (Lit. *The cat is sitting in the window*).
(b) A macska a hűtőszekrényen ül.

You will need to know the following words:

| | |
|---|---|
| **ablak** (-ot)  *window* | **polc** (-ot)  *shelf* |
| **hűtőszekrény** (-t)  *refrigerator* | **mosógép** (-et)  *washing machine* |
| **asztal** (-t)  *table* | **gáztűzhely** (-t)  *gas cooker* |

**7**  Answer these questions in complete sentences.

(a)  Ha ma szerda van, milyen nap volt tegnap?
(b)  Ha ma szombat van, milyen nap lesz holnap?
(c)  Ha ma vasárnap van, milyen nap volt tegnapelőtt?
(d)  Ha ma kedd van, milyen nap lesz holnapután?

| | |
|---|---|
| **tegnap** (-ot)  *yesterday* | **holnapután** (-t)  *the day after* |
| **holnap** (-ot)  *tomorrow* | *tomorrow* |
| **tegnapelőtt** (-et)  *the day before* | |
| *yesterday* | |

**8**  Antal Seregi is a busy journalist. Look at his diary for a typical week and make up complete sentences about when and what he is doing. The first sentence is completed for you.

Seregi Antal hétfőn reggel fut a parkban.

16  Hétfő  *reggel: futok a parkban*
17  Kedd  *délután Szentendrére megyek*
18  Szerda  *korán reggel a repülőtérre megyek este: főzök*
19  Csütörtök  *este: angolórára megyek*
20  Péntek  *uszodába megyek*
21  Szombat  *este: színházba megyek*
22  Vasárnap  *a kertben dolgozom*

**9**  Béla has had enough. He is in a bad mood today. After a few drinks he complains to a friend. Write in the missing endings of his monologue on page 112, then imagine that you are Béla and tell his story aloud.

Nagyon szeretnék a Rózsadombon* lakni egy szép, nagy, két-
szintes kertes (a) ház_____. De sajnos Újpalotán (b)
lak_____ egy tipikus másfél szobás (c) panellakás_____.
Újpalota tipikus lakótelep: csúnya és szürke. A lakás egy nyolc-
emeletes (d) ház_____, a hetedik (e) emelet_____ van. A lift
majdnem mindig rossz. A lakás túl kicsi, a fal túl vékony. A (f)
szomszéd_____ mindig hangos a magnó vagy a rádió. A
feleségem mindig mérges és minden nap (g) panaszkod_____,
mert piszkos a lépcső, mert a kapu éjszaka is nyitva van, mert a
(h) folyosó_____ nem ég a villany. Ráadásul a mosógép** is
rossz, és beteg a kutya. Nehéz az élet!

| | | | |
|---|---|---|---|
| **tipikus** | *typical* | **beteg** | *ill* |
| **szürke** | *grey* | **kutya** | *dog* |
| **vékony** | *thin* | **élet** (-et) | *life* |
| **ráadásul** | *on top of all that* | **majdnem** | *almost, nearly* |

*Rózsadomb (*Rose Hill*) is a fashionable, expensive quarter in
Buda. This is where Hungarian millionaires live.

**Virtually all households have washing machines in Hungary.
They are not regarded as luxury items.

10 Answer these questions about yourself.

(a) Hol él?
(b) Albérletben lakik? [✎]
(c) Milyen házban/lakásban lakik?
(d) Hány és milyen szoba van a házban/lakásban?
(e) Van telefon a házban/lakásban? [✎]
(f) A szomszédban mindig hangos a magnó vagy a lemez-
játszó? [✎]
(g) Szeret itt lakni? [✎]

| | |
|---|---|
| **lemezjátszó** (*pron.* lemezjáccó) | **szeret** *like* |
| *record player* | |

This was a difficult unit with a lot of new grammar introduced. Make
sure that you have mastered it all before going on to Unit 8.

# 8

## IMÁDOK MECCSRE JÁRNI
### *I love going to football matches*

### In this unit you will learn how to

- talk about your lifestyle, eating habits, pastimes and what sports you do
- express hope
- say what you prefer, love or hate doing

 ——————— **Párbeszéd** ———————

A TV journalist is making a documentary film about the lifestyle of Hungarian teenagers. Zoli Szabó, a 13-year old from Budapest, is one of the children that he interviews.

**Riporter**  Mit és hol reggelizel, ebédelsz és vacsorázol?

**Zoli**  Otthon reggelizem. Reggelire általában vajas kiflit vagy zsemlét eszem, és kakaót vagy tejes kávét iszom. Az iskolában ebédelek. Ebédre mindig van leves. A második fogás pedig főzelék vagy hús, rizs, krumpli, tészta. Este anyu főz vacsorát. De ha későn jön haza, mert sok a munka az irodában, csak hideget eszünk vacsorára.

**Riporter**  Mit csinálsz délután, iskola után?

**Zoli**  Hazamegyek és először eszem valamit. Az iskolában elég rosszul főznek, és délután mindig éhes vagyok. Aztán hétfőn és szerdán edzésre, kedden és csütörtökön pedig angolra megyek.

**Riporter** Mit sportolsz?
**Zoli** Focizok.
**Riporter** És mikor tanulsz?
**Zoli** Este. De utálok leckét írni. Inkább magnót hallgatok vagy tévét nézek. De anyu mérges, ha túl hangos a magnó.
**Riporter** Ha nem értesz valamit, a szüleid tudnak segíteni?
**Zoli** Nem nagyon érnek rá. Anyu munka után bevásárol, főz. Mindig fáradt és ideges. Apu későn jár haza, mert két munkahelyen dolgozik.
**Riporter** Segítesz otthon a házimunkában?
**Zoli** Nem nagyon. A szüleim takarítanak. Én újságot veszek, mert apu szeret újságot olvasni, vagy néha segítek bevásárolni.
**Riporter** És mit szeretnél elérni? Mi leszel, ha felnőtt leszel?
**Zoli** Nem is tudom. Talán állatorvos. Sok pénzt szeretnék, de nem akarok egész nap csak dolgozni. Szeretnék egy nyugati kocsit és egy nagy házat is. Szeretnék sokat utazni külföldre. Imádok meccsre járni és nagyon szeretnék egyszer Angliában egy focimeccset látni. Remélem, hogy sikerül! De lehet, hogy mindez csak álom ...

 ———— **Szavak és kifejezések** ————

| | |
|---|---|
| **reggelizik** *have breakfast* | **munka után** *after work* |
| **ebédel** *have lunch* | **bevásárol** *do one's shopping* |
| **vacsorázik** *have supper* | **ideges** *irritable, short-tempered* |
| **vajas kifli** *buttered Hungarian croissant* | **házimunka** *housework* |
| **zsemle** *roll* | **a szüleim** *my parents* |
| **kakaó** *cocoa* | **takarít** *do the cleaning* |
| **tejes kávé** *white coffee* | **újság** (-ot) *newspaper* |
| **a második fogás** (-t) *the second course* | **vesz** (vmit) *buy* (sg) |
| **utál** (vmit) *hate* (sg) | **néha** *sometimes* |
| **rosszul** *badly* | **szeretnél** *you would like* |
| **rosszul főznek** *the cooking is bad* (Lit. *they cook badly*) | **elérni** *to achieve* |
| | **felnőtt** (-et) *adult* |
| | **Nem is tudom.** *I don't really know.* |
| | **állatorvos** (-t) *vet* |

| | |
|---|---|
| **Edzésre** (pron. eddzésre) **megyek.** *I go to training.* | **nyugati kocsi** *western car* |
| | **külföldre utazik** *travel abroad* |
| **focizik** *play football* | **imád** *adore* |
| **leckét ír** *do homework* | **meccs** (-et) *football match* |
| **hallgat** (*pron.* halgat) (vmit) *listen to* (sg) | **Remélem, hogy sikerül.** *I hope I'll be able to.* (Lit. *I'll succeed.*) |
| **néz** (vmit) *watch* (sg) | **mindez** (-t) *all this* |
| **a szüleid** *your parents* | **álom** (álmot) *dream* |

## *Kérdések*

1   Igaz vagy nem igaz? Correct and re-write the false statements.

   (a)  Zoli otthon reggelizik és vacsorázik, de az iskolában ebédel.
   (b)  Este néha hideget eszik, mert az édesanyja (*pron.* édesannya) (*his mother*) nem főz vacsorát.
   (c)  Iskola után Zoli először edzésre megy.
   (d)  Zoli jobban szeret magnót hallgatni, mint TV-t nézni.
   (e)  Zoli egy nyugati házat és kocsit szeretne (*he would like*).

2   Feleljen a kérdésekre!

   (a)  Mit eszik Zoli reggelire?
   (b)  Mi a második fogás az iskolában?
   (c)  Miért éhes délután mindig Zoli?
   (d)  Mit és mikor sportol Zoli?
   (e)  Miért jár Zoli édesapja (*Zoli's father*) későn haza?
   (f)  Mit szeretne Zoli Angliában látni?

# ⸻ Magyarország és a magyarok ⸻

## *Hungarian lifestyle*

This can be rather unhealthy. Hungarians eat a lot, and their food is heavy and spicy. Many Hungarians smoke and drink, and most of them have to work far too hard. A lot of people in Hungary have two jobs in order to make ends meet.

### Mit sportolsz? (*What sports do you do?*)

**Sport** (*sport*) is something that most Hungarians prefer watching rather than doing themselves. **Futball** or **labdarúgás** or **foci** (*football*) is the most popular sport in Hungary. Other popular sports are

**úszás** (*swimming*), **kosárlabda** (*basketball*), **röplabda** (*volleyball*), **korcsolyázás** (*skating*), **tenisz** (*tennis*), **kocogás** (*jogging*) **torna** (*gymnastics*) and **síelés** (*skiing*). **Sakkozás** (*playing chess*) probably suits the Hungarian character best, as it requires only mental not physical gymnastics! You might even see a few men playing chess in the hot water spa baths of Budapest.

Most Hungarians are a bit mystified by Anglo-Saxon games like **krikett** (*cricket*), **golf** (*golf*), **fallabda** (*squash*) or **rögbi** (*rugby*).

**Anyu, apu**: there are several ways of addressing one's parents in Hungarian. **Anyu** or **anya** (*mum*) and **apu** or **apa** (*dad*) are the most common forms. When they talk about their parents, small children use the expression **az anyukám** (*my Mum*) or **az apukám** (*my Dad*). Adults refer to their parents as **az anyám** or **az édesanyám** (*my mother*) and **az apám** or **az édesapám** (*my father*) or just **a szüleim** (*my parents*). **Az édesanyám** and **az édesapám** are more respectful and affectionate.

**Inkább** (*would rather*): this expresses preference in a particular situation:

| | |
|---|---|
| Nem szeretek olvasni. | *I don't like reading.* |
| **Inkább tévét nézek**. | *I'd rather watch T.V.* |
| **Inkább sajtot kérek, mint** sonkát. | *I'd rather have cheese than ham.* |

You can express general preferences by using the expression **jobban szeretek ..., mint...** (Lit. *I better like ... than ...*):

| | |
|---|---|
| A vízben **jobban szeretek úszni, mint sakkozni.** | *I prefer swimming to playing chess in the water.* |
| Zoli sokkal **jobban szeret focizni, mint angolra járni.** | *Zoli much prefers playing football to going to English classes.* |

**Egyszer** (pron. etyszer) has two meanings in English. It means *once* when talking about a past event, and *one day* when talking about the future:

| | |
|---|---|
| **Egyszer** Rómában **voltam** és ... | *Once I was in Rome and ...* |
| Nagyon **szeretnék egyszer** Angliában egy focimeccset látni. | *One day I would love to see a football match in England.* |

**Remélem** (*I hope*): as in English, **hogy** (*that*) is often used after this verb, e.g. **Remélem, hogy az édesanyád már jól van.** *I hope that your mother is recovered by now.*

On its own, it means *I hope so*, e.g. **Anna jön holnap?** [⌣] **Remélem**. *Is Anna coming tomorrow? I hope so.*

**Későn, késő**: both these words mean *late* in English. **Későn** is used in answer to the question **Mikor?** *When?*, e.g. **Apu későn jön haza.** *Dad comes home late.* **Késő** is used in expressions like **késő van** (*it is late*), **késő este** (*late in the evening*), and so on.

 ———————— **Nyelvtan** ————————

## 1 Verbs ending in -ít or two consonants

If a verb stem ends in **-ít**, or two consonants, a linking vowel is needed before endings starting with a consonant.

### Back vowel verbs

| | | | | | |
|---|---|---|---|---|---|
| (én) | takarítok | *I clean* | (mi) | takarítunk | *we clean* |
| (te) | takarítasz | *you clean* | (ti) | takarít**otok** | *you clean* |
| (maga/ön) | takarít | *you clean* | (maguk/önök) | takarít**anak** | *you clean* |
| (ő) | takarít | *he/she cleans* | (ők) | takarít**anak** | *they clean* |

### Front vowel verbs

| | | | | | |
|---|---|---|---|---|---|
| (én) | értek | *I understand* | (mi) | értünk | *we understand* |
| (te) | értesz | *you understand* | (ti) | értetek | *you understand* |
| (maga/ön) | ért | *you understand* | (maguk/önök) | értenek | *you understand* |
| (ő) | ért | *he/she understands* | (ők) | értenek | *they understand* |

### Front vowel verbs with ö, ő, ü or ű as their final vowel

| | | | | | |
|---|---|---|---|---|---|
| (én) | töltök | *I spend (time)* | (mi) | töltünk | *we spend* |
| (te) | töltesz | *you spend* | (ti) | tölt**ötök** | *you spend* |
| (maga/ön) | tölt | *you spend* | (maguk/önök) | tölt**enek** | *you spend* |
| (ő) | tölt | *he/she spends* | (ők) | tölt**enek** | *they spend* |

Note the forms takarít**otok** and tölt**ötök**.

Note also that the verb **áll** (*stand*) is conjugated like a standard verb (i.e. without a linking vowel).

## 2 Ír (write)

Some words, like **ír** or **iszik** containing only **i** and/or **í**, take back vowel endings.

| (én) | ír**ok** | *I write* | (mi) | ír**unk** | *we write* |
|---|---|---|---|---|---|
| (te) | ír**sz** | *you write* | (ti) | ír**tok** | *you write* |
| (maga/ön) | ír | *you write* | (maguk/önök) | ír**nak** | *you write* |
| (ő) | ír | *he/she writes* | (ők) | ír**nak** | *they write* |

## 3 The infinitive

The infinitive is the "to" form of the verb, (e.g. to cook, to live). The equivalent of *to* is the **-ni** ending in Hungarian.

(*a*) With most verbs it is joined straight to the verb stem.

| főz *cook* – főz**ni** *to cook* | lakik *live* – lak**ni** *to live* |
|---|---|

(*b*) Verbs ending in **-ít** or two consonants take the **a** or the **e** linking vowel before the infinitive ending.

| takarít – takarít**ani** | ért – ért**eni** | tölt – tölt**eni** |
|---|---|---|

(*c*) There is a group of seven verbs (all of whose stems end in the sibilant **sz**) which have irregular infinitives. These are:

| lesz | **lenni** | *to be* | visz | **vinni** | *to take/to carry* |
|---|---|---|---|---|---|
| vesz | **venni** | *to buy* | tesz | **tenni** | *to put* |
| hisz | **hinni** | *to believe,* | eszik | **enni** | *to eat* |
| | | *to think* | iszik | **inni** | *to drink* |

(*d*) Here are some other common irregular verbs:

| megy | **menni** | *to go* | van | **lenni** | *to be* |
|---|---|---|---|---|---|
| alszik | **aludni** | *to sleep* | fekszik | **feküdni** | *to lie* |

The infinitive is used after verbs.

**Szeretek** étterembe **járni**.    *I like to go / going to restaurants.*
Bori néni **utál főzni**.    *Bori néni hates to cook / cooking.*

## 4 Tud (*can, be able to*)

**Tud** means not only *know*, but also *can, be able to*. It is conjugated like other verbs:

**Tudsz** paprikás csirkét főzni? [⌐] *Can you cook paprika chicken?*
Nem **tudok** aludni.    *I can't sleep.*

Note that you do not use **tud** with the verbs **lát** (*see*), **hall** (*hear*), **ért** (*understand*):

Egy házat **látok**.    *I can see a house.*
Jól **hallasz**? [⌐]    *Can you hear well?*
Nem **értem**.    *I can't understand it.*

## 5 The -ra *and* -re *ending*

• Words taking the ending **-n** in answer to the question **Hol?** (*Where?*) take the ending **-ra** (for back vowel words) and **-re** (for front vowel words) in answer to the question **Hova?** (*Where to?*). As usual the final **a** changes to **á** and the final **e** to **é** before it.

| Hol? | Hova? |
|---|---|
| asztal**on** | asztal**ra** |
| repülőtér**en** | repülőtér**re** |
| ór**án** | ór**ára** |
| Hősök ter**én** | Hősök ter**ére** |

Az **asztalon** van a naptár.    *The calendar is on the table.*
Az **asztalra** is teszek egy naptárt. *I'm going to put a calendar on the table as well.*
A **repülőtéren** mindig sok    *There are always a lot of taxis*
 taxi van.    *at the airport.*
Sietek a **repülőtérre**.    *I'm hurrying to the airport.*

• The **-ra/-re** ending can also mean *for* or *to* in sentences like:

Zoli minden délután **edzésre** jár.  *Zoli goes to training every afternoon.*

Jársz **angolra**? [⌐]          *Do you go to English classes?*
Mi van **reggelire/ebédre/**     *What is for breakfast / lunch /*
  **vacsorára**?                  *supper?*

Note that the latter could also be put like this: **Mi a reggeli / az ebéd / a vacsora**?

## 6  The -i ending

The **-i** ending is attached to many words to make adjectives. (An adjective is used to describe someone or something, e.g. good, nice, big, etc.)

---

ma – **mai**:  mai újság   *today's paper*
közel – **közeli**:  közeli rokon   *close relative*
család – **családi**:  családi ház   *a house for a family*

---

Here are a few groups of words that take the **-i** ending:

(*a*) the names of the days of the week,
hétfő – **hétfői**, kedd – **keddi**, etc.
  Hol van a **keddi újság**?          *Where's the Tuesday paper?*

(*b*) words like **ma, tegnap, tegnapelőtt, holnap, holnapután – mai, tegnapi**, etc.
  A **tegnapi óra** nem volt érdekes.  *Yesterday's lesson wasn't interesting.*

(*c*)  the names of the parts of the day,
reggel – **reggeli**, délelőtt – **délelőtti**, etc.
  A **reggeli posta** még nincs itt.   *The morning post isn't here yet.*

(*d*)  the four points of the compass,
**nyugat** (*west*) – **nyugati** (*western*)
**kelet** (*east*) – **keleti** (*eastern*)
**észak** (*north*) – **északi** (*northern*)
**dél** (*south*) – **déli** (*southern*)
  Szeretnék egy **nyugati kocsit**!    *I would like a western car.*

(*e*)  the names of the months,
január – **januári**, február – **februári**, etc.
  A **januári hidegben** nem           *I don't like jogging in the*
  szeretek kocogni.                    *January cold.*

(*f*)  place names,

Budapest – **budapesti**, London – **londoni**, etc.

Te is **budapesti** vagy? [⌐]     *Are you also from Budapest?*

A **londoni metró** elég piszkos.     *The London underground is*
                                       *quite dirty.*

Note that the place names with the **-i** ending are spelt with a small letter in Hungarian.

Note also the following irregularities:

| | |
|---|---|
| **hét** *week* – **heti** *weekly* | **hónap** *month* – **havi** *monthly* |
| **messze** *far* – **messzi** *far away* | **este** *evening* – **esti** *evening* |

However, the **-i** ending is not always required, e.g. **Budapest térkép** but **budapesti képeslap.**

## 7  És (*and*)

When listing things in English, *and* is always used before the last item. In Hungarian, this is optional. Both of the following are correct.

Anyu munka után **bevásárol**     *Mum does the shopping **and***
és **főz.**                        *the cooking after work.*

Anyu munka után **bevásárol, főz**.

——————— **Gyakorlatok** ———————

1  Which is the correct alternative?

  (*a*)  Milyen levest **ajánlsz/ajánlasz**?

  (*b*)  Hány fontot szeretne **beváltni/beváltani**?

  (*c*)  Miért **álltok/állatok** az ajtóban (*in the doorway*)?

  (*d*)  Tudsz **segítni/segíteni**?

  (*e*)  Te sem **értesz/értel** angolul?

  (*f*)  Milyen nyelvet **tanítnak/tanítanak** itt?

  (*g*)  Ti mikor **takarítotok/takaríttok**: szombaton vagy vasárnap?

  (*h*)  Mit **írtek/írtok**?

2  Zsófi is a sporty girl. The table below tells you what sports she

likes, hates, etc. doing. Make up complete sentences about her. The first one is provided for you:

Zsófi szeret síelni.

| szeret | tud | utál | nem szeret | imád | nem tud |
|---|---|---|---|---|---|
| síel | | | | | korcsolyázik |
| | | | | tenisze- | |
| | | kocog | | zik | |
| | kosárlab- | | | | |
| | dázik | | röplabdázik | | |
| | úszik | | | | |
| tornázik | | sakkozik | | | |

síel   *ski* (verb)
korcsolyázik   *skate* (verb)
teniszezik   *play tennis*
kocog   *jog*
kosárlabdázik   *play basketball*

röplabdázik   *play volleyball*
úszik   *swim* (verb)
tornázik   *do gymnastics*
sakkozik   *play chess*

3   A sociological survey has been carried out to find out what people prefer doing in their spare time. What does it reveal about each person? Write complete sentences like the one done for you:

(a)   Király Ferenc jobban szeret koncertre járni, mint sétálni.

| Ki? | szeret | nem szeret |
|---|---|---|
| (a) Király Ferenc | koncertre jár | sétál |
| (b) Asztalos Gizi | videót néz | moziba jár |
| (c) Sípos Kati | operába megy | úszik |
| (d) Polgár Géza | sörözik | színházba jár |
| (e) Tordai Judit | eszik | sportol |
| (f) Balázs Kinga | könyvet olvas | tévét néz |
| (g) Fekete László | rádiót hallgat | újságot olvas |

koncert (-et)   *concert*
sétál   *walk, stroll* (verb)
sörözik   *drink beer*

könyv (-et)   *book*
hallgat (*pron.* halgat) (vmit)
*listen to* (sg)

4   Add the correct ending, where necessary, to the highlighted word in each sentence at the top of page 123.

(a) **Ma**___ nem akarok tanulni.
(b) Hol a **ma**___ újság, Géza?
(c) A **január**___ hidegben nem szeretek úszni.
(d) **Január**___ mentek Kanadába?
(e) A **január**___ mindig hideg hónap Magyarországon.
(f) **Szeged**___ szép város a Tisza mellett (*by the Tisza*).
(g) **Szeged**___ vagy te is?
(h) Még nem voltam **Szeged**___.
(i) Mikor mentek **Szeged**___?
(j) Egy **szeged**___ képeslapot kérek.

5 After work everybody rushes off from the office. Who hurries where, and why? Make up complete sentences like this one (kórház (-at) *hospital*):

(a) Ági munka után a repülőtérre siet, mert jön Juliska néni.

| (a) | Ági | repülőtér | jön Juliska néni |
|---|---|---|---|
| (b) | Kati | közért | este vacsorát főz |
| (c) | Zsuzsa | uszoda | imád úszni |
| (d) | Eszter | Pest | az édesanyja kórházban van |
| (e) | Ica | otthon | jó film lesz a tévében |

6 Tihamér Szabó is being interviewed. First read the following passage about him, then supply his answers to the reporter's questions. Finally act it all out from memory.

Szabó Tihamér negyvenhat éves. Budán dolgozik egy irodában. Mérnök. Elég jól keres, így csak egy munkahelyen dolgozik. Az V. kerületben lakik a Petőfi Sándor utcában. A lakás egy régi házban, a negyedik emeleten van. Lift nincs. Ezért munka után ő vásárol minden nap. Este is segít a házimunkában. Nem iszik és nem dohányzik. Szabó Tihamér nem tipikus magyar férfi. Szabóné boldog asszony.

| **így** *so* | **dohányzik** *smoke* (verb) |
|---|---|
| **minden nap** *every day* | **boldog** *happy* |

(a) Szabó úr, ön hány munkahelyen dolgozik?
(b) Segít otthon a házimunkában? [⌐]
(c) Miért ön vásárol minden nap?
(d) Máskor is segít a házimunkában? [⌐]
(e) Mit gondol, ön tipikus magyar férfi? [⌐]

| | | | |
|---|---|---|---|
| **máskor** | *on other occasions* | **gondol** | *think* |

7 Now try to look at yourself through someone else's eyes. Make up a similar passage, introducing yourself, using the third person singular form.

8 Read this dialogue and then answer the question that follows.

**Sanyi bácsi**  Hány éves vagy, Peti?
**Peti**  Öt leszek. Májusban lesz a születésnapom.
**Sanyi bácsi**  És mit kérsz a születésnapodra?
**Peti**  Egy nyugati autót!

Miért modern gyerek Peti?

| | | |
|---|---|---|
| **a születésnapom** *my birthday* | | **modern gyerek** (-et) *modern child* |
| **a születésnapod** *your birthday* | | **a születésnapja** *his/her birthday* |

9 Answer these questions about yourself.

(a) Mit és hol ebédel?
(b) Mit főz ma vacsorára?
(c) Rendszeresen sportol? [⌣]
(d) Mit szeret este otthon csinálni?
(e) Mit utál csinálni?
(f) Mit tud jól csinálni?
(g) Mit szeret jobban: tévét nézni vagy moziba menni?

**rendszeresen** (*pron.* rentszeresen)  *regularly*

 ——————— **Érti?** ———————

Read this passage about eating habits in Hungary. Then answer the questions that follow.

 A magyarok nagyon szeretnek enni. Magyarországon reggelire az emberek vajas kenyeret és szalámit, sajtot, kolbászt vagy sonkát esznek. Utána feketét, tejes kávét vagy citromos teát isznak. Sokan csak egy kávét isznak reggel, és sietnek dolgozni.

Délben a legtöbb ember főtt ételt eszik. Egy tipikus magyar ebéd levessel kezdődik. A második fogás lehet főzelék (bab-, borsó-, tök-, vagy krumplifőzelék), hús krumplival, rizzsel vagy tészta. Magyarországon kevés ember vegetáriánus. A magyarok sok húst esznek. Gyakran van harmadik fogás is: általában valamilyen sütemény. És persze egy jó erős fekete! A magyar ebéd után nehéz felállni. A tipikus magyar vacsora olyan, mint az ebéd. Nem sokan esznek hideget vacsorára.

A magyarok általában nem olajjal, hanem zsírral főznek és sok pirospaprikát használnak. Az átlag magyar jobban szeret enni és inni, mint sportolni.

Most már érti, hogy miért van olyan sok kövér ember Magyarországon!

| | |
|---|---|
| **utána**  *after then* | **rizzsel**  *with rice* |
| **citromos tea**  *lemon tea* | **olyan, mint**  *is like* |
| **sokan**  *a lot of people* | **olajjal**  *with oil* |
| **a legtöbb ember** (-t)  *most people* | **hanem**  *but* |
| **főtt étel** (-t)  *cooked food* | **zsírral**  *with lard* |
| **levessel kezdődik**  *starts with soup* | **az átlag magyar** (-t)  *the average* |
| **tök** (-öt)  *marrow* |  *Hungarian* |
| **krumplival**  *with potatoes* | **kövér**  *fat* |

Melyik igaz?

(*a*) Sokan csak egy _____ isznak reggel és sietnek dolgozni.
   (i)  feketét
   (ii)  tejeskávét

(*b*) A tipikus magyar ebéd nem _____   (i)  főtt étel
                                  (ii)  szendvics

(*c*) Az átlag magyar _____  (i)  vegetáriánus
                          (ii)  sok húst eszik

(*d*) A magyar ebéd után nehéz _____  (i)  futni
                                    (ii)  fizetni

(*e*) Magyarországon sok kövér ember van, mert a magyarok _____
   (i)  sokat isznak
   (ii)  szeretnek sokat enni

# 9

# NEM TETSZIK FÁZNI?
## *Are you cold?*

## In this unit you will learn

- a third way to address people
- how to talk about the weather
- how to express surprise, indignation, curiosity and prohibition

 —————————— **Párbeszéd** ——————————

 Mariska néni lives in the country. She has come up to Budapest to visit her niece and is feeling under the weather.

| | |
|---|---|
| **Erzsi** | Csókolom, Mariska néni! Hogy tetszik lenni? |
| **Mariska néni** | Szervusz, Erzsi! Nem túl jól. Fáj a hátam meg a lábam. Öreg vagyok én már! |
| **Erzsi** | Öreg? Hiszen még csak hatvanhárom éves tetszik lenni! Ez ma már nem kor. |
| **Mariska néni** | Dehogynem! Szalad az idő ... Itt az öregség meg a reuma. Már az orvosság sem segít. |
| **Erzsi** | Sikerült taxit találni a pályaudvaron? |
| **Mariska néni** | Taxit? A taxi túl drága! És ez a város! Szép, de mindenki mindig rohan ... a sok autó az utcán, a zaj, a piszok, a tömeg ... Hogy tudtok itt élni? És micsoda szeptember ez? Fúj a szél, esik az eső, hideg van. A fejem is kezd fájni ... |

| | |
|---|---|
| **Erzsi** | A rádió szerint ma csak kilenc-tíz fok lesz. De hát nemsokára október lesz, Mariska néni. Jön a tél. Nem tetszik fázni? Még nincs fűtés a lakásban. |
| **Mariska néni** | Bizony nincs melegem! Jaj, a reumám ... |
| **Erzsi** | Nem tetszik kérni egy kávét? Hamarosan kész az ebéd és ebédelünk. |
| **Mariska néni** | Hm. Konyak nincsen? |
| **Erzsi** | De van. De Mariska néni, ha gyógyszert tetszik szedni, nem szabad alkoholt inni! |
| **Mariska néni** | Ugyan! Nem orvosság, hanem konyak kell, amikor kint hideg van! Egyedül különben sem iszom, de ha ketten vagyunk, az más! Örülök, hogy jól vagytok. Egészségedre, Erzsi! |
| **Erzsi** | Egészségére, Mariska néni! |

 —— **Szavak és kifejezések** ——

| | |
|---|---|
| **öreg** *old* | **nemsokára** *soon* |
| **kor** (-t) *age* | **tél** (telet) *winter* |
| **szalad** *run* (verb) | **fűtés** (-t) *heating* |
| **öregség** *old age* | **Jaj, a reumám!** *Oh, my* |
| **orvosság** (-ot) *medicine* | *rheumatism!* |
| **mindenki** *everybody* | **gyógyszert szed** *take medicine* |
| **rohan** *rush about, hurry* | **egyedül** *on one's own* |
| **zaj** (-t) *noise* | **ha ketten vagyunk** *if there's* |
| **tömeg** (-et) *crowd* | *someone else* (Lit. *if there are the* |
| **Fúj a szél.** *It's windy./The wind* | *two of us*) |
| *is blowing.* | **az más** *that's different* |
| **Esik az eső.** *It's raining.* | **örül** *be glad* |
| **kezd** *start* (verb) | |

## Kérdések

1 Igaz vagy nem igaz? Correct and re-write the false statements.

(a) Mariska néni reumás.
(b) Mariska néni szerint Budapest szép, de zajos és piszkos város.
(c) Kint süt a nap.
(d) Mariska néni fázik a lakásban.
(e) Mariska néni jobban szereti a kávét, mint a konyakot.

| reumás   has rheumatism<br>zajos   noisy | Süt a nap.   It's sunny, the sun is shining. |
|---|---|

**2**   Feleljen a kérdésekre!

(a)   Erzsi szerint Mariska néni öreg? [⌣]
(b)   Milyen idő van kint?
(c)   Hány fok lesz ma?
(d)   Miért nincs meleg a lakásban?
(e)   Mikor nem iszik Mariska néni?

## —— Magyarország és a magyarok ——

### The courtesy address

So far you have learnt two ways of addressing people. First, the formal address (i.e. when using **maga**, **maguk**, or **ön**, **önök**) second, the familiar address (i.e. when using **te** and **ti**).

The courtesy address is used by children when speaking to adults or elderly people; by adults when speaking to elderly people; and by some men (usually middle-aged) when speaking to women.

In the latter two cases, the use of the courtesy address is a matter of personal taste. Some adults (usually educated professionals) prefer using the formal address in these situations.

There is no equivalent of **te**, **ti**, **maga**, **maguk** or **ön**, **önök** in this address. Children address adult women as **néni** and adult men as **bácsi**. The same applies when talking to elderly people. (See Unit 1.) Men, however, would never address a woman as **néni**, unless she was much older. They would simply use the woman's first name.

In the courtesy address the words **tetszik** (*pron*. teccik) (sing.) and **tetszenek** (*pron*. teccenek) (pl.) are used, followed by the infinitive:

**Tetszik kérni** egy kávét? [⌐]   *Would you like a coffee?*
                                    (Lit. *Does it please you to have a coffee?*)
**Tetszenek kérni** teát? [⌐]   *Would you like some tea?*

In this form of address **Csókolom!** (*I kiss you*) and **Kezét csókolom!**, (pronounced sometimes as kezit csókolom or keziccsókolom) (*I kiss* *your hand*) are used both as greetings and as a way of saying farewell at any time of the day. However, an adult woman would rarely greet or say goodbye to an old man using **Csókolom!** and never **Kezét csókolom!** She would probably use **Jó reggelt kívánok!**, etc. instead.

As people in Hungary might use the courtesy address when talking to you, it is equally important to know how to respond. With children the familiar address is used all the time. A woman would use the formal address when talking to a man who speaks to her in the courtesy address. Elderly people might, however, use either address when speaking to other adults. They would probably use the familiar address with members of the family, and the formal address with acquaintances.

In some expressions, since there is no equivalent in the courtesy address, the formal form is used instead, e.g. **Egészségére, Mariska néni!** *To your health, Mariska néni.*

### Mariska néni

The words **néni** and **bácsi** are used within the family as well. But they are never used when talking about, or addressing one's own parents or grandparents.

## Még nincs fűtés a lakásban.

(*There's no heating in the flat yet*). In most Hungarian cities there is still district heating. This means that in blocks of flats the heating is centrally turned on in autumn, and turned off in spring.

## Talking about the weather

In Hungary, unlike in England, people rarely talk about the weather. Therefore it does not provide a matter-of-course topic for social chit-chat. So beware! You will be considered a bore if you do! One of the reasons for this might be that the weather is much more predictable in Hungary. Sunny as well as rainy periods last longer. The seasons – **ősz** (*autumn*), **tél** (*winter*), **tavasz** (*spring*), **nyár** (*summer*) – have their distinctive characters.

### Fok

Like everywhere else on the Continent, **Celsius** (*pron.* celziusz) **fok** (*centigrade degree*) and not Fahrenheit is used when talking about the temperature, e.g. **Ma 30°C lesz**. or **Ma 30 fok lesz**. (*Today it will be 30 degrees centigrade*). (In both cases read: **harminc fok**.)

Note also the use of **plusz** (*plus*) and **mínusz** (*minus*).

| | |
|---|---|
| Tegnap **mínusz két fok** volt. | *Yesterday it was minus two degrees centigrade.* · |
| Ma **plusz egy fok** van. | *Today it's plus one degree centigrade.* |

**Idő** means both *time* and *weather*.

| | |
|---|---|
| Szalad/Rohan az **idő**. | *Time flies.* |
| Szép **idő** van. | *The weather is nice.* |

Note that you can say either:

| | |
|---|---|
| **Szép idő van**. or **Szép az idő**. | *The weather is beautiful.* |
| **Rossz idő van**. or **Rossz az idő**. | *The weather is bad.* |
| **Csúnya idő van**. or **Csúnya az idő**. | *The weather is nasty.* |
| **Hideg idő van**. or **Hideg az idő**. | *The weather is cold.* |
| **Meleg idő van**. or **Meleg az idő**. | *The weather is hot.* |

**Nincs melegem**: take care to remember these forms properly:

**Melegem van.** *I'm hot.*
**Nincs melegem.** *I'm not hot.*
**Meleged van.** *You're hot.*
**Nincs meleged.** *You aren't hot.* (sing.fam.)
**Melege van.** *You're hot.* (sing.form) or *He / she is hot.*
**Nincs melege.** *You aren't hot* (sing.form.) or *He / she isn't hot.*

Note that there is a separate verb **fázik** to express *be cold*.

| | |
|---|---|
| **Fázol?** [⌣] | *Are you cold?* |
| Nem **fázom**. | *I'm not cold.* |

The word **hideg** (*cold*) is used to describe something:

| | |
|---|---|
| **Hideg a leves**. | *Thr soup is cold.* |
| **Hideg van**. | *It's cold.* |

**Öreg, régi**: both these words mean *old* in English. **Öreg** is used when talking about people and living things, while **régi** is used when talking about inanimate things:

**Mariska néni** még nem **öreg.** *Mariska néni isn't old yet.*
Egy **régi kertes házban** lakunk. *We live in an old house*
*with a garden.*

**Fáj a lábam**: to express that some part of one's body aches or hurts, Hungarian uses the verb **fáj** (*ache, hurt*), followed by the part of the body in question. The ending indicates whose foot, etc. you are talking about.

**Fáj a lábam.** *My foot / leg hurts.*
**Fáj a lábad.** *Your foot / leg hurts.* (sing.fam.)
**Fáj a lába.** *Your* (sing.form.) */his / her foot / leg hurts.*

Here are a few more things that can hurt:

**a hátam** *my back* **a hátad** *your back* (sing.fam.)
**a háta** *your* (sing.form.) */ his / her back*
**a fejem** *my head* **a fejed** *your head* (sing.fam.)
**a feje** *your* (sing.form.) */ his / her head*
**a fogam** *my tooth* **a fogad** *your tooth* (sing.fam.)
**a foga** *your tooth* (sing.form.) */ his / her tooth.*

Note the expression: **Fáj mindenem.** *I'm aching all over.*

**Hiszen** (*why, surely, but*) expresses surprise:

Öreg vagyok én már! *I'm old.*
**Hiszen** még csak hatvanhárom *Why, you are still only 63!*
éves tetszik lenni!

**Sikerült** (*succeeded, managed to*) is followed by the infinitive. As it is an impersonal form it can be used in all three addresses, singular or plural, e.g. **Sikerült bevásárolni?** [↴] *Did you manage to do the shopping?*

**Utcában, utcán**: when talking about where someone lives or where something can be found, the form **utcában** is used.

Milyen **utcában laktok**? *What street do you live in?*
A Kossuth Lajos **utcában van** *The museum is in Kossuth*
a múzeum. *Lajos Street.*

To talk about something happening in the street, use the form **utcán**, e.g. Két férfi **megy az utcán**. *Two men are walking in the street.*

**Micsoda...?**, *(What...? What sort of...?)*: apart from being a synonym of **Mi?**, it is used to express surprise, indignation or curiosity:

| | |
|---|---|
| Nem sikerült taxit találni. | *I didn't manage to find a taxi.* |
| **Micsoda?** | *What?* |
| **Micsoda zaj** ez? | *What sort of noise is this?* |

**Kicsoda?** is used similarly when referring to people:

| | |
|---|---|
| Ő sem volt ott. **Kicsoda?** | *He / she wasn't there either. Who?* |
| Hát ez **kicsoda?** | *And who is this?* |

**Kész, készen**: both words mean *finished* or *ready*, e.g. **Kész vagy?** [◡] or **Készen vagy?** [◞] *Have you finished? Are you ready?*

Note that you can say either: **kész van az ebéd**; **készen van az ebéd**; or **kész az ebéd**.

**Szabad** *(allowed)* expresses permission. **Nem szabad** *(not allowed)* and **tilos** *(forbidden)* express prohibition. They are usually followed by the infinitive:

| | |
|---|---|
| Itt **nem szabad parkolni.** | *Parking is not allowed here.* |
| **Szabad** itt **parkolni?** [◞] | *Can one park here?* |
| Itt **tilos dohányozni.** | *Smoking is forbidden here.* |

Note that **lehet** *(possible)* is used similarly to **szabad**, e.g. **Lehet** itt **parkolni?** [◞] *Is it possible to park here?* (i.e. *Can I park here?*)

**Ugyan, ugyan már** *(nonsense, rubbish)* express indignation, impatience or protest;

| | |
|---|---|
| Ha gyógyszert tetszik szedni, | *If you take medication, you* |
| nem szabad alkoholt inni! | *mustn't drink alcohol.* |
| **Ugyan!** | *Nonsense!* |

**Kint** *(outside, out of doors)* has another form: **kinn**. Similarly you can either say **bent** or **benn** *(inside, indoors)*, **fent** or **fenn** *(up)* and **lent** or **lenn** *(down, below)*:

| | |
|---|---|
| Ki van **benn** a konyhában? | *Who is inside the kitchen?* |
| Karcsi szeret **kint** focizni. | *Karcsi likes playing football outside.* |
| **Lenn,** a földszinten lakik Sári néni. | *Sári néni lives down on the ground floor.* |
| **Fent** a hegyen sok turista van. | *There are a lot of tourists up on the mountain.* |

**Különben sem** (*moreover, besides, anyway, for that matter*) is used in negative statements, and **különben is** in positive ones:

| | |
|---|---|
| Nem megyek, **különben is** késő van. | *I'm not going. It's late anyway.* |
| Egyedül **különben sem iszom**. | *I don't drink on my own anyway.* |

 ——————— **Nyelvtan** ———————

## 1 Negative questions

Negative questions are more common in Hungarian than in English, especially when people are offering food and drink. In English, they usually suggest surprise. In Hungarian, they mostly mean the same as positive questions.

Positive answers to negative questions always begin with **de**, e.g. **Nem kérsz** egy feketét? [⌐] **De igen, kérek. / De igen. / De kérek.** *Would you like a black coffee? Yes, please.*

However, when a negative question or statement does suggest surprise or some kind of emotional undertone, a positive, contradicting answer to it would start with **dehogynem** (*but of course*), e.g. **Nem jössz? Dehogynem! / Dehogynem jövök!** *Aren't you coming? But of course. / Of course I'm coming.*

## 2 Már *and* még

**Már** and **még** can also be used with the present tense. **Még** means *still*, **még nem** means *not yet*, **már** means *already* and **már nem** means *not any more*:

**Még** ágyban **vagy**? [⌐]     *Are you still in bed?*
**Még nem vagyok** kész.     *I'm not ready yet.*
Őt **már ismerem**.     *I know him/her already.*
Kovács Margit **már nem** él.     *Margit Kovács isn't alive*
                               *any more.*
**Már** az orvosság **sem segít**.     *Even medicine doesn't help*
                               *any more.*

These are only the main guidelines though, as **még** and **már** can have other meanings as well.

## 3 Hanem, de (*but*)

They both mean *but*. **Hanem** is used when contradicting or correcting a negative phrase, e.g. Fritz **nem német, hanem** osztrák. *Fritz is not German, but Austrian.* **De** not so much contradicts a previous phrase, as enlarges on what has previously been said (whether it was positive or negative):

Egy kicsit fúj a szél, **de** süt a nap. *It's a bit windy, but sunny.*
A magyar nem könnyű nyelv,     *Hungarian is not an easy*
  **de** érdekes.                  *language, but it's interesting.*

## 4 Hányan? (*How many people? / How many of ...?*)

Numbers with the **-an/-en** ending express the number of people present or doing something. Note the highlighted irregular forms.

| | | | |
|---|---|---|---|
| **egyedül** | heten | **tizenketten** | hatvanan |
| **ketten** | nyolcan | húszan (pron. | hetvenen |
| **hárman** | kilencen |   huszan) | nyolcvanan |
| négyen | tízen (pron. tizen) | harmincan | kilencvenen |
| öten | tizenegyen (pron. | negyvenen | százan |
| hatan |   tizeneggyen) | ötvenen | **ezren** |

**Négyen vagyunk** a családban.     *There are four of us in the family.*
**Egyedül voltam** otthon.     *I was at home on my own.*
**Hatan kérnek** sört és **heten** bort. *Six of them want beer and*
                               *seven want wine.*

Note also the forms **sokan, kevesen, néhányan** and **páran**. These always take the third person plural, while **sok** (*a lot of, many*), **kevés** (*a few*, *some*), **néhány** (*a few*, *some*) and **pár** (*a couple of*) are followed by the third person singular form of the verb:

| | |
|---|---|
| **Sokan** nem **szeretnek** futni. | *A lot of people don't like running.* |
| **Sok** ember nem **szeret** futni. | |
| **Kevesen vesznek** nyugati autót Magyarországon. **Kevés** ember **vesz** nyugati autót Magyarországon. | *Few people buy western cars in Hungary.* |
| Csak **néhányan voltunk**. | *There were only a few of us.* |
| Csak **néhány** ember **volt** ott. | *Only a few people were there.* |

## 5 Minden (*every*)

**Minden** is followed by the third person singular form of the verb, e.g.
**Minden** gyerek **szeret** tévét nézni. *Every child likes watching T.V.*
Note some other expressions containing **minden**:

| | |
|---|---|
| **Mindenki** nagy házat akar. | *Everybody wants a big house.* |
| Ma **mindenhol** hideg van. | *It's cold everywhere today.* |
| **Mindenhová** gyalog jársz? [↴] | *Do you walk everywhere?* |
| **Mindenhonnan** ide jönnek tanulni. | *They come from everywhere to study here.* |

## 6 Amikor (*when*)

Unlike **Mikor?** (*When?*), this is not a question word.

| | |
|---|---|
| Mikor leszel otthon? | *When will you be at home?* |
| **Amikor** én otthon voltam, Sanyi az irodában volt. | *When I was at home, Sanyi was at the office.* |
| **Amikor** János dolgozik, te mit csinálsz? | *When János is at work, what do you do?* |

Look at these other pairs:

> **Ki?** (*Who?*) **aki** (*who*)
> **Mi?** (*What?*) **ami** (*what*)
> **Hol?** (*Where?*) **ahol** (*where*)
> **Hova/Hová?** (*Where to?*) **ahova/ahová** (*where to*)
> **Honnan?** (*Where from?*) **ahonnan** (*from where*), etc.

| | |
|---|---|
| Péter, **aki** jól tud angolul, még nem volt Angliában. | *Péter, who knows English well, hasn't been to England yet.* |

——————— **Gyakorlatok** ———————

**1** Select the correct responses.

  (a)  Sajnos nem vagyok már fiatal.  (i)  Ez ma már nem kor!
  (ii)  Szép idő van!
  (iii)  Dehogynem!

  (b)  Csókolom, Gizike!  (i)  Szervusz, Géza!
  (ii)  Jó napot, Géza!
  (iii)  Csókolom!

  (c)  Nem tetszik kérni egy konyakot? [↵]  (i)  Hogy szalad az idő!
  (ii)  De igen.
  (iii)  Köszönöm, kérek.

  (d)  Zoltán alkoholista (*alcoholic*).  (i)  Micsoda?
  (ii)  Nem szabad!
  (iii)  Hiszen sok sört iszik.

  (e)  Nem fázol? [↵]  (i)  Bizony, nincs hideg.
  (ii)  Nem vagyok meleg.
  (iii)  Bizony, nincs melegem.

**2**  Study the map below. Then describe the weather in the European capitals marked. You might need the phrase: **Esik a hó**. (*It is snowing*).

**3** The pictures and captions below tell you about what the weather is like in autumn, etc. in Hungary. Study them and then make complete sentences about the seasons in your own country.

(a) Ősszel már elég hűvös van a parkban.

(b) Télen nagy hó van a Mátrában* Lehet síelni.

(c) Tavasszal süt a nap és elég meleg van. Lehet kirándulni.

(d) Nyáron kánikula van. Jó a strandon lenni!

| | |
|---|---|
| **ősszel** *in (the) autumn* | **kirándul** *hike* (verb) |
| **hűvös** *chilly* | **nyáron** *in (the) summer* |
| **park** (-ot) *park* (noun) | **kánikula** *hot spell* |
| **télen** *in (the) winter* | **strand** (-ot) *lido* |
| **tavasszal** *in (the) spring* | |

*\*Mátra* is the highest mountain in the north of Hungary.

**4** **Hány fok lesz ma az országban?** Joan loves the sun. She wants to go to the hottest place in Hungary. Help her choose the right place! Study the figures below and make complete sentences. The first one is completed for you: **Siófokon ma huszonnégy fok lesz.**

| | | | |
|---|---|---|---|
| **Siófok** | 24°C | **Miskolc** | 21°C |
| **Debrecen** | 25°C | **Pécs** | 27°C |
| **Tihany** | 23°C | | |

**5** Which is the correct alternative?

(a) (i) Nem bab-, **hanem/de** borsófőzeléket kérek.
    (ii) Fúj a szél, **hanem/de** nincs hideg.
    (iii) Esik a hó, **hanem/de** nem fázom.
    (iv) Irma nem szép, **hanem/de** érdekes lány.
    (v) Mónika nem oroszul, **hanem/de** spanyolul tanul.
(b) (i) **Már/még** nem vagy fiatal.
    (ii) **Már/még** nem vagyok kész.
    (iii) **Már/még** ősz van, de már nagyon hideg van.
    (iv) **Már/még** nem él az édesanyád? [~◄]
    (v) **Már/még** péntek van? Hogy szalad az idő!

**6** Bori néni is interviewed for a senior citizens' programme. Study the following passage about her and then supply the reporter's questions using the courtesy address. Finally, act it all out from memory.

Bori néni hatvannyolc éves. Egyedül él Debrecenben. Egy kis házban lakik a József Attila utcában. Bori néni nyugdíjas. Sajnos a nyugdíj elég kevés; csak nyolcezer-ötszáz forint egy hónapban. Pedig manapság minden nagyon drága: az élelmiszer, a ruha, a villany, a gáz. Télen általában esik a hó és hideg van. A fűtés is sokba kerül. De Bori néni nem él rosszul. Jól tud kötni, és pulóver, sapka, sál mindig kell.

| | | | |
|---|---|---|---|
| **villany** (-t) | *electricity* | **köt** | *knit* (verb) |
| **élelmiszer** (-t) | *food* | **pulóver** (-t) | *pullover* |
| **ruha** | *clothes* | **sapka** | *cap* |
| **gáz** (-t) | *gas* | **sál** (-at) | *scarf* |

ARE YOU COLD?

(a) Hatvannyolc éves vagyok.
(b) Debrecenben, a József Attila utcában.
(c) Már nem dolgozom. Nyugdíjas vagyok.
(d) Sajnos elég kevés. Csak nyolcezer-ötszáz forint egy hónapban.
(e) Nem elég, mert manapság minden nagyon drága.
(f) Nem élek rosszul. Szeretek kötni, és pulóver, sapka, sál mindig kell.

7 Pista wants to invite his friend András to play football with him. He finds his friend's mother Irma néni at home. Re-arrange Irma néni's lines, so that their conversation makes sense. Write it all down and then act it out.

**Pista**

(a) Kezét csókolom, Irma néni! Itthon van András? [⌐]
(b) És nem tetszik tudni, hogy mikor jön haza? [⌐]
(c) Hm. Sajnos, akkor már késő van. Holnapra sok a lecke.
(d) Jól, csak a matek nehéz.
(e) Igen, de ő nem ér rá segíteni, mert minden este tanít. És nem tetszik tudni, hogy holnap délután mit csinál András? [⌐]
(f) Köszönöm. Csókolom!

**Irma néni**

(i) Hiszen az édesapád matematikatanár!
(ii) Szervusz, Pista!
(iii) De igen, holnap egész délután itthon lesz.
(iv) Nincs. Németórán van.
(v) Két óra múlva.
(vi) Hogy megy az iskola?

| matematika | mathematics | matek (-ot) | maths |
| két óra múlva | in two hours | tanít (vkit, vmit) | teach (sy, sg) |

8 Answer these questions about yourself.

(a) Hányan vannak a családban?
(b) Nem kér egy jó hideg sört? [⌐]
(c) Milyen idő van most kinn?
(d) Az időjárásjelentés szerint ma hány fok lesz?
(e) Nem fázik? [⌐]

| időjárásjelentés (-t) | weather forecast | jó hideg... | nice cold... |

# 10

## HÉTKOR OTT LESZEK
### *I'll be there at 7*

### In this unit you will learn how to

- tell the time
- make arrangements on the telephone
- find out if someone would like to do something
- express enthusiasm

 ——————— **Párbeszéd** ———————

 Gábor Takács is Márta Kis's boyfriend. He is ringing to invite her to the cinema.

| | |
|---|---|
| **Gábor** | Halló! Te vagy az, Márti? |
| **női hang** | Nem kérem, ez az Állatkert. |
| **Gábor** | Bocsánat! Téves. |
| | (*He is dialling again.*) |
| **Kisné** | Tessék! |
| **Gábor** | Jó napot kívánok! Kis lakás? |
| **Kisné** | Nem, elég nagy. |
| **Gábor** | (*laughing*) Csókolom! Gábor vagyok. Mártával szeretnék beszélni. |
| **Kisné** | Szervusz, Gábor! Egy pillanat! Márta! Telefon! |
| **Márta** | Halló! |
| **Gábor** | Szia, Márti! Én vagyok az, Gábor. |
| **Márta** | Szia, Gábor! Mi van? |

| Gábor | Nincs kedved este moziba jönni? |
| Márta | De igen. Milyen film megy a moziban? |
| Gábor | Egy régi magyar film. Szerelmesfilm a címe. Ismered? |
| Márta | Ez nem egy Szabó István-film? |
| Gábor | De igen. |
| Márta | De jó! Vali szerint nagyon jó film. Hánykor és hol találkozunk? |
| Gábor | Hétkor, a Bástya mozi előtt. A film negyed nyolckor kezdődik. Sajnos hét előtt nem tudunk találkozni, mert Sári néni influenzás és most a gyógyszertárba megyek. A Moszkva térről jövök a négyes villamossal, de hétkor ott leszek. Ugye pontos leszel? |
| Márta | Persze. Akkor hétkor várlak a mozi előtt. Szia! |
| Gábor | Szia! |

## Szavak és kifejezések

**Te vagy az, Márti?** *Is that you, Márti?*
**női hang** (-ot)  *female voice*
**állatkert** (-et)  *zoo*
**Téves.** *Wrong number.*
**Mártával szeretnék beszélni.** *I would like to speak to Márta.*
**Én vagyok az, Gábor.** *It's me, Gábor.*
**Mi van?** *What's up?*
**Milyen film megy a moziban?** *What film is on at the cinema?*

**...a címe** *It is called...* (Lit. *its title*)
**Hánykor?** *At what time?*
**találkozik** *meet*
**előtt** *outside*
**gyógyszertár** *chemist's*
**A Moszkva térről jövök.** *I'll be coming from Moscow Square.*
**Ugye pontos leszel?** *You will be on time, won't you?*
**akkor** *then*
**várlak** (Lit.) *I wait for you*

## Kérdések

1 Igaz vagy nem igaz? Correct and re-write the false statements.

   (a) Először az Állatkertben cseng a telefon.
   (b) Gábor este színházba szeretne menni.
   (c) Egy új magyar szerelmes film megy a moziban.
   (d) Gábor és Márta negyed nyolckor találkoznak a Blaha Lujza téren.

(e)  Gábor a Moszkva térről jön villamossal.

---

**Cseng a telefon.**  *The telephone is ringing.*

---

2  Feleljen a kérdésekre!

(a)  Melyik hívás (*call*) téves: az első vagy a második?
(b)  Kivel szeretne Gábor beszélni?
(c)  Mi a Szabó István-film címe?
(d)  Mikor kezdődik a film?
(e)  Hányas villamossal megy Gábor a randevúra?

---

**randevúra megy**  *go out on a date*

---

## —— Magyarország és a magyarok ——

### *Making telephone calls*

To telephone in the street, you need to find a **telefonfülke** (*telephone-box*). Unfortunately it might say on it: **A telefon nem működik.** (*The telephone is out of order.*), **Szerelés alatt.** (*Undergoing repair.*). If you manage to find a working telephone, the line may be **foglalt** (*engaged*).

Once you get through, it is polite first to say who you are, e.g. **Halló, itt John Smith beszél**. *This is John Smith speaking.* If you do not know or recognise who you are speaking to, ask **Kivel beszélek?** *Who am I speaking to?* or **Ki beszél?** *Who is speaking?* To find out if someone is at home, ask **Gábor otthon van?** [⌐]   *Is Gábor there?* To be put through to a **mellék** (*extension*), say **A huszonhatos melléket, legyen szíves.** *Extension 26, please.*

The person at the other end of the line might say: **Egy pillanat. Rögtön** (*pron.* röktön) **kapcsolom.** *Just a minute.  I'll put you through straight away.* When eventually you do get through, to ask for the person you want to speak to, say: **Németh Lászlóval szeretnék beszélni.** *I would like to speak to László Németh.* To leave a message, say **Szeretnék üzenetet hagyni.** *I would like to leave a message.* Your message could be **Majd később visszahívom.** *I'll call him/her back later.* or **Hívjon fel a ... -s számon.** *Could he/she ring me on ...*

Before putting down the receiver, say **Viszonthallásra!** (Lit. *until I hear from you again*), unless you are speaking to people you know. In that case you can say goodbye as you would normally, e.g. **Szia!**, **Csókolom!**, etc. However, you can only say **Viszontlátásra!** if you really will see them before you next ring them.

## Telephone numbers

These are five, six or seven figures in two groups, e.g. 24-674, 983-645 or 174-3652. They are read out as follows:

huszonnégy-hat-hetvennégy
kilenc-nyolcvanhárom-hat-negyvenöt
százhetvennégy-harminchat-ötvenkettő.

To ask for someone's telephone number, say: **Mennyi a telefonszámod?** (sing. fam.) or **Mennyi a telefonszáma?** (sing. form.) (*What's your telephone number?*)

**Nincs kedved...?** (*Do you feel like...?*): this is a good way of introducing suggestions or inviting someone somewhere. It is followed by the infinitive:

**Nincs kedved** mozibа **jönni**? [↘] *Do you feel like going to the cinema?*

You can also put the same question in the positive form with **van**, e.g. **Van kedved** mozibа **jönni**? [↘]

Note all these forms:

| | |
|---|---|
| **Van/nincs kedved...?** (sing.fam.) | **Van/nincs kedvetek...?** (pl.fam.) |
| **Van/nincs kedve...?** (sing.form.) | **Van/nincs kedvük...?** (pl.form.) |

The latter two forms would be used in the courtesy address as well:

**Van/nincs kedve sétálni, Lajos bácsi?**    *Do you feel like a walk, Lajos bácsi?*

Note that the **nincs** version is a negative question, therefore a positive answer to it requires **de**:

**Nincs** kedved este videót nézni? [↘] **De** igen.    *Do you feel like watching a video tonight? Yes, I do.*

**De jó!** (*Great! Lovely!*) expresses enthusiasm. **Nagyszerű! Remek! Nagyon jó!** are other expressions that can express the same thing.

**Jön, megy, jár**: the use of these words does not always correspond to their English equivalents.

**Jön** expresses a movement towards the speaker, e.g. **Jön** a busz. *The bus is coming.* It can also mean *go with or to the same place as the speaker*:

Nincs kedved este moziba **jönni**?     *Do you feel like going to the cinema this evening?*

**Megy** expresses a movement away from the speaker, e.g. Holnap színházba **megyünk**. *Tomorrow we're going to the theatre.*

Note that in answer to the question **Jössz?** [↗] (*Are you coming?*) both **Jövök**. (*I'm coming.*) and **Megyek**. (Lit. *I'm going.*) are used.

**Jár** expresses a frequent, habitual action whether *towards* or *away from* the speaker:

Mostanában későn **jársz** haza.     *Nowadays you come home late.*
Rendszeresen **járok** úszni.     *I go swimming regularly.*

---

## ⊡ ——————— Nyelvtan ———————

### 1 Telling the time

● In official time, the day is split into 24 hours, e.g. **Tizennégy óra húsz perc van.** *It's 14.20.* This is used on television and radio as well as in train timetables, etc.

● In everyday Hungarian, when answering the question **Hány óra van?** or **Hány óra?** or **Mennyi idő van?** or **Mennyi az idő?** (*What's the time?*), the 12-hour system is used just as in English.

It is easy to say it's five, six, seven, etc. o'clock, e.g. **Öt óra van.** *It's five o'clock.*

To say a quarter past five, half past five or a quarter to six in Hungarian, you have to think of the following hour (i.e. six). Imagine, for example, six o'clock as a full circle like a traditional watch. Quarter past five will be a quarter of the circle, half past five – half of the circle – and a quarter to six – three quarters of the circle.

---

**Negyed hat van.** *It's 5.15.*
(Lit. *It's a quarter of six.*)
**Fél hat van.** *It's 5.30.*
(Lit. *It's half of six.*)

**Háromnegyed hat van.** *It's 5.45.*
(Lit. *It's three quarters of six.*)

---

In writing, the above times would usually be put like this: ¼ **6 van**, ½ **6 van** and ¾ **6 van**.

 This is not easy to get used to. But if you understand the logic behind it, it will become easier. To say it's 10 past five, etc., use the 24-hour clock for the time being, e.g. **Öt óra tíz perc van.**

● To answer the question **Hány órakor?** or **Hánykor?** (*At what time?*) or **Mikor?** (*When?*) use the **-kor** ending.

| | |
|---|---|
| **Öt órakor** (or just **ötkor**) találkozunk. | *We're meeting at five o'clock.* |
| **Negyed hatkor** lesz a meccs. | *The football match will be at a quarter past five.* |
| **Fél tizenegykor** jó film van a TV-ben. | *At half past ten there is a good film on television.* |
| Apa **háromnegyed nyolckor** jön haza. | *Father is coming home at a quarter to eight.* |

Again, in writing, people often use numbers, e.g. **5-kor**, ¼ **6-kor**, ½ **11-kor**, ¾ **8-kor**.

Note that the **a** does not change to **á** before the **-kor** ending.

## 2 Postpositions

In English, there are **pre**positions, as these words come in front of the words they refer to, like *under*, *above* and *outside*. In Hungarian, the equivalents of these words are called **post**positions as they come after the word they refer to. There are three main groups:

(a) postpositions used in "*place*" expressions;

---

| | |
|---|---|
| **előtt** *in front of, outside* | **körül** *around* |
| **mögött** *behind* | **mellett** *next to, beside* |
| **alatt** *under* | **után** *after* |
| **felett, fölött** *above, over* | **között** *between, among* |

---

| | |
|---|---|
| A **ház előtt** egy magas fa van. | *There is a tall tree in front of the house.* |
| A **ház mögött** van a garázs. | *The garage is behind the house.* |
| A **szék alatt** ül a kutya. | *The dog is sitting under the chair.* |
| Az **épület felett** egy repülőgép repül. | *An aeroplane is flying over the building.* |
| Az **asztal körül** öten ülnek. | *Five people are sitting around the table.* |
| A **hűtőszekrény mellett** van a gáztűzhely. | *Next to the fridge is the gas cooker.* |
| Egy férfi szalad a **nő után**. | *A man is running after the woman.* |
| A Lánchíd volt az első híd **Pest és Buda között**. | *The Chain Bridge was the first bridge between Pest and Buda.* |

(b) postpositions used in "*time*" expressions;

| | | | |
|---|---|---|---|
| **előtt** | *before* | **körül** | *about, at about* |
| **után** | *after* | **fele, felé** | *about, at about* |
| **alatt** | *in, during* | **óta** | *since* |
| **közben** | *during* | **múlva** | *in ... time* |
| **között** | *between* | | |

| | |
|---|---|
| **Nyolc óra előtt** nincs nyitva az ABC. | *The food shop is not open before 8 o'clock.* |
| **Ebéd után** pihenek. | *After lunch I have a rest.* |
| **Egy-két nap alatt** kész lesz a magnó. | *The tape recorder will be ready in a day or two.* |
| A múzeum csak péntek délután **15 és 18 óra között** van nyitva. | *The museum is only open between 3pm and 6pm on Friday afternoon.* |
| **Nyolc óra körül** jön a postás. | *The postman comes at about 8 o'clock.* |
| **Kilenc óra óta** várlak. | *I've been waiting for you since 9 o'clock.* |
| **Két óra múlva** otthon leszek. | *I'll be home in two hours' time.* |

(c) postpositions expressing more abstract ideas:

| | | | |
|---|---|---|---|
| **nélkül** | *without* | **szerint** | *according to* |
| **miatt** | *because of* | **ellen** | *against* |
| **helyett** | *instead of* | | |

**Cukor nélkül** kérsz teát? [⤸]     *Do you want tea without sugar?*
Mindig **Ági miatt** késtek.       *You're always late because*
                                      *of Ági.*

**Cukor helyett** mézet kérek.     *I'll have honey instead of sugar.*
**Mari szerint** itt nagyon        *Mari thinks that it's very*
hideg van.                            *cold here.*

## 3 The -val and -vel ending

This ending is the equivalent of *with* and, sometimes, *by* in English.

(*a*) It is attached to words ending in a vowel. (As usual the final **a** changes to **á** and the final **e** to **é** before it.)

| Back vowel words | Front vowel words |
|---|---|
| autó  *car* – autó**val**  *by car* | ki?  *who?* – ki**vel**?  *with whom?* |
| Anna – Ann**ával**  *with Anna* | Imre  – Imr**ével**  *with Imre* |

**Annával** találkozom.     *I'm seeing* (Lit. *meeting with*)
                               *Anna.*
**Autóval** mentek? [⤸]     *Are you going by car?*

(*b*) After words ending in a consonant, the **v** in **-val/-vel** changes and becomes the same as the last consonant of the word.

| Back vowel words | Front vowel words |
|---|---|
| cukor *sugar*  – cukor**ral** *with sugar* | tej *milk*  – tej**jel** *with milk* |

**Tejjel** és **cukorral** kértek teát? [⤸] *Do you want tea with milk and*
                                              *sugar?*

(*c*) In the case of two-letter consonants (like **sz**, **gy**, etc.), only the first letter is doubled in writing.

| | |
|---|---|
| busz *bus* – bu**sszal** *by bus* | Balázs – Balá**zzsal** *with Balázs* |

**Busszal** jársz dolgozni? [⤸]     *Do you go to work by bus?*

# 4 Hányas?

In Unit 5 you learnt the forms of the numbers 1–10 given in answer to this question. Here is an additional list:

| Hány? | Hányas? | Hány? | Hányas? |
|-------|---------|-------|---------|
| húsz | húszas | hetven | hetvenes |
| harminc | harmincas | nyolcvan | nyolcvanas |
| negyven | negyvenes | kilencven | kilencvenes |
| ötven | ötvenes | száz | százas |
| hatvan | hatvanas | ezer | ezres |

You can work out the rest easily, e.g. **tizenegyes**, **huszonkettes**, **harminchármas**, **ötszázas** and so on.

These forms are most frequently used when talking about

(a) public transport:

**Hányas busz** jár a
József körúton?
**A hetes villamossal** járok
munkába.

*What number bus goes along
József boulevard?*
*I go to work by tram No. 7.*

(b) coins and banknotes:

*coins*: **egyforintos**, **kétforintos** or **kettes**, **ötforintos** or **ötös**, **tízforintos** or **tízes** (*pron.* tizes), **húszforintos** or **húszas** (*pron.* huszas).

*banknotes*: **tízes**, **húszas**, **ötvenes**, **százas**, **ötszázas**, **ezres**, **ötezres**.

Anyu, tudsz adni egy **százast?** [◡] *Mum, can you give me 100 forints.*
(Lit. *a hundred-forint note*)?

(c) telephone extensions:

**A negyvenhatos melléket**,
legyen szíves.

*Extension number 46, please.*

(d) flat numbers:

A Tóth család a második emeleten
lakik **a négyes lakásban**.

*The Tóth family lives on the
second floor, in flat number 4.*

# 5 The -lak and -lek ending

• The **-lak/-lek** ending is used when **I** is the subject (i.e. the doer of the action) and **you** is the object of the sentence, e.g. *I can see you.*

This ending can only be used in the familiar address and with transitive verbs.

• With most verbs it is attached to the verb stem.

| Back vowel verbs | Front vowel verbs |
|---|---|
| lát**lak**  *I can see you* | szeret**lek**  *I love you* |

After verbs ending in **-ít** or two consonants, a linking vowel (**a** or **e**) is required.

| Back vowel verbs | Front vowel verbs |
|---|---|
| tanít**alak**  *I teach you* | ért**elek**  *I understand you* |

• When **you** is the object of the sentence, it is translated as **téged** (sing.fam.) and **benneteket** or **titeket** (pl.fam.) in Hungarian.

**Téged** is usually left out unless you want to emphasise who you are talking about, e.g. **Tége**d várlak, nem Pétert. *I'm waiting for* **you**, *and not for Péter.*

✳ To avoid misunderstanding, keep **titeket** or **benneteket**. (A verb with the **-lak/-lek** ending will automatically suggest a second person singular object unless these are used.) E.g. **Látlak benneteket.** *I can see you.* (pl.fam.) **Szeretlek titeket.** *I love you.* (pl.fam.)

Note that the **-lak/-lek** form of the verb **hall** (*hear*) is **hallak** (*I can hear you*).

## 6  Mozi (*cinema*) *and* színház (*theatre*)

These words are always preceded by the definite article (i.e. *the*) in English. Their Hungarian equivalents only take the definite article if a particular cinema or theatre is meant:

Este **moziba** megyünk.　　　*We're going to the cinema tonight.*

Szeretsz **színházba** járni? [⌐]　*Do you like going to the theatre?*

Note however, that the definite article is always used in the phrase: **Mi megy a moziban?** *What's on at the cinema?*; or **Mi megy a színházban?** *What's on at the theatre?*

# Gyakorlatok

1   Éva has left her watch at home. All day she has to ask people the time. What are her questions, and what are the answers she gets? Convert the 'official' time to 'colloquial' time:

(a) 8.45   (b) 10.30   (c) 12.15   (d) 13.00   (e) 17.30

2   Look at the time and answer the questions below.

(a)  Mikor megy János dolgozni?

(e)  Mikor kezdődik a film?

(b)  Hánykor vásárol Jenő bácsi az ABC-ben?

(f)  Hánykor van a magyaróra?

(c)  Mikor főz anya vacsorát?

(g)  Hány órakor jön ma haza István?

(d)  Hány órakor segít Gabi a házimunkában?

(h)  Hánykor van a meccs a TV-ben?

**3** Gyuri is very enthusiastic. He keeps coming up with suggestions about what to do on Saturday. But Kriszta, his girlfriend, is rather moody. What are Gyuri's questions, and what does Kriszta say? The first one is provided for you.

(*a*) **Gyuri**   Van/nincs kedved úszni? [↲]
**Kriszta**   Most nincs kedvem úszni.

| **Mit javasol Gyuri?** | **igen** | **nem** |
|---|---|---|
| (*a*) úszni | | ✓ |
| (*b*) kirándulni | | ✓ |
| (*c*) koncertre menni | | ✓ |
| (*d*) teniszezni | | ✓ |
| (*e*) színházba menni | | ✓ |
| (*f*) itthon maradni | ✓ | |

> **itthon marad**   *stay at home*

**4**   **Hol van az elefánt?** Make up complete sentences.

**5** Write in the correct postposition taking one from the list: **előtt, körül, helyett, nélkül, után, között, miatt, alatt**.

(a) A magyarok nem tejjel, hanem tej _____ isznak teát.
(b) A rossz idő _____ ma is késik a vonat.
(c) Ebéd _____ nem szabad csokit enni!
(d) Vacsora _____ nincs kedvem a parkban futni.
(e) Két hét _____ nem lehet megtanulni magyarul.
(f) A gyerekek az asztal _____ ülnek.
(g) Az iskolában egy és két óra _____ van ebéd.
(h) Krumpli _____ rizst (*pron.* rist) kérek.

> **megtanul magyarul**   *master Hungarian*

**6** Write the answers to these questions, using the information in brackets.

(a) Hányas villamos jár a Fórum Hotel előtt? (**2**)
(b) Hányas busz jár a Rákóczi úton? (**7**)
(c) Hányas trolival lehet a Városligetbe menni? (**74**)
(d) Hányas busszal lehet a Várba menni? (**15**)
(e) Hányas melléken vagy? (**43**)

**7** Mivel, kivel, mikor és hova utazik Márta? Make up complete sentences. The first one is done for you:

(a) Márta reggel a hetes busszal megy iskolába.

| **Mikor?** | **Mivel?/Kivel?** | **Hova?** |
|---|---|---|
| (a) reggel | a 7-es busz | iskola |
| (b) iskola után | autó, Gábor | haza |
| (c) délután | metró | Belváros |
| (d) 6-kor | trolibusz | vásárolni |
| (e) este | a 6-os villamos | mozi |

**8** Sándor likes variety. Who does he go out with and where? Make up complete sentences using the information given below. The first one is done for you:

(a) Sándor Kingával jár uszodába.

| **Kivel?** | **Hova?** |
|---|---|
| (a) Kinga | uszoda |

| (b) | Kati | sétálni a Duna-partra (*Danube bank*) |
|---|---|---|
| (c) | Irénke | discó |
| (d) | Edit | mozi |
| (e) | Aranka | sörözni |
| (f) | Anett | angolóra |

**9**  Riddles. In your answers, use the **-lak/-lek** ending!

(a)  What does a passionate young man say to his girlfriend when he is madly in love?

(b)  What does this passionate young man say a minute later when his girlfriend won't kiss him and love turns to hatred?

(c)  What does the bemused girlfriend say to this young man who keeps blowing hot and cold?

(d)  What does the girlfriend say to the repentant young man when he implores her to listen to his explanation?

(e)  When will they meet again?

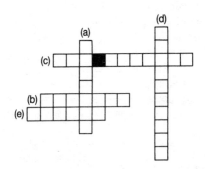

**10**  Márta is about to leave for her date. Her mother wants to know where she is going. Supply Márta's side of their conversation. (Use the present tense throughout). Then act it out.

(a)  *Ask her if she can give you 100 Fts.*

**Kisné**  Hová mész, Márti?

(b)  *Tell her that you are meeting Gábor at 7 o'clock and that you are going to the cinema.*

**Kisné**  Mivel mész? Busszal?

(c)  *Tell her that you are – by the No 7.*

**Kisné**  Melyik moziba mentek és mit néztek meg?

(d)  *Tell her that you are going to the Bástya cinema and you are going to see an old Hungarian film called* **Szerelmesfilm**.

**Kisné** Hánykor kezdődik a film?
(e) *Tell her that it starts at 7.15.*
**Kisné** Én is a Bástyába megyek.
(f) *Ask her 'you?! and with whom?'*
**Kisné** Rezsővel. Még nem ismered. De már ¾ 7 van. Siessünk!

---

**Mit néztek meg?** *What are you going to see?*    **Siessünk!** *Let's hurry!*

---

11 Under the letter 'B', Zita has the following names and telephone numbers in her address book. Can you say them?

(a) Balogh Zoli: 179–8365    (c) Békés Zsófi: 243–6891
(b) Béres Klára: 184–2573

12 Answer these questions about yourself.

(a) Mivel jár dolgozni?
(b) Londonban lehet biciklivel munkába menni? [⌄]
(c) Mivel szeret írni: tollal vagy ceruzával?
(d) Nincs kedve most napozni? [⌄]
(e) Mennyi a telefonszáma?
(f) Milyen jó film megy most a moziban?
(g) Hánykor kezdődik?
(h) Mit csinál minden nap egy és két óra között?

---

**bicikli** *bicycle, bike*    **ceruza** *pencil*
**toll** (-at) *pen*

---

This was a particularly dense unit full of new structures. Before going on to the next unit, make sure you have mastered it all.

# 11

## HÁNYAS MÉRETBEN KÉRI?
### *What size do you want it in?*

### *In this unit you will learn how to*

- buy clothes and souvenirs
- give advice
- ask for reassurance
- express likes and dislikes
- express uncertainty and surprise

 ——————— **Párbeszéd** ———————

Géza Kormos is taking his son Gyuszi to school in the morning.

| | |
|---|---|
| **Gyuszi** | Apu, ugye tudod, hogy ma van Irén nap? |
| **Kormos G.** | Persze, hogy tudom. |
| **Gyuszi** | Én egy Liszt-lemezt adok anyunak. Imádja Liszt Ferencet. Mindig mondja, hogy kiváló zeneszerző. És te mit veszel neki? Virágot és konyakosmeggyet? |
| **Kormos G.** | (*laughing*) Honnan tudod? |
| **Gyuszi** | Nem nehéz kitalálni. Minden évben ugyanazt veszed. Azt hiszem, már egy kicsit unja. Szerintem jobban teszed, ha idén valami mást adsz neki. |
| **Kormos G.** | Tudom, csak viccelek. Idén majd valami eredeti ajándékot kap. |

| | |
|---|---|
| **Gyuszi** | Tényleg? Mit? |
| **Kormos G.** | Titok! Majd meglátod. |

*After work Géza Kormos goes to a fashionable boutique in Teréz körút.*

| | |
|---|---|
| **Eladó** | Tessék uram, mit parancsol? |
| **Kormos G.** | A feleségemnek szeretnék ajándékot venni. |
| **Eladó** | Mit parancsol? Blúzt? Szoknyát? Ruhát? Táskát? Esetleg egy szép kendőt? |
| **Kormos G.** | Hm. Nem is tudom. Talán egy pulóvert. Az a piros pulóver nagyon szép. Szerintem jól áll majd Irénnek. |
| **Eladó** | Melyiket mondja? |
| **Kormos G.** | *(pointing at it)* Azt, ott. A sárga sál mellett. |
| **Eladó** | Hányas méretben kéri? |
| **Kormos G.** | Nem is tudom. *(The shop assistant shows him some.)* Hm. Ez szerintem kicsi lesz. Ez meg túl bő. Az pedig biztosan szűk. Különben is sok pulóvere van. Talán inkább egy cipőt veszek neki. Nagyon szeretne egy új cipőt. És tudom, hogy harmincnyolcas lába van. |

| | |
|---|---|
| **Eladó** | Milyen színű cipőt parancsol? Barnát? Feketét? Sötétkéket? |
| **Kormos G.** | Hm. Nehéz kérdés. A feleségem elég válogatós. Nem vagyok benne biztos, hogy jó ötlet cipőt venni. Hátha nem tetszik majd neki? |
| **Eladó** | Akkor talán egy szép szoknyát parancsol? Ez a zöld szoknya most nagyon divatos. |

**Kormos G.** Igen, de túl hosszú. Irén csak a rövid szoknyát szereti. (*depressed and resigned*) Azt hiszem, legjobb lesz, ha egy csokor virágot és egy doboz konyakosmeggyet veszek neki. Hiszen minden nő örül a virágnak és szereti a csokoládét, nem?

 ———— **Szavak és kifejezések** ————

| | |
|---|---|
| **lemez** (-t)   *record* | **a feleségemnek**   *for my wife* |
| **mond**   *say* | **blúz** (-t)   *blouse* |
| **kiváló**   *outstanding* | **szoknya**   *skirt* |
| **zeneszerző**   *composer* | **ruha**   *dress, clothes* |
| **Honnan tudod?**   *How do you know?* | **esetleg**   *possibly, perhaps* |
| **Nem nehéz kitalálni.**   *It is not difficult to tell.* | **kendő**   *scarf, shawl* |
| | **Jól áll majd Irénnek.**   *It will suit Irén.* |
| **ugyanaz** (-t)   *the same thing* | **bő**   *loose* |
| **un** (vmit)   *be bored with* (*sg*) | **szűk**   *tight* |
| **ad**   *give* | **Sok pulóvere van.**   *She has a lot of pullovers.* |
| **viccel**   *joke* (verb) | |
| **idén**   *this year* | **cipő**   *shoes* |
| **valami eredeti ajándék**   *some original present* | **válogatós**   *choosy* |
| | **hátha**   *what if, suppose* |
| **titok** (titkot)   *secret* | **jó ötlet** (-et)   *good idea* |
| **Majd meglátod.**   *You will see.* | **divatos**   *fashionable* |
| **Tessék uram, mit parancsol?**   *What can I do for you, sir?* | **hosszú**   *long* |
| | **rövid**   *short* |

## *Kérdések*

1   Igaz vagy nem igaz? Correct and re-write the false statements.

(*a*)  Kormosné imádja a konyakosmeggyet.

(*b*)  Kormos Géza minden évben eredeti ajándékot vásárol Kormosnénak.

(*c*)  A piros pulóver Kormos úr szerint jól áll Kormosnénak.

(*d*)  Kormos úr nem pulóvert vesz, mert nem tudja, hányas méret kell.

(*e*)  Végül Kormos úr idén is ugyanazt veszi, mint tavaly.

| | | |
|---|---|---|
| **végül**   *in the end* | | **tavaly**   *last year* |

**2**   Feleljen a kérdésekre!

(a)   Mit vesz Kormos úr Kormosnénak minden évben?
(b)   Miért akar idén Kormos úr eredeti ajándékot venni?
(c)   Miért nem cipőt vesz Kormos úr?
(d)   Mi a baj a szoknyával?
(e)   Miért vesz Kormos úr virágot és konyakosmeggyet?

---

**Mi a baj** (vmivel)?   *What's the matter with (sg)?*

---

## —— Magyarország és a magyarok ——

### Irén nap

People in Hungary not only have a **születésnap** (*birthday*), but a **névnap** (*nameday*) as well. Birthdays are usually celebrated within the immediate family. Namedays are printed in calendars and are known to everybody, so it is a good excuse to have a bit of a celebration at work as well. Traditionally, people pull the person's ear and recite an amusing couplet:

**Isten éltessen sokáig,**        *May God grant you a long life,*
  **a füled érjen bokáig!**        *and may your ears reach your ankles!*

Most often it is just shortened to **Isten éltessen!** (sing.fam.) or **Isten éltesse!** (sing.form.)

### Ajándék (*gift, present*)

Typical Hungarian souvenirs include delicious Hungarian chocolates filled with morello cherries and brandy called **konyakosmeggy**, **tokaji**, the famous '*king of wines and wine of kings*', **pirospaprika**, which is ground red paprika for cooking, and **hímzett** (*embroidered*) items of clothes. Hungarian embroidery has a unique style. Every region has its own, unmistakable pattern. Items of folk art might make a good present when you are visiting Hungary. So watch out for the sign **Népművészeti bolt** (*folk art shop*).

### Hányas? (*What size?*)

Numbers answering this question are used when talking about the size of clothes and shoes, e.g. **Negyvenes lábam van**. *I take size 40 in shoes*.

## Méret (*size*)

Clothes and shoes have different sizes in Hungary from those in Britain and America. Hungarians talk, not about shoe size, but foot size. Note the various forms:

**Hányas lábad van?** or
**Hányas a lábad?** (sing.fam.) }
**Hányas lába van?** or         } *What size shoes do you take?*
**Hányas a lába?** (sing.form.)  }

## Cipő (*shoes*)

Items of clothing which consist of two parts, or which are plural in English, are always singular in Hungarian. Here are a few examples:

| | | | |
|---|---|---|---|
| **csizma** *boots* | | **papucs** (-ot) *slippers* | |
| **farmer** (-t) *jeans* | | **pizsama** *pyjamas* | |
| **harisnya** *stockings* | | **szandál** (-t) *sandals* | |
| **harisnyanadrág** (-ot) *tights* | | **szemüveg** (-et) *glasses* | |
| **kesztyű** *gloves* | | **zokni** *socks* | |
| **nadrág** (-ot) *trousers* | | | |

**Uram** '*monsieur*' (Lit. *my sir*) is a polite way of addressing a male customer. A young man would probably be addressed as **fiatalember** (*young man*). A woman of any age could be addressed as **hölgyem** (*my lady*). Married or middle aged women are often addressed as **asszonyom** (*madam*).

**Jobban teszed, ha ...** (*you had better ...*) (Lit. *you will do better if ...*) is a good way of giving advice. Note the other forms:

**jobban teszitek, h**a (pl.fam.)
**jobban teszi, ha** (sing.form.)
**jobban teszik, ha** (pl.form.)

Another phrase that can be used when giving advice using any form of address is **jobb, ha ...** (*it is better if ...*) or **jobb lesz, ha ...** (*it will be better if ...*) or **legjobb lesz, ha ...** (*it will be best if ...*),

Szerintem **jobb, ha** most nem        *I think it's better if you don't*
iszol alkoholt.                        *drink alcohol now*.

**Jobb lesz, ha** most hazamegy.   *It will be better if you go home now.*

**Tényleg?** (Really?) expresses surprise, e.g. Afrikában születtem. **Tényleg?** *I was born in Africa. Really?*

**Nem vagyok benne biztos** (*pron.* bisztos), **hogy ...** (*I'm not sure that ...*) expresses uncertainty, e.g. **Nem vagyok benne biztos, hogy** ez jó ötlet. Hátha nem tetszik neki? *I'm not sure that this is a good idea. What if he/she doesn't like it?*

## Milyen színű ...? (*What colour ...?*)

The most common colours are:

| | | | |
|---|---|---|---|
| **barna** | *brown* | **narancssárga** | *orange* |
| **bordó** | *maroon* | **piros** | *red* |
| **drapp** | *beige* | **rózsaszín** | *pink* |
| **fehér** | *white* | **sárga** | *yellow* |
| **fekete** | *black* | **szürke** | *grey* |
| **kék** | *blue* | **zöld** | *green* |
| **lila** | *purple, lilac* | | |

With most colours you can use the words **sötét** (*dark*) and **világos** (*light*) like this: **világosbarna** (*light brown*), **sötétkék** (*dark blue, navy*), etc.

**Piros, vörös:** both these words mean *red*. **Piros** is much more common and is safer to use. **Vörös** is used when talking about wine, the colour of someone's hair and in a few other cases.

---

─────────── **Nyelvtan** ───────────

## 1 The definite conjugation: present tense I

There are only three tenses in Hungarian: present, past and future. But in all three tenses there are two types of conjugation: the *indefinite* and the *definite* conjugation.

You have by now come across all the different types of the indefinite conjugation in the present tense. Only the few irregular verbs do not follow the rules given in Units 2, 3, 6, 7 and 8.

## Present tense: definite conjugation

|  | Back vowel verbs | Front vowel verbs | Front vowel verbs with ö, ő, ü, or ű as their final vowel |
|---|---|---|---|
| (én) | tud**om** | kér**em** | köszön**öm** |
| (te) | tud**od** | kér**ed** | köszön**öd** |
| (maga/ön/ő) | tud**ja** | kér**i** | köszön**i** |
| (mi) | tud**juk** | kér**jük** | köszön**jük** |
| (ti) | tud**játok** | kér**itek** | köszön**itek** |
| (maguk/önök/ők) | tud**ják** | kér**ik** | köszön**ik** |

When pronouncing the words above **dj** is pronounced as **ggy** and **nj** as **nny**, e.g. **tudjuk** (*pron.* tuggyuk), **köszönjük** (*pron.* köszönnyük). (Remember to stress the first syllable!)

There is no equivalent of the definite conjugation in English. The verb itself will mean the same in English regardless of whether it is the indefinite or the definite conjugation in Hungarian:

**Szeretek** úszni.        *I like swimming.* (indefinite conj.)
**Szeretem** a banánt.        *I like bananas.* (definite conj.)

So simply learn when to use which conjugation.

● **The indefinite conjugation** is used with intransitive verbs as well as transitive verbs which take an indefinite object or no object at all:

Moziba **megyünk**.        *We're going to the cinema.*
Mit **csinálsz? Várok**.        *What are you doing? I'm waiting.*

**The definite conjugation** is used with transitive verbs which take a definite object.

A kávét **kérem**.        *I want the coffee.*

## An object is indefinite if:

(a) it is preceded by the indefinite article (i.e. **egy**), e.g. Anikó **egy pulóvert** vesz. *Anikó is buying a pullover*;

(b) it is not preceded by either the indefinite or the definite article (i.e. **a, az**), and it is not the name of a particular person or thing, like for example Kati or Budapest, e.g. **Kávét** kérsz? [↴] *Is it coffee that you want?*;

(c) it is expressed by the infinitive, e.g. Nem szeretek **sportolni**. *I don't like doing sports.*

## An object is definite if:

(a) it is preceded by the definite article, e.g. Szereted **a szőlőt?** [↴] *Do you like grapes?*;

(b) it is the name of a particular person or thing, e.g. Jól ismerem **Sopront**. *I know Sopron well*;

(c) it is expressed by **ez** or **az**, e.g. **Ezt** (*pron.* eszt) kérem. *I want this*. **Azt** (*pron.* aszt) nem szeretem. *I don't like that.*

● The question words **kit, mit, hány, hányat, milyen** and **milyent** require the indefinite conjugation:

| | |
|---|---|
| **Kit nézel?** | *Who are you watching?* |
| **Mit parancsol**, uram? | *What would you like, sir?* |
| **Hányat akarsz?** | *How many do you want?* |
| **Milyen** házat **vesztek?** | *What sort of house are you buying?* |

The question words **melyik, melyiket, hányadik** and **hányadikat** (i.e. those containing **-ik**) require the definite conjugation:

| | |
|---|---|
| **Melyik** kenyeret **kéri?** | *Which bread do you want?* |
| **Melyiket parancsolja?** | *Which one do you want?* |
| **Hányadik** almát **eszi** Pisti? | *Which apple is Pisti eating?* |
| **Hányadikat mondod?** | *Which one are you saying?* |

The definite conjugation is also required when a third person object is implied but not stated:

Ismered Jánost? [↴] **Ismerem.**  *Do you know János?*
*Yes, I know him.*

The verb **köszön** means *greet* or *say goodbye to someone* when conjugated in the indefinite conjugation, but *thank* when conjugated in the definite conjugation:

| | |
|---|---|
| Laci, miért nem **köszönsz?** | *Laci, why don't you say hello?* |
| **Köszönjük** a vacsorát. | *Thank you for the supper.* |

✳ The definite conjugation is an unusual and difficult feature of Hungarian. But do not get discouraged: all you need is plenty of practice! After a while it will come instinctively.

## 2 Verbs requiring the use of endings

A lot of Hungarian verbs require a certain ending to be used with them. For example the verbs **kezdődik** (*start*) and **beszél** (*speak*) require the **-val/-vel** ending. The same in English is expressed by prepositions (start *with* (sg), speak *to* (sy)):

| | |
|---|---|
| Magyarországon az ebéd **levessel kezdődik**. | *In Hungary lunch starts with soup.* |
| Milyen nyelven **beszélsz Jánossal?** | *What language do you speak to János in?* |

In dictionaries the ending to be taken is shown like this: **kezdődik** (**vmivel**) (i.e. valami**vel**) or **beszél** (**vkivel**) i.e. (valaki**vel**).

Very often the ending used in Hungarian does not correspond to the equivalent preposition used in English, i.e. **beszél** takes the **-val/-vel** ending in Hungarian, but usually the preposition *to*, not *with*, in English.

Sometimes verbs do not require the use of an ending, e.g. A film nyolckor **kezdődik**. *The film starts at eight.*

Sometimes a verb might require different endings to express different things, e.g. **hisz** (vmit) *believe* (sg), **hisz** (vmiben, vkiben) (*believe in*) (sg), (sy).

| | |
|---|---|
| **Ezt** nem **hiszem!** | *I don't believe this.* |
| **Hiszek Istenben.** | *I believe in God.* |

## 3 The dative ending (-nak/-nek)

● As with most endings the final **a** changes to **á**, and the final **e** to **é** before the dative ending.

| Back vowel words | | Front vowel words | |
|---|---|---|---|
| Tamás | – Tamás**nak** | Ki? | – Ki**nek**? |
| kutya | – kuty**ának** | Imre | – Imr**ének** |

## The -nak/-nek forms of the personal pronouns

| Ki? | Kinek? | Kik? | Kiknek? |
|-----|--------|------|---------|
| én | nekem | mi | nekünk |
| te | neked | ti | nektek |
| maga | magának | maguk | maguknak |
| ön | önnek | önök | önöknek |
| ő | neki | ők | nekik |

- The dative ending is used:

(a) When there is an object in the sentence, the person receiving this object takes the **-nak/-nek** ending, e.g. Adok **Katinak** egy barackot. *I give Kati a peach.*

Here is a list of some very common verbs that you have come across belonging to this group (vkinek = valakinek):

| | |
|---|---|
| **ad** (vkinek) (vmit) *give* (sy) (sg) | **mond** (vkinek) (vmit) *say* (sy) (sg) |
| **visz** (vkinek) (vmit) *take* (sy) (sg) | **vesz** (vkinek) (vmit) *buy* (sy) (sg) |
| **köt** (vkinek) (vmit) *knit* (sy) (sg) | **fizet** (vkinek) (vmit) *pay* (sy) (sg) |
| **ír** (vkinek) (vmit) *write* (sy) (sg) | **válaszol** (vkinek) (vmit) *answer* |
| **felel** (vkinek) (vmit) *answer* (sy) (sg) | (sy) (sg) |
| **főz** (vkinek) (vmit) *cook* (sy) (sg) | **hoz** (vkinek) (vmit) *bring* (sy) (sg) |
| **ajándékoz** (vkinek) (vmit) *give* | **olvas** (vkinek) (vmit) *read* (sy) (sg) |
| (sy) (sg) *as a gift* | |

Egy Liszt-lemezt adok **anyunak**.   *I'm giving a Liszt record to Mum.*
Viszek **Katinak** virágot.   *I'm taking flowers to Kati.*
**Apunak** új sálat veszek.   *I'm buying a new scarf for Dad.*
Anyu pulóvert köt **nekünk**.   *Mum is knitting pullovers for us.*
Fizetek **neked** egy sört.   *I will stand you a beer.*
  (Lit. *I'm paying you a beer.*)

In this case **-nak/-nek** can be expressed by *for* or *to* in English.

(b) After certain verbs. Here is a list of some very common verbs taking the **-nak/-nek** ending:

| | |
|---|---|
| **köszön** (vkinek) *greet* (sy) | (vkinek) **tetszik** (vki) (vmi) *somebody* |
| **telefonál** (vkinek) *telephone* (sy) | *likes* (sy) (sg) |
| (vkinek) **ízlik** (vmi) *someone likes* (sg) | **örül** (vminek) (vkinek) *someone is* |
| (vkinek) **jól/rosszul áll** (vmi) (sg) | *glad about* (sg) (sy) |
| *suits/does not suit* (sy) | **segít** (vkinek) *help* (sy) |
| **megy** (vkinek) (vmi) *somebody is* | (vkinek) **fáj** (vmi) (sg) *hurts* (sy) |
| *doing well in* (sg) | (vkinek) **hívnak** (vkit) (sy) *is called* (sg) |

| | |
|---|---|
| Minden reggel köszönök a **portásnak**. | *I greet the doorman every morning.* |
| **Nekem** nagyon tetszik a rövid szoknya. | *I like short skirts very much.* |
| Segítesz **anyunak**? [⌐] | *Do you help Mum?* |
| Minden este telefonálok **Bori néninek**. | *I telephone Bori néni every evening.* |
| **Lajos bácsinak** fáj a feje. | *Lajos bácsi has a headache.* |
| Hogy hívnak? **Zsuzsának**. | *What is your name? Zsuzsa.* |

## 4 Ugye, nem

A statement can be turned into a question by putting **ugye** or **nem** after it. While **ugye** can come after both positive and negative sentences, **nem** can only follow positive statements.

**Ugye** and **nem** have a rising intonation, e.g.

Ti is szeretitek a halászlét, **ugye**?
*You also like fish soup, don't you?*
Ti sem szeretitek a tejet, **ugye**?
*You don't like milk either, do you?*
Hiszen minden nő örül
a virágnak, **nem**?
*After all, every woman likes flowers, doesn't she?*

When responding to a statement turned into a question with **nem**, **de** is used to give a positive answer, e.g. Szereted a kakaót, **nem**? **De** igen. *You like cocoa, don't you? Yes, I do.*

**Ugye** can come at the very beginning of a question as well. In this case the question is asking for reassurance. Note the intonation in this type of question.

**Ugye** tudod, hogy ma van Irén nap?
*You know that it is Irén's nameday today, don't you?*

## 5 The definite article (a, az)

With a few exceptions, the definite article is used just as in English. However, unlike in English, it is also used in Hungarian:

(a) before abstract nouns (like happiness, life, death, etc.);

| | |
|---|---|
| Nehéz **az élet!** | *Life is difficult.* |
| **Az idő** pénz. | *Time is money.* |

(b) before street names, e.g. **A Baross utcában** lakunk. *We live in Baross Street.*

(c) before names of meals, e.g. **A reggeli** 7 órakor lesz. *Breakfast will be at 7 o'clock.*

(d) in some general statements before singular nouns, where English uses the plural;

| | |
|---|---|
| Irén csak **a rövid szoknyát** szereti. | *Irén likes only short skirts.* |
| Nem szeretem **a banánt**. | *I don't like bananas.* |

## 6  Leaving out the subject

When you are talking about the same person, there is no need to repeat the word or use a personal pronoun instead. It is clear from the context who you are talking about:

| | |
|---|---|
| Én egy Liszt-lemezt adok **anyunak**. Imádja Liszt Ferencet. | *I'm giving Mum a Liszt record. She adores Ferenc Liszt.* |

## 7  Expressions of quantity

There is no equivalent of *of* in the following Hungarian expressions:

| | |
|---|---|
| egy csokor virág | *a bunch of flowers* |
| egy doboz csokoládé/csoki | *a box of chocolates* |
| egy doboz cigaretta | *a box of cigarettes* |
| egy doboz gyufa | *a box of matches* |
| egy pohár víz | *a glass of water* |
| egy korsó sör | *a glass of beer* |
| egy üveg bor | *a bottle of wine* |

# Gyakorlatok

1  Can you make complete sentences from the words at the top of page 167? Make the necessary changes.

(a)  eszik, a, szeret, sokat, magyarok
(b)  is, imád, az, én, eper
(c)  mit, kávé, tea, vagy, (te) kér?
(d)  egy, bicikli, vesz, apu, új, szép, Peti
(e)  vacsora, finom, (mi) köszön!, a
(f)  (ti) ismer, Bartók Béla, ugye, zeneszerző, a, híres, magyar?

2  On a lazy afternoon, you switch on **Petőfi Rádió** and then **TV2***
to find out what's on. What do the announcers say? Here is how
they start. Can you go on? Do it aloud.

**Petőfi Rádió:**  Kedves hallgatóink! A pontos idő tizenhárom
óra. Most ismertetem a Petőfi Rádió műsorát.
Tizenhárom óra három perckor: Hogy tetszik
lenni?

**TV2:**  Kedves nézőink! Most ismertetem a tévé kettő
műsorát.

---

**kedves**  *dear*
**hallgatóink**  *our listeners*
**A pontos idő tizenhárom óra.**
  *The time is one o'clock precisely.*
**a Petőfi Rádió műsora**  *the Radio Petőfi programme*
**nézőink**  *our viewers*

**Most ismertetem a TV2 műsorát.**
*These are the programmes on TV2. (Lit. I'm acquainting you with the programme of TV2.)*
**műsor** (-t)  *programme*

---

*There are three radio stations in Hungary. They are called
**Petőfi Rádió, Kossuth Rádió** and **Bartók Rádió.** Hungarian
television has two channels: **TV1** (*pron.* tévé egy) and **TV2** (*pron.*
tévé kettő).

**Petőfi Rádió**

(a)  13.03  Hogy tetszik lenni?
(b)  14.00  Hírek
(c)  14.05  Új magyar zene a Rádióban
(d)  15.10  Hol a boldogság mostanában?
(e)  15.40  Szabó család*
(f)  16.05  Harminc perc alatt a Föld körül

**TV2**

(a)  18.45  Mit olvasnak a mai gyerekek?
(b)  19.30  Esti mese
(c)  20.00  Híradó
(d)  20.30  A férfiak szeretik a kövér nőket
(e)  22.40  Ismeri Vivaldit?
(f)  23.40  BBC Híradó

(g)  16.35  Ön mit ajánl?
(h)  17.20  Orosz Júlia énekel

| | |
|---|---|
| **hírek** (-et)  *news* | **esti mese**  *bedtime story* |
| **boldogság** (-ot)  *happiness* | **Híradó**  *TV news* |
| **mostanában**  *nowadays* | **férfiak** (-at)  *men* |
| **Föld** (-et)  *Earth* | **nők** (-et)  *women* |
| **énekel**  *sing* | |

*Szabó család** is a **szappanopera** (*soap opera*) which has been going for decades on Hungarian radio.

3  Christmas is approaching. István is hopeless when it comes to choosing presents. Tell him what people prefer, in your opinion, and help him to select the best presents for them. The first sentence is provided for you.

(a)  Szerintem Jenő bácsi jobban szereti az elegáns ruhát, mint a pálinkát. Jobb lesz, ha Jenő bácsinak egy kalapot ajándékozol/veszel/adsz.

| | | **István szerint** | **Ön szerint** |
|---|---|---|---|
| (a) | Jenő bácsi | pálinka | elegáns ruha |
| (b) | Zsófi néni | virág | édesség |
| (c) | Dénes | zenét hallgat | olvas |
| (d) | Feri | külföldi cigaretta | alkohol |
| (e) | Mónika | rágógumi | állatok |
| (f) | Anna | parfüm | zene |

| | |
|---|---|
| **elegáns**  *elegant* | **parfüm** (-öt)  *perfume* |
| **rágógumi**  *chewing-gum* | **kalap** (-ot)  *hat* |
| **állatok** (-at)  *animals* | **édesség** (-et)  *sweets* |

**4** Gyuszi Kormos thought for a while about his mother's nameday before reminding his father. Follow his train of thought and write in the correct verb with the correct form. Then imagine that you are Gyuszi and say his thoughts aloud.

**tud, ad, un, szeret, áll, mond, ért, örül, imád, vesz, hallgat, utál, vásárol**

Ma van Irén nap! Azt hiszem, idén egy lemezt (a) _____ anyunak. De milyen lemezt? Kit (b) _____? Minden este Lisztet (c) _____. Azt (d) _____, hogy Liszt kiváló zeneszerző. Nem (e) _____. Én (f) _____ a komolyzenét. De ez jó ötlet! Persze, apu megint valami unalmasat (g) _____ majd neki. Virágot és egy doboz konyakosmeggyet! Szerinte minden nő (h) _____ a virágnak és az édességnek. Lehet, de szerintem anyu már nagyon (i) _____. Anyu (j) _____ a szép, divatos ruhát. Nem (k) _____, miért nem ajándékoz apu neki egy szép blúzt, szoknyát vagy cipőt. Anyunak könnyű ajándékot (l) _____, mert minden jól (m) _____ neki. Igaz, elég válogatós. Hm. Mégiscsak nehéz a nőknek ajándékot venni!

> **komolyzene** *classical music*    **megint** *again*
> (Lit. *serious music*)

**5** Answer these questions.

(a) Milyen színű a citrom?
(b) Milyen színű a narancs?
(c) Milyen színű az elefánt?
(d) Milyen színű a magyar zászló (*flag*)?
(e) Milyen színű volt régen a Duna?

**6** Péter Földvári is taking part in a phone-in radio competition. First he is asked to introduce himself briefly to the listeners. Unfortunately, the line is very bad and you can't hear the end of some of his words. What did he originally say?

(a) Földvári Péter... hívnak. Tizenhétéves pécsi diák vagyok. (b) Szeret... sportolni és utazni. Idegenvezető (c) szeret... lenni. De nem vagyok (d) ben... biztos, hogy sikerül, mert sajnos az angol elég rosszul megy (e) nek...

> **idegenvezető** *guide*

**7** Can you turn these statements into questions?

(a) Dezső nem szereti a sajtot.
(b) Te utálod a margarint.
(c) Éva néni nem tud paprikás csirkét főzni.
(d) Ismeritek az angol reggelit.
(e) Apa a híreket hallgatja (*pron.* hallgattya).
(f) Zsolt egy francia krimit néz.

---

| **margarin** (-t) *margarine* | **krimi** *detective story* |
|---|---|

---

**8** Mr Kormos's birthday is soon. Mrs Kormos thinks that her husband dresses rather unimaginatively, so she decides to brighten up his wardrobe. She enters **Skála áruház** (*Skála department store*). Match her lines with the shop assistants', so that their conversation makes sense. Write it all down and then act it out.

### Első eladó

(a) Melyik osztályt keresi, hölgyem?

(b) A negyediken. Tessék, ott van balra a mozgólépcső.

### Második eladó

(c) Tessék parancsolni!

(d) Mit parancsol? Inget? Nadrágot? Öltönyt? Nyakkendőt? Kabátot? Esetleg egy pizsamát?

(e) Tessék, ez az esőkabát nagyon jó minőségű, divatos és nem túl drága. Ugye szép?

(f) Ez a kabát van még sötétkékben és drappban. Milyen méretben parancsolja?

(g) Tessék! Jó lesz?

(h) Tessék, itt a blokk. Fáradjon a pénztárhoz!

### Kormosné

(i) Hm. Nem is tudom. Jön az ősz. Talán egy divatos esőkabátot veszek neki. Igen, egy esőkabátnak biztosan örül majd Géza.

(ii) Köszönöm. Viszontlátásra!

(iii) A férfiruha osztályt. Hányadik emeleten van?

(iv) Egy hét múlva lesz a férjem ötven éves. Valami szép ajándékot szeretnék neki venni.

(v) Köszönöm.

(vi) Igen, nagyon tetszik. De más színben kérem. Gézának nem áll jól a barna, és nekem sem tetszik.

(vii) Negyvennyolcasban. És sötétkékben, legyen szíves.

(viii) Jó.

WHAT SIZE DO YOU WANT IT IN?

| | |
|---|---|
| **osztály** (-t)  *department* | **esőkabát** (-ot)  *raincoat* |
| **keres** (vmit)  *look for (sg)* | **jó minőségű**  *good quality* |
| **mozgólépcső**  *escalator* | **blokk** (-ot)  *bill* |
| **ing** (-et)  *shirt* | **Fáradjon** (*pron.* fáraggyon) |
| **öltöny** (-t)  *suit* (noun) | **a pénztárhoz.**  *Please go to* |
| **nyakkendő**  *tie* (noun) | *the cash-desk.* |
| **kabát** (-ot)  *coat* | |

 ──────────── **Érti?** ────────────

Mrs Scott has been on a business trip to Hungary. Before going home she wants to buy some presents for her family. She enters a **Népművészeti bolt** (*folk-art shop*).

| | |
|---|---|
| **Eladó** | Tessék hölgyem, mit parancsol? |
| **Mrs Scott** | Néhány tipikus magyar ajándékot szeretnék vásárolni a családomnak. Lehet itt pólót kapni? A fiam tizenhárom éves, és mindig csak pólót, farmert hord. Szeretnék egy budapesti pólót venni neki. |
| **Eladó** | Sajnos pólót nem árulunk. Itt csak hímzett terítőt, blúzt, dobozt, zsebkendőt, herendi porcelánt* és kerámiát lehet kapni. |
| **Mrs Scott** | Értem. Tudja, nehéz a fiamnak ajándékot venni. Tipikus tinédzser és nagyon válogatós. De mi ez? Nem fényképalbum? |
| **Eladó** | De igen. |
| **Mrs Scott** | Hímzett fényképalbum?! Nagyon eredeti! Tudja, én imádok fényképezni. Tudna mutatni egy hímzett blúzt is? |
| **Eladó** | Hogyne! Hányas méretet parancsol? |
| **Mrs Scott** | Negyvennégyeset. Ez gyönyörű! Ezerhatszáz forint. Nem drága. De nem is tudom, nem lesz ez nekem egy kicsit szűk? Szeretném felpróbálni. Hol van a próbafülke? |
| **Eladó** | Sajnos itt nincs próbafülke. De ha nem jó a méret, kicseréljük. |
| **Mrs Scott** | Hát jó! Akkor kérem a fényképalbumot, a hímzett blúzt (*she is pointing to an embroidered box*) és azt a szép piros hímzett dobozt. A fiamnak majd valahol veszek egy budapesti pólót. A férjem egy üveg tokajit kap. A lányomnak egy doboz konyakosmeggyet veszek, |

mert imádja az édességet, anyunak pedig pirospaprikát, mert szeret főzni. Nagyszerű bolt ez! Mindenkinek sikerült ajándékot találni!

| | |
|---|---|
| **póló** *T-shirt* | **gyönyörű** *gorgeous* |
| **a fiam** *my son* | **Szeretném felpróbálni.** *I would* |
| **terítő** *table cloth* | *like to try it on.* |
| **porcelán** (-t) *porcelain* | **próbafülke** *fitting room* |
| **fénykép** (-et) *photo* | **a lányom** *my daughter* |

**\*Herend** is world famous for its hand-painted porcelain.

Feleljen a kérdésekre!

(a) Mit árulnak a Népművészeti boltban?

(b) Milyen ajándékot szeretne Mrs Scott vásárolni?

(c) Miért nehéz Mrs Scott fiának (*Mrs Scott's son*) ajándékot venni?

(d) Kinek veszi Mrs Scott a hímzett fényképalbumot, blúzt (*pron.* blúszt) és dobozt (*pron.* doboszt)?

(e) Mi történik ha a blúz egy kicsit szűk?

(f) Miért nagyszerű bolt ez Mrs Scott szerint?

# 12

## HÁNY ÉJSZAKÁRA?
### How long are you staying?

### In this unit you will learn how to

- book a room and a table
- rent a car
- complain at a restaurant
- express willingness and probability
- suggest alternative arrangements
- make polite requests

 —————— **Párbeszéd** ——————

 Jóska and his wife Klára are spending their summer holiday touring round Lake Balaton. They arrive at Tihany, and on the hillside they see the sign **szoba kiadó** (*room to let*). They ring the bell, and an elderly lady comes to the door.

| | |
|---|---|
| **Jóska** | Jó napot kívánok! Látom, itt van kiadó szoba. |
| **Juliska néni** | Tessék? Nem hallom! Sajnos egy kicsit süket vagyok. |
| **Jóska** | (*raising his voice*) Tessék mondani, van szabad szoba? |

SZOBA KIADÓ

| | |
|---|---|
| **Juliska néni** | Igen, két üres szoba is van. Az egyik egyágyas, a másik pedig kétágyas. Hány személyre kellene? |
| **Jóska** | Két személyre. Ketten vagyunk a feleségemmel. |
| **Juliska néni** | Értem. Akkor nyilván a második szobát kérik. Hány éjszakára kellene? |
| **Jóska** | Valószínűleg két vagy három éjszakára, de még nem tudjuk biztosan. Egy csendes szobát keresünk szép kilátással. |
| **Juliska néni** | A kilátás nagyon szép. Az egyik ablak a tóra néz, a másik a kertre. |
| **Klára** | A fürdőszoba közös a családdal? |
| **Juliska néni** | Mit mond? Nem hallom! |
| **Klára** | (*raising her voice*) Közös a fürdőszoba a családdal? |
| **Juliska néni** | Igen. |
| **Klára** | És mennyibe kerül a szoba egy éjszakára? |
| **Juliska néni** | Kilencszáz forintba. |
| **Jóska** | Nem is drága. Az árban benne van a reggeli is? |
| **Juliska néni** | Nincsen. De ha kérnek reggelit, szívesen készítek. A reggeli hét órakor van a teraszon és plusz százötven forintba kerül. |
| **Jóska** | Nem lehetne nyolckor reggelizni? Most szabadságon vagyunk és nem akarunk korán kelni. |
| **Juliska néni** | Hogyne lehetne! |
| **Jóska** | (*looking around cheerfully*) Nagyon szép helyen tetszenek lakni! És ha megunjuk Tihanyt, közel van Balatonfüred. Nem tetszik tudni, milyen gyakran indul hajó Tihanyból Balatonfüredre? |
| **Juliska néni** | Úgy tudom, minden fél órában. |
| **Jóska** | Nagyszerű! De még nem is mutatkoztunk be: engem Jóskának hívnak, a feleségemet pedig Klárának hívják. |
| **Juliska néni** | Én pedig Juliska néni vagyok. Tessenek befáradni! Megmutatom a szobát. (*She leads the way.*) Erre tessenek! |
| **Jóska** | Jó, megnézzük! (*They enter a room.*) |
| **Klára** | Erkély is van?! Milyen gyönyörű az erkélyről a kilátás! |
| | (*Suddenly a loud snore comes through the thin wall from the adjoining room. Klára and Jóska look startled.*) |
| **Klára** | Tessék mondani, mi ez a zaj? |
| **Juliska néni** | Zaj?! Ja! A férjem minden délután alszik ebéd után. |

De alig lehet hallani.

**Jóska** Köszönjük szépen, de nem egészen ilyen szobát keresünk.

(*They leave hastily.*)

**Juliska néni** (*bewildered*) Nem értem! Mindig ezt mondják ...

 —————— Szavak és kifejezések ——————

| | |
|---|---|
| **süket** *deaf* | **Milyen gyakran?** *How often?* |
| **Hány személyre kellene?** *How many people would it be for?* | **indul** *leave* (verb) |
| **nyilván** *obviously* | **hajó** *ship, boat* |
| **Hány éjszakára?** (Lit.) *For how many nights?* | **Úgy tudom...** *As far as I know...* |
| **valószínűleg** *probably* | **De még nem is mutatkoztunk** (*pron.* mutatkosztunk) *be. But we haven't even introduced ourselves yet.* |
| **csendes** *quiet* | **Tessenek befáradni!** *Please come in* (pl.). |
| **kilátás** (-t) *view* | |
| **tó** (tavat) *lake* | **megmutat** (vkinek) (vmit) *show* (sy) (sg) |
| **néz** (vmire) *look* (on to sg) | **megnéz** (vmit) *see, look at* (sg) |
| **közös** (vkivel) (vmivel) *shared with* (sy) (sg) | **erkély** (-t) *balcony* |
| **Az árban benne van a reggeli is?** [〰] *Is breakfast also included in the price?* | **Alig lehet hallani.** *One can hardly hear it.* |
| **reggelit készít** *make breakfast* | **Nem egészen ilyen szobát keresünk.** *This is not quite what we're looking for.* (Lit. *This is not quite the sort of room we're looking for.*) |
| **korán kel** *get up early* | |
| **megun** (vkit) (vmit) *get tired of* (sy) (sg) | |

## *Kérdések*

1 Igaz vagy nem igaz? Correct and re-write the false statements.

(*a*) Juliska néni rosszul hall.

(*b*) Jóska és Klára valószínűleg egy éjszakára maradnak.

(*c*) A kilencszáz forintban benne van a reggeli is.

(*d*) Jóska nem akar hétkor reggelizni, mert most nem kell korán kelni.

(*e*) Jóska és Klári nem kérik a szobát, mert Juliska néni férje a szomszéd szobában horkol.

> **rosszul hall** *be hard of hearing*  **horkol** *snore* (verb)
> **a szomszéd szobában** *in the*
> *neighbouring room*

**2** Feleljen a kérdésekre!

(a) Miért nem hallja (*pron.* hajja) Juliska néni, mit mond Jóska?
(b) Milyen szobát keres Jóska és Klára?
(c) Hova néz a két ablak?
(d) Honnan indul minden fél órában hajó Balatonfüredre?
(e) Miért nem ilyen szobát keres Jóska és Klára?

## —— Magyarország és a magyarok ——

### Szoba kiadó (*room to let*)

When on a visit to Hungary, you can book your accommodation in advance at a **hotel**, **szálloda** or **szálló**. (All these words mean *hotel*.) Hotels can be **első osztályú** (*first class*), **másodosztályú** (*second class*) or **harmadosztályú** (*third class*). If you decide to tour the country, but you do not want to commit yourself in advance, you can rent an **Ibusz szoba** through a travel agency when you arrive at a place, go to a **kemping** (*camp-site*) or a **panzió** (*pension*) or look for the sign **szoba kiadó** outside private houses. Here you will probably have to share the bathroom with the family, and they hardly ever provide breakfast.

### A reggeli hétkor van

Things tend to start early in Hungary. Factory workers start work at 6am, office workers and school children at 8am. Meals are therefore earlier and people go to bed earlier. It is inconsiderate to telephone someone after 10pm.

**Nem lehetne ...?** (*Would it be possible...?*) is used to suggest a change of plan. The answer could be: **Sajnos nem lehet**. (*Unfortunately, it isn't possible*) or **Hogyne lehetne.** (*Of course it's possible*).

**Szívesen** (*gladly*) expresses willingness. It is used with the conjugated verb:

**Szívesen készítek** reggelit.     *I'll be glad to make breakfast.*
**Szívesen** neki **adom** a könyvet.     *I'll be glad to give him the book.*

**Milyen** (*how, what*) is used in exclamations:

**Milyen gyönyörű** az erkélyről     *How lovely the view is from*
a kilátás!     *the balcony!*
**Milyen szép** ház!     *What a lovely house!*

Similarly **de** can be used, e.g. **De gyönyörű** az erkélyről a kilátás!
**De szép** ház!

 ——————— **Nyelvtan** ———————

## 1 The object forms of the personal pronouns

| Ki? | Kit? | Kik? | Kiket? |
|---|---|---|---|
| én | engem | mi | bennünket/minket |
| te | téged | ti | benneteket/titeket |
| maga | magát | maguk | magukat |
| ön | önt | önök | önöket |
| ő | őt | ők | őket |

The first and second person plural have two forms: **minket,
bennünket** and **titeket, benneteket.** The forms **bennünket** and
**benneteket** are more commonly used:

Szeretsz **engem**? [↵]     *Do you love me?*
**Bennünket** keresnek?l [↵]     *Are you / they looking for us?*
**Téged** hogy hívnak?     *What is your name?*
Majd felhívlak **benneteket.**     *I'll phone you.*
**Magát** nem ismerem.     *I don't know you.*
Majd bemutatom **önt** a     *I will introduce you to my wife.*
feleségemnek.
**Őt** még nem ismered.     *You don't know her yet.*

## 2 The definite conjugation: present tense II

A few more things you need to know about the definite conjugation:

(a) The verb is always in the definite conjugation in expressions such as:

**Azt mondja** (*pron.* monggya), *He/she says that ...*
   **hogy ...**
**Remélem, hogy ...** *I hope that ...*
**Azt hiszem, hogy ...** *I think that ...*
**Úgy tudom, hogy ...** *As far as I know ...*

**Azt mondják** (*pron.* monggyák), **hogy** Tihany nagyon szép. *They say that Tihany is very beautiful.*

(b) The object pronouns **őt, magát, önt, őket, magukat** and **önöket** require the definite conjugation even if they are only implied. For example, in the question **Hogy hívják?** (*What's your/his/her name?*), there is an implied **önt** or **magát** or **őt. Látod őket?** [↶] *Can you see them?*

(c) The object pronouns **engem, téged, minket, bennünket, titeket** and **benneteket**, whether stated or implied, always require the indefinite conjugation:

Hogy **hívnak**? *What's your name?*
**Engem** Jóskának **hívnak**. *I'm called Jóska.*
Nem **hallanak bennünket**. *They can't hear us.*

(d) Cardinal numbers take the indefinite conjugation, and ordinal numbers take the definite conjugation:

Csak **egy** cukrot **kérek**. *I only want one sugar.*
A **másodikat kéred?** [↶] *Do you want the second one?*

(e) The courtesy address remains the same whether the object is definite or indefinite:

A **híradót tetszik nézni?** [↶] *Are you watching the news?*
Egy **filmet tetszik nézni?** [↶] *Are you watching a film?*

(f) With verbs ending in a sibilant (i.e. **s, sz, z, dz**) the **j** of the ending changes to the sibilant.

| | | | | |
|---|---|---|---|---|
| s | + | j | = | ss |
| z | + | j | = | zz |
| sz | + | j | = | ssz |
| dz | + | j | = | ddz |

Here is the conjugation of some of those verbs in full:

|  | olvas | néz | tesz |
|---|---|---|---|
| (én) | olvasom | nézem | teszem |
| (te) | olvasod | nézed | teszed |
| (maga/ön/ő) | olvassa | nézi | teszi |
| (mi) | olvassuk | nézzük | tesszük |
| (ti) | olvassátok | nézitek | teszitek |
| (maguk/önök/ők) | olvassák | nézik | teszik |

As you can see from the table above, this affects back vowel verbs more than front vowel verbs.

(g)  When you are pronouncing verbs in the definite conjugation, note the following changes:

| spelling | pronunciation | example of spelling | example of pronunciation |
|---|---|---|---|
| d + j | ggy | adják | (aggyák) |
| t + j | tty | látjátok | (láttyátok) |
| l + j | jj | tanuljátok | (tanujjátok) |
| n + j | nny | köszönjük | (köszönnyük) |

These will not be difficult to remember as they make pronunciation easier.

## 3  The -ról and -ről ending

Words taking the ending **-n** in answer to the question **Hol?**, and **-ra/-re** in answer to the question **Hova?**, take the ending **-ról** (for back vowel words) and **-ről** (for front vowel words) in answer to the question **Honnan?**

| Hol? (*Where at?*) | Hová? (*Where to?*) | Honnan? (*Where from?*) |
|---|---|---|
| erkélyen | erkélyre | erkélyről |
| asztalon | asztalra | asztalról |

A macska az **asztalról** a székre ugrik. *The cat jumps from the table to the chair.*

## 4   The -ból and ből ending

Words taking the ending **-ban/-ben** in answer to the question **Hol?**,
and **-ba/-be** in answer to the question **Hova?**, take the ending **-ból**
(for back vowel words) and **-ből** (for front vowel words) in answer to
the question **Honnan?**

| Hol? (*Where at?*) | Hová? (*Where to?*) | Honnan? (*Where from?*) |
|---|---|---|
| Tihany**ban** | Tihany**ba** | Tihany**ból** |
| szekrény**ben** | szekrény**be** | szekrény**ből** |

**Tihanyból** minden fél órában
indul hajó Balatonfüredre.
Kiveszem a ruhát a
**szekrényből**.

*There is a boat from Tihany to
Balatonfüred every 30 minutes.
I'm taking the dress out of the
wardrobe.*

## 5   Compound words

These are made up of two separate words. For example,
**Balatonfüred** (a town at Lake Balaton) is made up of the words
**Balaton** and **Füred**.

If the second element contains only front vowels, the word will take
front vowel endings. In the example above, **Füred** is a front vowel
word, so the whole word will take front vowel endings, e.g.
**Balatonfüredről** Tihanyba megyünk hajóval. (*From Balatonfüred
we'll go by boat to Tihany*). All the names of professions where the
word **nő** is added to denote the female equivalent, are in this group,
e.g. titkárnő (Lit. *secretary woman*).

In the **Hungarian–English vocabulary** at the end of the book you
will find a **c** after compound words in this group.

## 6   Tessék, tessenek

**Tessék** (sing.) and **tessenek** (pl.) followed by the infinitive are used
to express a polite request, e.g. **Tessék befáradni!** (*Please come in*).
and Erre **tessenek!** (*This way, please*).

These words are mostly used when talking to customers or those
people with whom one uses the courtesy address.

Note that the following expressions are used similarly:

**legyen szíves** (sing.form.)     **legyenek szívesek** (pl.form.)
**légy szíves** (sing.fam.)       **legyetek szívesek** (pl.fam.)

**Legyen szíves befáradni**. Erre **légy szíves**.

## 7 Az egyik ..., a másik ...

This phrase is like the English *one ..., the other ...*:

| | |
|---|---|
| Két szoba kiadó: **az egyik** az első, | *There are two rooms to let.* |
| **a másik** a harmadik | *One is on the first, the other* |
| emeleten van. | *is on the third floor.* |
| **Az egyik** szülő orvos, **a másik** | *One parent is a doctor, the* |
| tanár. | *other is a teacher.* |

☑━━━━━━━━ **Gyakorlatok** ━━━━━━━

1   You are in Debrecen with a group of friends. You are going to celebrate a friend's birthday tonight at the **Aranybika Szálloda** (*Golden Bull Hotel*). As you are the only Hungarian speaker in the group, you have to book the table. Supply your part of the conversation. Then act it out from memory.

**Pincér**   Halló, Aranybika Szálloda.
(*a*)      *Greet him and tell him that you would like to book* (**foglal**) *a table for tonight* (**ma este**).
**Pincér**   Hány órára?
(*b*)      *Tell him that you want it for 8 o'clock.*
**Pincér**   És hány személyre parancsolja?
(*c*)      *Tell him that you want it for five people.*
**Pincér**   Szabad a nevét?
(*d*)      *Tell him your name.*
**Pincér**   Bocsánat. Nem értem.
(*e*)      *Repeat your name and then spell it for him.*
**Pincér**   Köszönöm. Akkor nyolc órakor várjuk önöket. A viszonthallásra!
(*f*)      *Say goodbye.*

**2** You go to a **vendéglő** with a group of friends.

(a) First you find that the table cloth is dirty and the table is not laid properly. You have to ask for the items listed below. How do you do it? Use the expression **legyen szíves**.

két kanál        egy tányér
egy villa          két szalvéta
három kés

| | | | |
|---|---|---|---|
| **kanál** (kanalat) | *spoon* | **tányér** (-t) | *plate* |
| **villa** *fork* | | **szalvéta** *napkin* | |
| **kés** (-t) *knife* | | | |

(b) When the dishes arrive your friends start complaining. Again, you do the talking. Tell the waiter what is wrong and ask for salt and black pepper (**bors** -ot).

| **Mi?** | **Milyen?** |
|---|---|
| bableves | sótlan (*not enough salt in it*) |
| töltött paprika | sós (*salty*) |
| pezsgő | túl édes |
| saláta | túl savanyú (*vinegary*) |
| káposztás kocka | keserű (*bitter*) |

(c) When you ask for the bill you notice that you do not have enough forints on you. Ask the waiter if you can pay by credit card (**hitelkártya**), cheque (**csekk**), traveller's cheque (**utazási csekk**) or foreign currency (**valuta**).

**3** Sam is at **Keleti pályaudvar** waiting to catch a train to Sopron. He is queuing for about 10 minutes to find out which platform his train leaves from.

(a) While he is waiting for his turn he hears some announcements over the loudspeaker. What are the announcements? Study the table below. The first one has been completed for you.

(i) Figyelem! Figyelem! Az első vágányra Győrből személyvonat érkezik. Kérjük, a vágány mellett tessék vigyázni!

| Hányadik vágányra? | Honnan? | Milyen vonat érkezik? |
|---|---|---|
| (i) 1 | Győr | személyvonat |
| (ii) 3 | Pécs | gyorsvonat |

| (iii) 5 | Szeged | gyorsvonat |
| (iv) 6 | Miskolc | személyvonat |
| (v) 2 | Debrecen | személyvonat |

| | | | |
|---|---|---|---|
| **vágány** (-t) *platform* (Lit. *track*) | | **gyorsvonat** (-ot) *fast train* | |
| **érkezik** *arrive* | | **figyelem** (figyelmet) *attention* | |
| **személyvonat** (-ot) *slow train* | | **vigyáz** *watch out* | |

(*b*) He also overhears what his fellow passengers want to know and the answers they get. What were they? Here is the first one:

(i) – Hányadik vágányról indul Győrbe a vonat?
– A nyolcadikról.

| | **Hányadik vágányról?** | **Hova?** |
|---|---|---|
| (i) | 8 | Győr |
| (ii) | 7 | Pécs |
| (iii) | 10 | Siófok |
| (iv) | 15 | Eger |
| (v) | 4 | Sopron |

4 Alex is a real eccentric. He's a plane spotter. Even while he is in Hungary, he can't resist the temptation to go spotting, so he goes out to Ferihegy Airport. To practise the language, he jots down the planes and their times of arrival in Hungarian. Study this page from his notebook, and then make up complete sentences like this: (*a*) Párizsból fél hatkor érkezik a repülőgép (*aeroplane*).

| | **Honnan?** | **Hánykor?** |
|---|---|---|
| (*a*) | Párizs | 5.30 |
| (*b*) | London | 4.45 |
| (*c*) | Bécs | 5.15 |
| (*d*) | Helsinki | 5.00 |
| (*e*) | Róma | 6.15 |

5 Which are the correct alternatives?

(*a*) (i) **Otthonról/otthonból** jössz?
(ii) Az **uszodáról/uszodából** moziba megyünk.
(iii) **Magyarországról/Magyarországból** jöttök?
(iv) **Szegedről/Szegedből** hánykor indul a vonat?
(v) A **repülőtérről/repülőtérből** taxival jövünk haza.

(b) (i) Péter a mai újságot **olvas/olvassa**.

(ii) Ma este a tv-t **nézünk/nézzük**.

(iii) Azt **hiszek/hiszem**, ma szerda van.

(iv) Mariska néni a pálinkát **iszik/issza**.

(v) **Viszünk/visszük** a kutyát is.

6 Mr Brown is checking in at the **Gellért Szálló** in Buda. Match his lines with the receptionist's so that their conversation makes sense. Write it all down and then say it out loud from memory.

**Portás**

(a) Jó napot kívánok! Tessék parancsolni.

(b) A harmadik emeleten van egy szoba. Az erkélyről nagyon szép a kilátás.

(c) Természetesen! Hány éjszakára parancsolja?

(d) Ötezer-hatszáz forintba.

(e) Nincsen. A reggeli nyolc és tizenegy óra között van az étteremben, és ott is kell fizetni. Akkor megfelel a szoba, uram?

(f) Igen. A szoba száma negyvennyolc. Szabad a nevét?

(g) A boy majd megmutatja önnek a szobát.

**Mr Brown**

(i) Van telefon és színes televízió a szobában?

(ii) A reggeli is benne van az árban?

(iii) Igen, de először szeretném megnézni. Lehet itt hitelkártyával fizetni?

(iv) Egy egyágyas szobát szeretnék szép kilátással a Dunára és Pestre.

(v) George Brown.

(vi) Még nem tudom biztosan. Valószínűleg négy-öt éjszakára. Mennyibe kerül a szoba egy éjszakára?

(vii) Köszönöm.

| | |
|---|---|
| **Ott is kell fizetni.** *And you have to pay there.* | **boy** (*pron.* boj) *page boy at a hotel* |
| **Megfelel.** (*pron.* mekfelel) *It will do. It suits me.* | **színes televízió** *colour television* |
| | **természetesen** *of course* |

7 Tamás and his wife Gizi decide to visit Pécs. They want to stay at the camp-site to save money. Gizi is a worrier. Follow her train of thought and give the correct form of each verb listed on page 185. Then say aloud what she is thinking.

| él, | tud, | mond, | remél, | aggaszt, | megy, |
|---|---|---|---|---|---|
| | mond, | kerül, | aggaszt | | |

(a) _____, hogy lesz hely a pécsi kempingben. Manapság minden nagyon drága és mindenki kempingbe (b) _____. Kíváncsi vagyok, mennyibe (c) _____ sátorral és kocsival két személyre egy éjszakára a kemping. Úgy (d) _____, hogy csak a kocsi hatvan forint lesz. Tamás mindig azt (e) _____, hogy nem kell aggódni. Könnyű ezt (f) _____! Őt semmi sem (g) _____, engem meg mindig minden (h) _____. Tamás csak a jelen pillanatban (i) _____. A családban mindig nekem kell előre tervezni!

| | |
|---|---|
| (vkit) **aggaszt** (vmi)   (sg) *worries* (sy) | **a jelen pillanatban**   *at the present moment* |
| **kemping** (-et)   *camp-site* | **nekem kell tervezni**   *I have to plan* |
| **sátor** (sátrat)   *tent* | |
| **aggódik**   *worry* (verb) | **előre**   *ahead* |

8   Answer these questions about yourself.

(a)  Hogy hívják?
(b)  Szívesen főz? [↵]
(c)  Mikor lesz legközelebb szabadságon?
(d)  Kit ismer, aki horkol?
(e)  Szeret korán kelni? [↵]
(f)  Gyakran megy első osztályú szállodába? [↵]

# Érti?

Tim is having a fortnight's holiday in Hungary. After seeing the sights of Budapest, he decides to rent a car to see some of the countryside.

**Fiatal nő**   Jó reggelt kívánok! Tessék parancsolni!
**Tim**   Egy olcsó autót szeretnék bérelni néhány napra.
**Fiatal nő**   Akkor a Fiatot ajánlom.
**Tim**   Mennyibe kerül egy napra?
**Fiatal nő**   Huszonnyolc dollárba.

| | |
|---|---|
| **Tim** | A huszonnyolc dollárban benne van a biztosítás is? |
| **Fiatal nő** | Igen. De minden kilométer után harminc centet kell fizetni. És a benzint természetesen ön veszi. Az autót tele tankkal kapja és tele tankkal kérjük visszahozni. |
| **Tim** | Értem. Hm. Elég drága itt kocsit bérelni. Előre kell fizetni, ugye? |
| **Fiatal nő** | Természetesen, uram. |
| **Tim** | Lehet angol fonttal is fizetni? |
| **Fiatal nő** | Hogyne, uram. Hány napra parancsolja a Fiatot? |
| **Tim** | Három napra. Mit ajánl? Mit érdemes megnézni? |
| **Fiatal nő** | (*getting a map of Hungary out and showing him where to go*) Sopront. Gyönyörű, régi város. Sopronból könnyű a Balatonra menni, Keszthelyre vagy Hévízre. Persze Tihanyt és Balatonfüredet sem lehet kihagyni. Tihanyból nagyon szép a kilátás a tóra. Innen érdemes Pécsre menni. Pécs nagyon szép város. És persze itt van a Csontváry Múzeum* is. Pécsről Szegedre, Szegedről Debrecenbe menjen. Szeged csodálatos város a Tisza mellett, és a szegedi halászlé nagyon finom! Debrecen az Alföld fővárosa. Sok híres épület van itt: a Nagytemplom, a kollégium, az Aranybika Szálloda. És közel van a Hortobágy, a magyar puszta! Debrecenből Egerbe menjen. Biztosan ismeri az Egri bikavért, nem? Egerben nemcsak sok szép épület, hanem sok borpince is van. De legjobb lesz, ha oda nem autóval megy, mert akkor tényleg kell majd a biztosítás!** Egerből pedig könnyű visszajönni Pestre***. |
| **Tim** | Jó, legközelebb egy hónapra jövök Magyarországra, de sajnos már csak három napom van. |
| **Fiatal nő** | Az útlevelét és a jogosítványát, legyen szíves! |
| **Tim** | (*with a little chuckle*) Mondja, maga másodállásban nem idegenvezető véletlenül? |

---

**autót bérel** *rent a car*
**biztosítás** (-t) (*pron.* bisztosítás) *insurance*
**benzin** (-t) *petrol*
**tele tank** (-ot) *full tank*
**visszahoz** (vmit) *bring back* (sg)
**kihagy** (vmit) *miss* (sg)
**az Alföld fővárosa** *the capital of the Great Plain*

**borpince** *wine cellar*
**Már csak három napom van.** *I have only three days left.*
**jogosítvány** (-t) *driving licence*
**másodállás** (-t) *second job*
**véletlenül** *by any chance*
**Mit érdemes megnézni?** *What is worth seeing?*

*Csontváry is a great 19th/20th-century Hungarian painter. His style is unique.
**It is illegal to drive after drinking any alcohol in Hungary.
***Budapest is often just called Pest.

Feleljen a kérdésekre!

(a) A biztosítás is benne van a kocsi árában (*in the price of the car*)? [⌐]
(b) Mit kell még pluszban fizetni?
(c) Hogyan kell az autót visszahozni?
(d) Milyen valutával akar Tim fizetni?
(e) Mi történik (*happen*), ha Tim túl sok bort iszik Egerben?

Solitary Cedar by Csontváry

# 13

## ÉN HORGÁSZNI FOGOK APÁVAL

*I'll be fishing with Dad*

### In this unit you will learn how to

- talk about future plans, events and actions
- say you agree or do not agree with someone

## Párbeszéd

It is Thursday evening. The Balogh family is having dinner. (János Balogh is the father, Baloghné the mother, Feri their son and Andrea their daughter.)

| | |
|---|---|
| **Feri** | Apu, te voltál már Szentendrén? |
| **B. János** | Voltam, de nagyon régen. Miért? |
| **Feri** | Pista szombaton ott volt a szüleivel. Azt mondja, hogy Szentendrénél a Dunában sok halat lehet fogni. |
| **B. János** | Tényleg? Hm … Régen voltunk már horgászni… |
| **Baloghné** | Csak a múlt szombaton … |
| **Andrea** | Anyu, a Tóth Vali is volt Szentendrén. Azt mondja, hogy sok jó butik van a városban. Nagyon szeretnék egy divatos, sötétkék miniszoknyát a ballagásra. Vali is ott fog venni egyet. Holnapután szombat lesz. Nem megyünk Szentendrére? |

I'LL BE FISHING WITH DAD

| | |
|---|---|
| **B. János** | Ti nők mindig csak a pénzt költitek! |
| **Baloghné** | Emlékszel, János? Szentendrén van a Kovács Margit Múzeum. És milyen romantikus volt a Duna-parton sétálni ... Holnapután elmegyünk a múzeumba és aztán sétálunk a városban. |
| **Feri** | De én nem akarok múzeumba menni! Utálok múzeumba járni! Én horgászni fogok apával. Jó, apa? |
| **B. János** | Jó! Vasárnap délben halászlét eszünk. |
| **Andrea** | Én nem fogok veletek egész nap a Duna-parton ülni! Ti mindig csak horgászni akartok. Nincs is még olyan jó idő! |
| **Feri** | Nem baj! Mi nem fázunk. Ti majd a Kovács Margit Múzeumba mentek és sétáltok a városban. Mi pedig horgászni fogunk. Ti is szeretitek a halászlét, nem? |
| **Andrea** | De igen. Feltéve persze, ha fogtok halat. Anyu, azt hiszem jobb lesz, ha holnap bevásárolunk. |
| **Baloghné** | Igazad van, Andrea. Biztos, ami biztos. Holnap veszünk babot, hátha csak bablevest eszünk vasárnap ebédre. |

## Szavak és kifejezések

**a szülei** *his/her parents*
**halat fog** *catch a fish*
**horgászik** *fish* (verb)
**a múlt szombaton** *last Saturday*
**nők** *women*
**pénzt** (*pron.* pénszt) **költ** *spend money*
**Ti mindig csak a pénzt költetik.**
*You're always spending money.*
(Lit. *You are always only spending money.*)

**emlékszik** *remember*
**Duna-part** (-ot) *bank of the Danube*
**elmegy** *go*
**Nincs is még olyan jó idő!**
*The weather is not even nice yet!*
**Nem baj!** *It doesn't matter.*
**feltéve ha** *provided that,*
*as long as*
**Biztos** (*pron.* bisztos), **ami biztos.**
*To be on the safe side...*
**hátha** *in case*

## Kérdések

1 Igaz vagy nem igaz? Correct and re-write the false statements.

(a) Balogh János nagyon szeret a feleségével (*with his wife*) horgászni.

— 189 —

(b)  Szentendrén sok jó üzlet van.

(c)  Feri szerint a nők sok pénzt költenek.

(d)  Baloghné szerint régen a Duna-parton romantikus volt kocogni.

(e)  Most tavasz vagy kora nyár van.

| üzlet (-et)  shop | kora nyár  *early summer* |
|---|---|

**2**   Feleljen a kérdésekre!

(a)  Pista szerint hol lehet a Dunában sok halat fogni?

(b)  Mit fog Andrea vásárolni Szentendrén?

(c)  Miért nem fog Andrea egész szombaton a Duna-parton ülni?

(d)  Mindenki szereti a családban a halászlét? [⌣]

(e)  Miért fog pénteken Andrea és Baloghné bevásárolni?

## —— Magyarország és a magyarok ——

### Ballagás

The school leavers' ceremony is an old tradition in Hungarian secondary schools. It usually takes place in May before the final exams. The whole school, and especially the school leavers' classrooms, are decorated with flowers. School leavers are given a small embroidered bag with a symbolic **pogácsa** (*Hungarian savoury scone*) and a small coin inside the bag. This is how the 'alma mater' (i.e. *nourishing mother*) sends her children on to the road of life. School leavers form a line, each with his or her hand on the shoulder of the person in front. They walk round the school slowly, while singing traditional songs, symbolically saying goodbye to their school and their childhood. Parents, relatives, friends, teachers and younger pupils line the corridors and classrooms and hand them flowers as they pass.

**Bevásárol**: there are three words in Hungarian used in connection with shopping. **Bevásárol** means *do all one's shopping*. It is an intransitive verb. **Vásárol** and **vesz** are transitive verbs. While

**vásárol** can be used without an object, meaning *do some shopping*, **vesz** can only be used with an object, meaning *buy something*:

| | |
|---|---|
| Holnap **bevásárolunk.** | *Tomorrow we'll do the shopping.* |
| Mit csinálsz itt? **Vásárolok.** | *What are you doing here? I'm doing some shopping.* |
| Andreának **veszünk** majd egy **miniszoknyát.** | *We'll get a mini-skirt for Andrea.* |

**Igazad van** (*you are right*) (sing.fam.) expresses agreement, and **nincs igazad** (*you are wrong*) (sing.fam.) expresses disagreement. The other forms are:

| | |
|---|---|
| **Igazam van/nincs igazam.** | *I'm right / wrong.* |
| **Igaza van/nincs igaza.** | *You're* (sing.form.) */he / she's right / wrong.* |
| **Igazunk van/nincs igazunk.** | *We're right / wrong.* |
| **Igazatok van/nincs igazatok.** | *You're right / wrong* (pl.fam.). |
| **Igazuk van/nincs igazuk.** | *You're* (pl.form.) */they're right / wrong.* |

 ———————— **Nyelvtan** ————————

## 1 The future

A future action or event can be expressed by:

● the present tense;

This is the most common way of expressing future actions and events. To avoid ambiguity, time expressions indicating the future are often used. Here is a list of some very common examples:

| | |
|---|---|
| **majd** *some time in the future* | **holnapután** *the day after tomorrow* |
| **most vasárnap** *this Sunday* | **a jövő szerdán** *next Wednesday* |
| **a jövő héten** *next week* | **a jövő hónapban** *next month* |
| **a jövő évben** or **jövőre** *next year* | **a nyáron** *this summer* |
| **az ősszel** *this autumn* | **a télen** *this winter* |
| **a tavasszal** *this spring* | **az idén** or **ebben az évben** *this* |
| **ezen a héten** *this week* | *year* |

| | |
|---|---|
| **rögtön** (*pron.* röktön)   *right away* | **ebben a hónapban**   *this month* |
| **két hét múlva**   *in two weeks' time* | **azonnal**   *straightaway* |
| **nyolc óra után**   *after 8 o'clock* | **ma délután**   *this afternoon* |
| **mindjárt** (*pron.* mingyárt) | **holnap este**   *tomorrow evening* |
|    *straightaway* | **hamarosan**   *soon* |
| **nemsokára**   *soon* | **a hétvégén**   *at the weekend* |
| **holnap**   *tomorrow* | |

**Holnap** mozíba **megyünk.** — *Tomorrow we'll go to the cinema.*
**Majd felhívlak.** — *I'll give you a ring.*
**Rögtön jövök.** — *I'll be back soon.*
Sajnos **az idén** nem **tudunk** — *Unfortunately, we can't go*
külföldre menni. — *abroad this year.*
**Fél nyolckor majd megnézzük** — *At 7.30, we'll watch the news.*
a híreket.

- the future tense;

This is made up of the present tense of the word **fog** plus the infinitive. Here for example is the full conjugation of the expression **will cook**:

| | Indefinite conjugation | Definite conjugation | |
|---|---|---|---|
| (én) | **fogok főzni** | **fogom főzni** | *I will cook* |
| (te) | **fogsz főzni** | **fogod főzni** | *you will cook* |
| (maga/ön/ő) | **fog főzni** | **fogja főzni** | *you/he/she will cook* |
| (mi) | **fogunk főzni** | **fogjuk főzni** | *we will cook* |
| (ti) | **fogtok főzni** | **fogjátok főzni** | *you will cook* |
| (maguk/önök/ők) | **fognak főzni** | **fogják főzni** | *you/they will cook* |

Holnap én **fogok** vacsorát **főzni.**   *Tomorrow I'll cook dinner.*
Holnap én **fogom főzni** a vacsorát. *Tomorrow I'll cook the dinner.*

The future tense is usually used to express intention or certainty:

**Nem fogok verekedni.**   *I won't fight.*
Holnap **esni fog** az eső.   *It's going to rain tomorrow.*

Note the form **foglak,** e.g. **Nem foglak szeretni,** ha mindig mérges vagy! *I won't love you if you are always angry.*

- Everything that *will,* or *will not,* happen in the future is expressed by either the present or the future tense in Hungarian. So they can express quite a few tenses in English (e.g. expressions like *I'm buying, I'm going to buy, I'll buy, I'll be buying*).

## 2 The -nál and -nél (at, by) ending

● This ending is used in answer to the question **Hol?**

(a) to indicate something happening or being at or by a certain place,
A **folyónál** találkozunk. *We'll meet at the river.*

(b) with shops named after the profession of the person running them:

A **hentesnél** most lehet téliszalámit kapni.

*One can buy 'téliszalámi' at the butcher's now.*

A **zöldségesnél** (*pron.* zölcségesnél) veszek epret.

*I'll buy strawberries at the greengrocer's.*

A **péknél** ma nem volt friss kenyér.

*There was no fresh bread at the baker's today.*

(c) when talking about something taking place at someone's place, **Eszternél** lesz a buli. *The party will be at Eszter's place.*

(d) Note that **-nál/-nél** is also used to mean: *on somebody.*

**Kinél** van a könyv? **Zsoltnál?**

*Who has got the book on them? Is it Zsolt?*

and *for* when talking about somebody working for a company:

Egy nagy pécsi **vállalatnál** dolgozom. *I work for a big company in Pécs.*

### The *-nál/-nél* forms of the personal pronouns

| Ki? | Kinél? | Kik? | Kiknél? |
|-----|--------|------|---------|
| én | nálam | mi | nálunk |
| te | nálad | ti | nálatok |
| maga | magánál | maguk | maguknál |
| ön | önnél | önök | önöknél |
| ő | nála | ők | náluk |

**Nálunk** mindig friss a tojás, uram.

*Eggs are always fresh in our shop, sir.*

Kinél lesz a születésnapi buli? **Nálatok?** [⌐]

*Where is the birthday party going to take place? At your place?*

Sajnos nincs **nálam** elég pénz.

*Unfortunately I haven't got enough money on me.*

## 3 The -val and -vel forms of the personal pronouns

| Ki? | Kivel? | Kik? | Kikkel? |
|---|---|---|---|
| én | velem | mi | velünk |
| te | veled | ti | veletek |
| maga | magával | maguk | magukkal |
| ön | önnel | önök | önökkel |
| ő | vele | ők | velük |

Akarsz **velem** táncolni? [ᴧ]    *Do you want to dance with me?*
Beszélsz **vele**? [ᴧ]    *Are you going to talk to him / her?*

## 4 Ilyen, olyan

**Ilyen** (*this, like this, like that, such, such a*) points to something nearby, or refers to something that was just said:

Ez a szoknya 1400 Ft! Most nem    *This skirt costs 1,400 forints.*
   akarok **ilyen sok pénzt** költeni.    *I don't want to spend that*
                                   *much money now.*
De szép ez a blúz! Én is **ilyent**    *What a beautiful blouse!*
   szeretnék!    *I'd like to have one like this, too.*
**Ilyen** az élet!    *Such is life.*

**Olyan** (*that, like that, such, such a, so*) points to something further away, or refers back to something said by someone else:

**Olyan kocsit** veszek.    *I'm going to buy a car like that.*
Holnap hatkor indulunk.    *We'll leave at 6 tomorrow.*
   Miért **olyan korán**?    *Why so early?*
Péter **olyan kedves** fiú!    *Peter is such a nice boy!*
**Olyan szép** idő van!    *The weather is so nice!*

Note that both these words require the indefinite conjugation.

## 5 Hall (*hear*) without tud

**Ért** (*understand*), **lát** (*see*), **talál** (*find*), **emlékszik** (*remember*) and **hall** (*hear*) do not take **tud** (*can*) in Hungarian.

Nem **hallom** a magnót.    *I can't hear the tape recorder.*

| | |
|---|---|
| Nem **értelek**, Jóska. | *I can't understand you Jóska.* |
| **Látod** őket? [◡] | *Can you see them?* |
| Nem **találom** a tollat. | *I can't find the pen.* |
| Nem **emlékszem**. | *I can't remember.* |

# ✔ ———— Gyakorlatok ————

1 Before falling asleep, Andrea thinks about the coming Saturday. Follow her train of thought and write in the missing words. Then imagine that you are Andrea, and speak her thoughts aloud.

De jó! Akkor szombaton Szentendrére (*a*) _____ menni. Nekem is lesz divatos sötétkék miniszoknyám a (*b*) _____. Én is Szentendrén (*c*) _____ venni egyet, mint Vali. Apu szerint mi nők mindig csak a pénzt (*d*) _____. Nincs (*e*) _____. Hiszen nincs minden nap ballagás! Aztán majd anyuval (*f*) _____ a Kovács Margit Múzeumot. Apu és Feri megint horgászni (*g*) _____. Persze, ez nem jelenti azt, hogy halat is (*h*) _____ fogni. Majd meglátjuk! Holnap anyuval (*i*) _____. Biztos, ami biztos. (*j*) _____ majd babot is, hátha csak bableves lesz vasárnap ebédre!

---

**Nekem is lesz miniszoknyám.**
  *I'll have a mini-skirt too.*
**mint**   *like, as*
**Ez nem jelenti azt, hogy ...**   *This doesn't mean that ...*

**Majd meglátjuk** (*pron.* megláttyuk).   *We shall see.*

---

2 It is Saturday and the Balogh family is at Szentendre. Andrea is looking in a shop window. Mrs Balogh is trying to get her to visit the museum first. Re-arrange their lines so that their conversation makes sense. Write it all down, and then act it out from memory.

(*a*) **Baloghné**   Nincs messze. A harmadik utca jobbra. Látod azt a sok japán turistát? Biztos ott van.

(*b*) **Andrea**   Rögtön jövök. Olyan jó ez a szoknya, nem, anyu?

(*c*) **Baloghné**   Na jó. Gyere, majd a múzeum után visszajövünk és megnézzük!

(*d*) **Andrea**   Messze van a múzeum?
(*e*) **Baloghné**  Melyiket mondod?
(*f*) **Andrea**   De anyu, Pesten is ilyen sokba kerül egy jó szoknya!
(*g*) **Baloghné**  Andrea, gyere!
(*h*) **Andrea**   Azt, ott. Nekem nagyon tetszik.
(*i*) **Baloghné**  Ezernégyszáz forint! Ez nagyon drága, Andrea! Apu nem fog örülni, ha ilyen sok pénzt költünk. Talán nincs is nálam most ennyi pénz.

| | |
|---|---|
| **japán** *Japanese* | **visszajön** *come back* |
| **Na jó.** *All right then.* | **ennyi** *this/that much* |

3  Late in the afternoon Baloghné and Andrea walk down to the Danube. Andrea is wearing her new mini-skirt. Which are the correct alternatives? Write their conversation down, and then act it out.

**Andrea**   Ott vannak, anyu! **Látsz/Látod** őket? Apu! Feri! Hahó!
**Baloghné**  Hiába **kiabálsz/fogsz kiabálni**, Andrea. Nem **látják/látnak** és nem **hallják/hallanak** bennünket. Csak a halakat **figyelnek/figyelik**.
**Andrea**   Sziasztok! Milyen a szoknyám?
**Feri**    Pszt! Ott egy hal!
**Andrea**   Hal? Hol? Én nem látok egyetlen halat sem. Azt **hiszem/hiszek**, holnap megint bablevest **eszünk/esszük** majd ebédre.

| | |
|---|---|
| **Hahó!** *Hello there!* | **szoknyám** *my skirt* |
| **hiába** (Lit.) *in vain* | **Pszt!** *Hush!* |
| **kiabál** *shout* | **Én nem látok egyetlen halat** |
| **figyel** (vmit) *watch* (sg) *closely* | **sem**. *I can't see a single fish.* |

4  Frigyes has finished his working week. On Friday evening he is thinking about what to do with his weekend. Write in the correct expressions. Then imagine you are Frigyes and act it out from memory.

Hosszú hét volt ez! Szerencsére vége. Holnap (*a*) _____.
Először (*b*) _____. Azután (*c*) _____. Anya biztos (*d*) _____

valami finomat. Délután talán (e) _____ egy kicsit. Aztán eset-
leg (f) _____ a Széchenyi fürdőben. (g) _____ Icát, hátha ő is
(h) _____. Holnap este pedig buliba (i) _____. Kinél is lesz?
Nem (j) _____. Karcsinál vagy Tamásnál? Hol a naptárom?
Nem (k) _____. Nem baj. Ica majd biztosan (l) _____. Hú,
már nyolc óra van! A fiúk már biztosan (m) _____ a sörözőben.

| | |
|---|---|
| majd felhívom | nem fogok korán kelni |
| fogja tudni | takarítani fogok |
| megyünk | ebédelek |
| főz majd | emlékszem |
| várnak | jön |
| úszni fogok | alszom majd |
| találom | |

| | |
|---|---|
| **hosszú** *long* | **Vége.** *It's over.* |
| **szerencsére** *luckily* | **a naptárom** *my diary* |

**5** **Mit fog csinálni a hétvégén?** Write a similar passage about
yourself, memorise it and then say it aloud as if you were telling
a friend.

**6** Which is the correct alternative?

(a) Szombaton **nálunk/velünk** lesz a buli.

(b) A **péknél/pékkel** mindig friss a kenyér.

(c) **Nálatok/veletek** megyek én is!

(d) **Veled/nálad** nem lehet viccelni? [~4]

(e) **Eszterrel/Eszternél** nehéz beszélni.

**7** Answer these questions about yourself.

(a) Mit fog a nyáron csinálni?

(b) Hol vásárol húst: a hentesnél vagy a szupermarketben?

(c) Mindig igaza van?

(d) Szeret horgászni?

———————— **Érti?** ————————

Ildi and Tünde are good friends at school. Their final exam is soon.

| | |
|---|---|
| **Ildi** | Tünde, olyan sápadt vagy! Biztosan éjjel-nappal tanulsz. Mit fogsz csinálni vasárnap? |
| **Tünde** | Otthon leszek. Feltéve, ha nincs jobb ötleted. |
| **Ildi** | Gyere, kimegyünk a strandra!* Úszunk, napozunk. Voltál már az idén strandon? |
| **Tünde** | Még nem. |
| **Ildi** | Na látod! Gyere velem! Egy kis napsütés jót fog neked tenni. |
| **Tünde** | De még nincs is olyan jó idő! |
| **Ildi** | Dehogy nincsen. Az időjárásjelentés szerint a hétvégén huszonhét-huszonnyolc fok lesz. Már a tv-t sem nézed? |
| **Tünde** | Nem szeretnék leégni. |
| **Ildi** | Nem fogsz leégni. Ismered a sárgarépa napolajat? |
| **Tünde** | Micsodát? |
| **Ildi** | Nyugaton lehet kapni. Állítólag nagyon jó fehér bőrre. |
| **Tünde** | Na jó. De tudod, hogy én nem nagyon szeretek napozni. Hamar megunom. |
| **Ildi** | Nem baj. Majd akkor úszol, vagy ha nagyon akarsz, ott is tudsz tanulni. De legalább kint leszünk a friss levegőn. |
| **Tünde** | Lehet, hogy igazad van. Melyik strandra akarsz menni? |
| **Ildi** | A Rómaira. Ott nincs olyan óriási tömeg. Fű is van, tiszta a víz. Akkor a Batthyány téren a HÉV-nél foglak várni tízkor. Jó? |
| **Tünde** | Jó. Csak az a baj, hogy nincs fürdőruhám! |
| **Ildi** | Nekem is kell egy napszemüveg. A Kálvin térnél tudok egy jó butikot. Gyere, veszünk fürdőruhát is, napszemüveget is. |
| **Tünde** | Azt hiszem, nincs nálam elég pénz. |
| **Ildi** | Nem baj, én majd adok kölcsön. Nálam van egy ötezres. Majd vasárnap megadod. |

| | |
|---|---|
| **sápadt** (*pron.* sápatt) *pale* | **sárgarépa** *carrot* |
| **éjjel-nappal** *morning, noon and* | **bőr** (-t) *skin* |
| *night* (Lit. *at night and in the day-* | **levegő** *air* |
| *time*) | **fű** (füvet) *grass* |
| **Feltéve, ha nincs jobb ötleted.** | **fürdőruha** *swimsuit* |
| *Unless you have a better idea.* | **... is, ... is** *both ... and ...* |
| **strand** (-ot) *lido* | **kölcsön ad** (vkinek) (vmit) *lend* |
| **jót tesz** (vkinek) (vmi) (sg) *does* | (sy) (sg) |
| (sy) *good* | **megad** (vkinek) (vmit) *return* (sg) |
| **leég** *get sunburnt* | *to* (sy) |

*Lidos are very popular with city people in the hot summer months.

Melyik igaz?

(*a*) Tünde nagyon sápadt, mert ...   (i) nem használ sárgarépa napolajat.

   (ii) túl sokat tanul.

(*b*) Tünde nem nagyon szeret napozni, mert ...
   (i) a napozás szerinte elég unalmas.
   (ii) fehér a bőre (*her skin*), és hamar leég.

(*c*) A sárgarépa napolaj jó, mert ...   (i) ha valaki használja, nem fog leégni.

   (ii) Nyugaton lehet kapni.

(*d*) Ildi a Rómaira szeretne menni, mert ...   (i) máshol nincs fű és piszkos a víz.

   (ii) ott nincsenek túl sokan.

(*e*) Napszemüveget és fürdőruhát ...   (i) most nem tudnak venni, mert Ildinél nincs elég pénz.

   (ii) a Kálvin térnél vesznek majd.

| | |
|---|---|
| **napozás** (-t) *sunbathing* | **máshol** *elsewhere* |

You've now learnt a great deal and should be proud of your ability in the Hungarian language. Units 14–21 will be more demanding. Just make sure you spend sufficient time on each unit before going on to the next one.

# 14

## ÉS HOL TANULT TÁNCOLNI?

### *And where did you learn to dance?*

### In this unit you will learn how to

- talk about past actions and events
- say whether something is or is not possible

 ——————— **Párbeszéd** ———————

Mária is looking for a job. She has spotted this advertisement in the newspaper. The following is part of her interview with Pál Kardos, the director of the school.

> **JAZZ-BALETT**
> tanárt keresünk heti
> 15 órára.
> Duna Tánciskola.
>
> Tel: 173– 4528

**Kardos P.**  Azt hiszem, én már mindent elmondtam az állásról. Most maga következik. Először is néhány személyi adatot szeretnék tudni. Mikor és hol született?

**Mária**  1967. február 4-én születtem Egerben. De a szüleim 1970-ben Budapestre költöztek, és én itt Pesten jártam iskolába a Horváth Mihály téren.

**Kardos P.**  Szóval maga a híres Fazekas Mihály Gimnáziumba járt?

**Mária**  Gimnáziumba sajnos nem ide jártam, csak általános iskolába. Tanulni soha sem szerettem.

**Kardos P.**  Értem. És hol tanult táncolni?

**Mária**  Mindig is imádtam balettozni. Már az általános iskolában is különórára jártam Kocsis Márta nénihez. Híres, kiváló tanár és csodálatos ember volt. Szegény tavaly meghalt. Nem ismerte véletlenül?

**Kardos P.**  Dehogynem! Márta nénit mindenki ismerte. És hogy ment a balett?

**Mária**  Nagyon jól. Szerencsés voltam, mert Márta néni mindenkivel nagyon türelmes és kedves volt. Később ő küldött jazz-balettra is. De sajnos nem lehettem balett-táncos, mert sokáig beteg voltam.

**Kardos P.**  Szóval többé nem táncol?

**Mária**  Sajnos nem. Csak táncházba járok a szabadidőmben. Ez a hobbim.

**Kardos P.**  És tanított már jazz-balettot?

**Mária**  Igen, a Balett Intézetben. A második évben jártak hozzám a gyerekek.

**Kardos P.**  Ilyen jó állást otthagyott?

**Mária**  Hát, muszáj volt. Két évvel ezelőtt férjhez mentem, és tavaly szültem. Most szeretnék visszamenni, de sajnos ott már más tanít. Nagyon szeretnék újra tanítani, és persze a pénz is jól jön.

**Kardos P.**  Értem. Azt hiszem, mindent megbeszéltünk. Vagy esetleg szeretne még valamit kérdezni?

**Mária**  Igen, csak egy utolsó kérdést. Megkapom az állást?

—————— **Szavak és kifejezések** ——————

---

| | |
|---|---|
| **állás** (-t)  *job* | **sokáig**  *for a long time* |
| **következik**  (Lit.) *follow,* | **többé nem**  *no longer, not any more* |
| *is sy's turn* | **a szabadidőmben**  *in my free time* |
| **először is**  *first of all* | **Balett Intézet** (-et)  *Ballet Institute* |
| **személyi adat** (-ot)  (Lit.) *personal* | **otthagy** (vmit)  *leave* (sg) |
| *datum* | **szül**  *give birth, have a baby* |
| **gimnázium** (-ot)  *secondary school* | **muszáj**  *must, have to, necessary* |
| **általános iskola**  *primary school* | **muszáj volt**  *had to, it was* |
| **különóra**  *private lesson* | *necessary* |
| **csodálatos**  *wonderful* | (vmi) **jól jön** (vkinek)  *come in* |
| **ember** (-t)  *person* | *handy* |
| **szegény** (-t)  *poor, poor thing* | **megbeszél** (vkivel) (vmit)  *discuss* |
| **meghal**  *die* | (sg) *with* (sy) |
| **szerencsés**  *lucky* | **utolsó kérdés** (-t)  *last question* |
| **türelmes**  *patient* (adjective) | **Megkapom az állást?** [⌃]  *Have I* |
| **kedves**  *kind, nice* | *got the job? (Lit. Will I get the job?)* |
| **jazz** (-t) (*pron.* dzseszz)  *jazz* | |

---

## Kérdések

**1**  Igaz vagy nem igaz? Correct and re-write the false statements.

(a)  Mária nem Egerben, hanem Pesten járt iskolába, mert a szülei 1970-ben a fővárosba költöztek.

(b)  Mária egy híres balett-tanárhoz járt különórára.

(c)  Kardos Pál nem ismerte Márta nénit.

(d)  Mária a táncházban tanított jazz-balettot.

(e)  Mária egy évvel ezelőtt szült.

**2**  Feleljen a kérdésekre!

(a)  Mikor és hol született Mária?

(b)  Miért nem a Fazekas Gimnáziumba járt Mária?

(c)  Kihez járt különórára Mária?

(d)  Miért nem lehetett balett-táncos Mária?

(e)  Kihez jártak a második évben a gyerekek jazz-balettot tanulni?

—— # Magyarország és a magyarok ——

## Fazekas Mihály

Fazekas Mihály was an 18th-century Hungarian poet. A lot of streets, schools and institutions are named after famous people in Hungary. There is a strong literary tradition in the country, and poets and writers have always had an important role in public life. Culture and education is important to Hungarians, and well-read and well-educated people enjoy high esteem. Someone talking about a serious topic at length is not considered a bore or pretentious. Hungarians are less keen on lengthy social chit-chat, and prefer to come straight to the point.

**Márta nénit mindenki ismerte**. (Everybody knew Márta néni.) Hungary is a small country. Many people know each other especially in professional circles.

## Táncház (*dance house*)

This used to be the place where young people in villages went dancing. The **táncház** movement started in the 1970s and has become very popular with young people in big cities. Here they learn real folk dances, and dance to original folk music. It all started in a Transylvanian village called **Szék**, where people have retained a traditional lifestyle up to the present day.

**Férjhez megy**: this expression is only used about women, e.g. **Erzsi** tavaly **férjhez ment**. *Erzsi got married last year*. To say who she married, use the ending **-hoz/-hez/-höz**, e.g. Erzsi **Tamáshoz ment férjhez**. *Erzsi married Tamás*.

The equivalent for a man is **megnősül**, e.g. **Megnősült** már **János**? *Has János got married?* To include the name of the wife, the expression **feleségül vesz** (vkit) is used, e.g. János **feleségül vette Icát**. *János married Ica*.

The word **összeházasodik** is used about two people getting married, e.g. A múlt vasárnap **Miklós és Anna összeházasodtak**. *Last Sunday Miklós and Anna got married*.

**Állás** (*job*), **munka** (*work*): these words are used just like in English.

Végre kaptam egy jó **állást!**      *At last I've got a good job!*
Tegnap nagyon sok volt a        *Yesterday there was a lot of*
**munka** az irodában.            *work to do at the office.*

Note that both words are correct in the expression **munkát keres** or **állást keres** (*look for a job*).

## Nyelvtan

### 1 Past tense: indefinite conjugation

The past tense is formed by an ending which has a short form (**-t**) and a long form (**-tt**). The short form comes directly after the verb stem, while the long form is preceded by a linking vowel (**o** for back vowel words, **e** for front vowel words and **ö** for front vowel words with **ö, ő, ü** or **ű** as their final vowel.) This form is then followed by the definite or indefinite personal endings. Here are two examples of how to form the indefinite past tense:

| Verb stem | -t/-ott -ett/-ött | Indefinite personal ending | Verb in the past tense | English equivalent |
|---|---|---|---|---|
| vár | -t | -ál | vártál | *you waited* |
| segít | -ett | -él | segítettél | *you helped* |

Whether to use the short or the long form depends on the stem. There are three possibilities:

(a) the long form (**-ott/-ett/-ött**) is taken in all persons by;

verbs ending in two consonants, e.g. **ért – értett,**
verbs ending in -**ít**, e.g. **tanít – tanított,**
one-syllable verbs ending in -**t**, e.g. **köt – kötött.**

(b) the short form (**-t**) is taken in all persons by;

verbs ending in -**ny, -r, -l, -j, -n, -ly,** e.g. **beszél – beszélt, vár – várt, fáj – fájt, köszön – köszönt,**

An easy way to remember these letters is to learn the name **Nyaraló Janó** (*Summering Johnny*). It has all these consonants. All you have to do is add -**ly.**

verbs of more than one syllable ending in **-ad** or **-ed**, e.g. **marad – maradt**.

Note that the words **áll** (*stand*) and **száll** (*fly*) are also in this group.

(c) the short form (**-t**) is taken in all persons except for the 3rd person singular form of the indefinite conjugation. This takes the long form (**-ott/-ett/-ött**).

All the verbs not mentioned in groups (*a*) or (*b*) belong to this group.

Note that the verbs **lát, mond, küld** and **kezd** are also in this group.

• The same personal endings are used whether the verb is in group (*a*), (*b*) or (*c*). But, as usual, they have different forms for back and for front vowel words. In the tables below are examples of the indefinite personal endings in the past tense for each type of verb.

### Back vowel verbs

|  | Group (a) | Group (b) | Group (c) |
|---|---|---|---|
| (én) | tanítottam | vártam | adtam |
| (te) | tanítottál | vártál | adtál |
| (maga/ön/ő) | tanított | várt | adott |
| (mi) | tanítottunk | vártunk | adtunk |
| (ti) | tanítottatok | vártatok | adtatok |
| (maguk/önök/ők) | tanítottak | vártak | adtak |

### Front vowel verbs

|  | Group (a) | Group (b) | Group (c) |
|---|---|---|---|
| (én) | kötöttem | kértem | néztem |
| (te) | kötöttél | kértél | néztél |
| (maga/ön/ő) | kötött | kért | nézett |
| (mi) | kötöttünk | kértünk | néztünk |
| (ti) | kötöttetek | kértetek | néztetek |
| (maguk/önök/ők) | kötöttek | kértek | néztek |

Note that the 3rd person singular form has no personal ending.

The following verbs are irregular:

| Verb | Full indefinite conjugation in the past tense | | | | | |
|---|---|---|---|---|---|---|
| megy | mentem | mentél | ment | mentünk | mentetek | mentek |
| jön | jöttem | jöttél | jött | jöttünk | jöttetek | jöttek |
| eszik | ettem | ettél | evett | ettünk | ettetek | ettek |
| iszik | ittam | ittál | ivott | ittunk | ittatok | ittak |
| tesz | tettem | tettél | tett | tettünk | tettetek | tettek |
| vesz | vettem | vettél | vett | vettünk | vettetek | vettek |
| hisz | hittem | hittél | hitt | hittünk | hittetek | hittek |
| visz | vittem | vittél | vitt | vittünk | vittetek | vittek |
| lesz* | lettem | lettél | lett | lettünk | lettetek | lettek |
| fekszik | feküdtem | feküdtél | feküdt | feküdtünk | feküdtetek | feküdtek |
| alszik | aludtam | aludtál | aludt | aludtunk | aludtatok | aludtak |
| emlékszik | emlékeztem | emlékeztél | emlékezett | emlékeztünk | emlékeztetek | emlékeztek |

*__Lesz__ here means _become_.

The past tense is often used with time expressions like:

__tegnap__ _yesterday_
__tegnapelőtt__ _the day before yesterday_
__a múlt héten__ _last week_
__a múlt szombaton__ _last Saturday_
__a múlt hónapban__ _last month_
__a múlt évben__ or __tavaly__ _last year_
__a nyáron__ _last summer_
__a télen__ _last winter_

__az ősszel__ _last autumn_
__a tavasszal__ _last spring_
__a múltkor__ _last time_
__tavaly szeptemberben__ _last September_
__két perccel / órával / nappal / héttel / hónappal / évvel ezelőtt__ _two minutes / hours / days / weeks / months / years ago, etc._

● Everything that happened or did not happen before the present moment is expressed with the past tense in Hungarian. So it expresses quite a few tenses in English (e.g. expressions like _has gone, went, was going, had gone, had been going_):

Éppen most __reggeliztem__.
__Olvastam__ a könyvet, de nem emlékszem miről szól.
__Láttad__ az új francia filmet? [⌐]

__Aludtál__ már sátorban? [⌐]
Még nem __jártam__ Budán.
Tegnap tv-t __néztünk.__
Amikor __megérkeztem__, András éppen __olvasott__.

_I've just had breakfast._
_I've read the book, but I can't remember what it's about._
_Have you seen the new French film?_

_Have you slept in a tent before?_
_I haven't been to Buda before._
_Yesterday we watched television._
_When I arrived András was reading a book._

| Mire **megérkeztem**, Eszter már **elment**. | *By the time I arrived Eszter had already left.* |
| Még csak nyolc óra volt, de Anna már órák óta **dolgozott**. | *It was only 8 o'clock, but Anna had been working for hours.* |

✳ The past tense is a rather complicated feature of Hungarian. So you need lots of practice! Learn the examples and the irregular verbs by heart. Then try to conjugate a few verbs aloud. (It might help if you do it in writing as well.)

## 2  The -hoz, -hez and -höz (to) ending

Words taking the ending **-nál/-nél** in answer to the question **Hol?**, take the ending **-hoz/-hez/-höz** in answer to the question **Hova?**:

| Este a **folyóhoz** mentünk. | *In the evening we went to the river.* |
| Először a **pékhez** mentem, azután a **zöldségeshez**. | *First I went to the baker's and then to the greengrocer's.* |
| **Eszterhez** mész? [∿] | *Are you going to Eszter's?* |

### The -hoz, -hez and -höz forms of the personal pronouns

| Ki? | Kihez? | Kik? | Kikhez? |
|-----|--------|------|---------|
| én | hozzám | mi | hozzánk |
| te | hozzád | ti | hozzátok |
| maga | magához | maguk | magukhoz |
| ön | önhöz | önök | önökhöz |
| ő | hozzá | ők | hozzájuk |

Először **hozzánk** jöttök? [∿]  *Are you coming to our place first?*

✳ Not only verbs, but also some expressions require the use of endings. Often there is no logical reason for which ending to use. You just have to learn them, e.g. (vki) férjhez megy vki**hez**: Ági egy **külföldihez ment férjhez**. *Ági married a foreigner.*

## 3  The -ról and -ről ending

This ending can also mean *about*:

| **Kiről** írt István? | *Who did István write about?* |
| **Miről** szólt a film? | *What was the film about?* |

## 4 The date

• In answer to the question **Hányadika van?** (*What's the date?*), ordinal numbers are used with the **-a/-e** ending, e.g. **január másodika** (*January 2*), **február harmadika** (*February 3*), **március negyedike** (*March 4*), etc.

Note the only irregular form: **elseje** (*the first of*).

When writing the date in numbers, a full stop is needed after the year and the day, e.g. **1993. március 24**.

The names of the months are often abbreviated: **jan.**, **feb.**, **márc.**, **ápr.**, **máj.**, **jún.**, **júl.**, **aug.**, **szept.**, **okt.**, **nov.**, **dec.**, e.g. **1993. márc. 24**.

Alternatively, they can be written in Roman numerals, e.g. **1993. III. 24**. (It is read out like this: **harmadik hó huszonnegyedike**.) The form **1993. 03. 24**. is also used.

Hungarian date order is the opposite of British English; first comes the year, followed by the month and then the day.

• In answer to the question **Hányadikán?** (*On which day of the month?*) the **-n** ending is used, e.g. **február negyedikén** (*on February 4*).

Note the absence of a full stop after days, e.g. **február 4-én, április 6-án**, etc. The only irregular form is **1-jén**.

## 5 Nem (*not*)

**Nem** comes directly before the word it negates. They are the focus of the sentence, so they are usually followed by the verb:

**Nem vagyok** balett-táncos. — *I'm not a ballet dancer.*
**Nem balett-táncos** vagyok, hanem operaénekes. — *I'm not a ballet dancer, but an opera singer.*
**Nem mentünk** Rómába. — *We didn't go to Rome.*
**Nem Rómába** mentünk, hanem Firenzébe. — *We didn't go to Rome, but to Florence.*

## 6 Soha (*never*) requiring a negative

The words **soha** (*never*), **senki** (*nobody*), **semmi** (*nothing*), **sehol** (*nowhere*), **sehova** (*to nowhere*), **sehonnan** (*from nowhere*) always require a negative expression like **nem** or **sem**. (Either of these can be used.)

| | |
|---|---|
| **Soha nem** mondasz igazat! | *You never tell the truth.* |
| **Senki sem** érti Pétert. | *Nobody understands Péter.* |
| **Semmit nem** akarsz enni? [↴] | *Don't you want to eat anything?* |
| **Sehol sem** kaptam téliszalámit. | *I couldn't get 'téliszalámi' anywhere.* |
| A hétvégén **sehova nem** mentünk. | *We didn't go anywhere at the weekend.* |
| **Sehonnan sem** kaptam levelet. | *I didn't get any letters from anywhere.* |

Note that **senki** and **semmi** can take endings:

| | |
|---|---|
| **Senkivel** sem találkoztál? [↴] | *Didn't you meet anybody?* |
| Béla már **semmiben** sem hisz. | *Béla doesn't believe in anything any more.* |

## 7 Lehet (*be possible, can be, may be*)

This word can be conjugated in Hungarian:

| | |
|---|---|
| 30 éves **lehetett**. | *He might've been 30 years old.* |
| Sajnos nem **lehettem** balett-táncos, mert sokáig beteg voltam. | *Unfortunately I couldn't become a ballet dancer because I was ill for a long time.* |

## 8 Más (*other*)

This word can refer both to people and things. It can take a number of endings, or can be joined to other words. So it can mean a lot of things. Here are a few examples;

| | |
|---|---|
| Köszönöm **mást** nem kérek. | *That's all, thank you.* |
| Sajnos most vasárnap nem tudunk jönni. Talán majd **máskor**. | *Unfortunately we can't come this Sunday. Perhaps another time.* |
| Próbáltál már **máshol** is szobát keresni? [↴] | *Have you also tried looking for a room elsewhere?* |
| **Mással** nem akarok moziba menni, csak veled! | *I don't want to go to the cinema with someone else, only with you.* |

——————— **Gyakorlatok** ———————

1   Klára Lehoczky spotted this advertisement in the paper:

> Energikus, fiatal titkárnőt
> keres egy budapesti
> nagyvállalat. Az angol
> nyelv ismerete előny.
> Jó kereseti lehetőség !
>
> Tel: 137–8429

| | |
|---|---|
| **energikus**  *energetic*<br>**Az angol nyelv ismerete előny.**<br>*Knowledge of English is an*<br>*advantage.* | **jó kereseti lehetőség**  *good*<br>*salary prospects* |

She liked it and decided to apply for the job. First she wrote her
C.V.* Study it carefully and then supply her answers to the
interviewer's questions.

1966. április 23-án születtem Szegeden. Itt jártam általános
iskolába, majd gimnáziumba is. A gimnáziumban kezdtem
angolul tanulni. 1986-ban Angliába, Oxfordba utaztam egy
rövid nyelvtanfolyamra. 1987-ben Budapestre költöztem.
Először a Duna utcai cipőgyárban dolgoztam a XIV.
kerületben. Az igazgató mellett voltam titkárnő. Közben
este nyelvtanfolyamon tanultam angolul. 1988-ban férjhez
mentem. 1989-ben született a fiam, Márton, 1990-ben
pedig a lányom, Anikó. A férjem újságíró és elég jól keres.
Így én otthon maradtam a gyerekekkel. Folyékonyan
beszélek angolul és tudok egy kicsit franciául is. Nagyon
szeretnék ismét dolgozni.

| | |
|---|---|
| **kezd**  *start* (verb) | **a fiam**  *my son* |
| **nyelvtanfolyam** (-ot)  *language course* | **a lányom**  *my daughter* |
| **gyár** (-at)  *factory* | **folyékonyan**  *fluently* |
| **az igazgató mellett**  *for the manager* (Lit. *next to the manager*) | **ismét**  *again* |

*Note that a traditional Hungarian C.V. is much more personal and detailed than its equivalent in Britain.

(a)  Először is néhány személyi adatot szeretnék tudni. Mikor és hol született?
(b)  Értem. Itt járt iskolába is? [⌐]
(c)  És mikor költözött a fővárosba?
(d)  Hol dolgozott Pesten?
(e)  Hol tanult angolul?
(f)  Jelenleg miért nem dolgozik?

| | |
|---|---|
| **jelenleg**  *at present* | **főváros** (-t)  *capital (city)* |

2  Turn Klára Lehoczky's C.V. into a short biography. Write it all down in the 3rd person singular form, and then say it aloud. You will need the phrases: **a fia** (*her son*), **a lánya** (*her daughter*).

3  Write your own C.V. in Hungarian. Then read it aloud.

4  Over a glass of beer János is talking about his life to his new friend, Ervin. What is the correct past tense form of the verbs in brackets? Imagine that you are János and tell your story to Ervin.

Tudod, Ervin, nehéz az élet! A lányom a múlt szombaton (**megy**) _____ férjhez. Egyedül (**marad**) _____. A feleségem két évvel ezelőtt (**meghal**) _____. Nagyon (**szeret**) _____ szegényt. Még csak 47 éves volt. Akkor nagyon sokat (**iszik**) _____. Nem (**hisz**) _____, hogy még egyszer normális ember leszek. Csak otthon (**fekszik**) _____ vagy a kocsmába (**jár**) _____. Alig (**eszik**) _____. Szerencsére velem (**lakik**) _____ a lányom. Ő nagyon sokat (**segít**) _____: (**főz**) _____, (**mos**) _____, (**takarít**) _____ és (**küld**) _____ munkát keresni. Ugyanis tavaly munkanélküli (**lesz**) _____. Én nem (**akar**) _____ dolgozni. De a lányom (**talál**) _____ nekem egy jó állást. Fél évvel ezelőtt újra dolgozni (**kezd**) _____. De mi lesz most velem a lányom nélkül?

| | |
|---|---|
| **egyedül marad** *be left on one's own* | **mos** *wash clothes* |
| **még egyszer** *once more, again* | **munkanélküli** *unemployed* |
| **normális** *normal* | **ugyanis** *for* |

5 Which are the correct alternatives?

(a) A **mozinál/a mozihoz** találkozunk.
(b) A múlt pénteken **Andráshoz/Andrásnál** mentetek buliba? [◡]
(c) Kati nem egy **amerikainál/amerikaihoz** ment férjhez? [◡]
(d) Tavaly is **a Balatonnál/a Balatonhoz** mentél nyaralni? [◡]
(e) **Nálad/Hozzád** a nyáron is jöttek gyerekek tanulni? [◡]
(f) Dávid 1972-ben egy pécsi **nagyvállalatnál/nagyvállalathoz** dolgozott.

| |
|---|
| **nyaral** *be on summer holiday* |

6 Sándor is looking back on his life. He has put the following dates and events in his diary. What dates are important in his life, and why? Write complete sentences using the information given below. Here is the first one:

(a) Ezerkilencszázötvenkilenc június hatodika azért fontos, mert akkor született Sándor.

| **Mikor?** | **Mi történt?** |
|---|---|
| (a) 1959. jún. 6 | születtem |
| (b) 1982. szept. 10. | dolgozni kezdtem |
| (c) 1987. dec. 19. | megnősültem |
| (d) 1990. szept. 20. | fiam született |
| (e) 1991. okt. 31. | lányom született |
| (f) 1992. aug. 1. | vezérigazgató lettem |

| | |
|---|---|
| **vezérigazgató** *managing director* | **...azért fontos, mert** *...is important because* |

7 When were these famous Hungarians born? Write complete sentences.

(a) Balassi Bálint, költő (**1554. okt. 20.**)
(b) Arany János, költő (**1817. márc. 2.**)
(c) Petőfi Sándor, költő (**1823. jan. 1.**)
(d) Ady Endre, költő (**1877. nov. 22.**)
(e) Móricz Zsigmond, író (**1879. jún. 29.**)

| | | | |
|---|---|---|---|
| **költő** | *poet* | **író** | *writer* |

**8** Play around with these two sentences. What can you negate, and where can you put **nem**? Write down all the possibilities.

(a) János bácsi friss húst vett ma a hentesnél.
(b) Peti három palacsintát evett tegnap ebédre.

**9** Our lazy Jack still makes mistakes. Put **jó** after the sentences he got right, and **rossz** after the ones he got wrong and correct them.

(a) Még soha jártam Párizsban.
(b) Külföldön senki ismeri Balassi Bálintot.
(c) Jolán, miért mentél mással moziba?
(d) Muszáj volt a zöldségeshez menni, mert nem volt itthon paradicsom a pörkölthöz.
(e) János megnősült Eszterrel.

**10** Answer these questions about yourself.

(a) Látott már fehér elefántot? [↘]
(b) Jó iskolába járt? [↘]
(c) Lehet még balett-táncos? [↘]
(d) Evett már igazi gulyáslevest? [↘]
(e) Mikor vett utoljára fürdőruhát vagy fürdőnadrágot?

| | | | |
|---|---|---|---|
| **utoljára** | *last time* | **fürdőnadrág** (-ot) | *bathing trunks* |

 ——————— **Érti?** ———————

This is a short biography of Count István Széchenyi (*pron.* szécsényi), who is known as '*the greatest Hungarian*'.

Gróf Széchenyi István: országépítő, politikus és író 1791. szeptember 21-én született Bécsben. A Széchenyi-család igen gazdag, híres magyar arisztokrata család volt. Széchenyi István édesapja, Széchényi Ferenc alapította a Nemzeti Múzeumot. 1809-ben a fiatal Széchenyi katonatiszt lett. Részt vett a lipcsei csatában Napóleon ellen, és 1814-ben ott volt a bécsi kongresszuson is. 1815-ben járt először Angliában. Később is sokat utazott. Járt Olaszországban, Törökországban, Görögországban, Franciaországban és Németországban is. De Anglia maradt a szerelme: igazi anglomán volt. Angliában sok mindent megfigyelt és tanult. Magyarország ekkor, a XIX. század elején igen elmaradott, feudális ország volt. Széchenyi modern, polgári társadalmat akart építeni; a semmiből próbált országot teremteni. „Sokan azt gondolják: Magyarország volt; én azt szeretem hinni: lesz!" – írta.

Széchenyi István nemcsak álmodott, tenni is tudott. Az országgyűlésen ő beszélt a latin helyett először magyarul. 1825-ben tudományos akadémiát alapított. Később lóversenyt szervezett, az angol klubok mintájára kaszinót alapított és egy angol mérnökkel, William Tierney Clarkkal hidat épített. A Lánchíd volt az első állandó híd Pest és Buda között. (Tierney Clark építette a londoni Hammersmith-hidat is!) Széchenyi szabályozta a Dunát és a Tiszát, a Balatonon ő indította el a gőzhajózást, vasutat épített, és közben néhány könyvet írt az ország átalakításáról. 1848-ban miniszter lett az első magyar kormányban. A „legnagyobb magyar" igen gazdag életet élt. Rendkívül bonyolult és érdekes ember volt. 1860. április 7-én halt meg Döblingben.*

| | |
|---|---|
| **országépítő\*\*** (Lit.) *country builder* | **teremt** (vmit) *create* (sg) |
| **igen** *very* | **próbál** *try* |
| **gazdag** *rich* | **álmodik** *dream* (verb) |
| **alapít** *found* (e.g. *found a society*) | **tesz** *do, act* (verb) |
| **katonatiszt** (-et) *army officer* | **országgyűlés** (-t) *national assembly* |
| **részt vesz** (vmiben) *take part in* (sg) | **tudományos akadémia** *academy of sciences* |
| **a lipcsei csata** *the battle of Leipzig* | **lóverseny** (-t) *horse race* |
| **Törökország** (-ot) *Turkey* | **szervez** (vmit) *organise* (sg) |
| **Görögország** (-ot) *Greece* | **az angol klubok mintájára** *on the model of English clubs* |
| **a szerelme** *his love* | **állandó** *permanent* |
| **anglomán** *Anglophile* | **szabályoz** (vmit) *regulate* (sg) |
| **sok minden** (-t) *a lot of things* | **Ő indította el a gőzhajózást.** *He started steamboat services.* |
| **megfigyel** *observe* | **vasút** (vasutat) *railway* |
| **a XIX. század elején** *at the beginning of the 19th century* | **az ország átalakítása** *the transformation of the country* |
| **elmaradott** *backward* | **kormány** (-t) *government* |
| **polgári társadalom** (társadalmat) *bourgeois society* | **rendkívül** *extremely* |
| **épít** (vmit) *build* (sg) | **bonyolult** *complicated* |

*Döbling is a suburb of Vienna today.
**Note that this is not a word that you would find in a dictionary. Hungarian writers sometimes make up their own words, for example in newspaper articles and essays.

Igaz vagy nem igaz? Correct and re-write the false statements.

(a) Széchenyi István alapította a Nemzeti Múzeumot.
(b) Széchenyi sok országban járt, de Anglia maradt a szerelme.
(c) Magyarország a XIX. század elején elég fejlett ország volt.
(d) A legnagyobb magyar nemcsak álmodni, hanem tenni is tudott.
(e) Széchenyi 1860. szeptember 21-én halt meg Bécs mellett.

| |
|---|
| **fejlett** *developed* |

# 15

## KEDVES RITA!
### Dear Rita,

### In this unit you will learn how to

- write cards, formal and informal letters
- express congratulations and condolences

---------------- **Párbeszéd** ----------------

Rita, Bea and Sári are good friends and they all study at Szeged University. Sári has gone to Budapest to do some interpreting during the holidays. Rita and Bea meet at a café.

**Bea**  Régen írt már Sári. Mi lehet vele? Tudod, milyen. Vele mindig történik valami.

**Rita**  Éppen ma reggel kaptam tőle levelet. Várj csak, itt van!
(*She pulls it out of her handbag and reads it out to Bea.*)
„Kedves Rita!
„Ne haragudj, hogy olyan sokáig nem írtam. Nem felejtettelek el benneteket, de rengeteg minden történt velem. Képzeld, megismerkedtem egy érdekes angol fiúval."

**Bea**  Ez jól kezdődik! Kíváncsi vagyok, kivel találkozott megint... Emlékszel, amikor azt a skót szoknyás fiút bemutatta?

**Rita** És emlékszel az amerikai baseball-játékosra?
(*Both of them laugh.*)

**Bea** Folytasd! Mit ír?

**Rita** „Pár nappal ezelőtt egy kisvendéglőbe mentem ebédelni a József körúton. Elég késő volt, délután fél négy fele lehetett. Nem volt nagy választék: már csak csirke és pörkölt maradt. Egy másik asztalnál egy 22 év körüli fiú ült az ablak mellett. Gondoltam, hogy turista lehet, mert egy hátizsák feküdt mellette a földön. A fiú odahívta a pincért, és a csirkét kérte. A pincér nem értette. A fiú lassan, hangosan megismételte: csírr-ke. A pincér még mindig nem értette, mit akar. A fiú ekkor felugrott és elkezdett hadonászni a karjával, mint egy tyúk, amikor a szárnyát csapkodja és most már kiabálta: csírr-ke!!! A pincér ijedt arccal hátrált. Mindenki nevetett. „Azt hiszem, csirkét kér."– mondtam a pincérnek. „Á, csirke."– ismételte a pincér. „Most már értem!" "De hát én is ezt mondtam!"– mondta a fiú. Elmagyaráztam neki, hogy a kiejtése nem volt tökéletes.

Együtt ebédeltünk. Sok mindenről beszélgettünk. Képzeld, este 8-ig ott ültünk az étteremben! Alig várom a vasárnapot. A hét húszas vonattal érkezem. A többit majd szóban elmondom. Beát is üdvözlöm.

Sok puszi:

Sári"

(*Rita puts down the letter.*)

**Bea** Tudtam, hogy Sári nem fog Pesten unatkozni!

 ——— **Szavak és kifejezések** ———

| | |
|---|---|
| **Mi lehet vele?** *What's happened to her?* (Lit. *What can be with her?*) | *sorry that...* |
| **Tudod, milyen.** *You know what she's like.* | **hangosan** *loudly, aloud* |
| **levél** (levelet) *letter* | **megismétel** (vmit) *repeat* (sg) |
| **Várj csak!** *Wait!* | **felugrik** *spring to one's feet* |
| **Ne haragudj** (*pron.* haraguggy), **hogy...** (Lit. *Don't be angry*) *I'm* | **elkezd** *start* (verb) |
| | **hadonászik a karjával** *fling one's arms about* |
| | **kar** (-t) *arm* |

**sokáig** *for a long time*
**elfelejt** (vmit) (vkit) *forget* (sg) (sy)
**Nem felejtettelek el benneteket.**
*I haven't forgotten you.*
**rengeteg minden** (-t) *a lot of things*
**skót szoknyás** *in a Scottish kilt*
**bemutat** (vkit) (vkinek) *introduce*
(sy) *to* (sy)
**Folytasd!** *Go on!*
**választék** (-ot) *choice, selection*
**egy másik** (-at) *another*
**22 év körüli fiú** *a young man of
about 22*
**hátizsák** (-ot) *rucksack*
**mellette** *next to him, near him*
**lassan** *slowly*
**a szárnyát csapkodja** *is flapping
its wings*
**szárny** (-at) *wing*

**ijedt** (*pron.* ijett) *scared*
**arc** (-ot) *face*
**hátrál** *back* (verb)
**elmagyaráz** (vkinek) (vmit) *explain*
(sg) *to* (sy)
**a kiejtése** *his pronunciation*
**tökéletes** *perfect*
**együtt** *together*
**beszélget** (vkivel) (vmiről) (vkiről)
*talk to* (sy) *about* (sg) (sy)
**este 8-ig** (*pron.* nyolcig)
*until 8 o'clock in the evening*
**a többi** *the rest*
**szó** *word*
**unatkozik** *be bored*

## Kérdések

1 Igaz vagy nem igaz? Correct and re-write the false statements.

(a) Rita ma reggel kapott Sáritól levelet.
(b) Sári nemrég írt.
(c) A vendéglő kicsi volt és ezért a választék sem volt nagy.
(d) A pincér nem értette a fiút, mert külföldi turista volt, és akcentussal beszélt magyarul.
(e) Sári segített a fiúnak.

| **nemrég** *not long ago* | **akcentus** (-t) *accent* |
|---|---|

2 Feleljen a kérdésekre!

(a) Miért nem írt Sári sokáig?
(b) Honnan tudta Sári, hogy a fiú turista?
(c) Miért nem értette a pincér a fiút?
(d) Meddig ült Sári a fiúval az étteremben?
(e) Melyik vonattal érkezik Sári Budapestről Szegedre?

| **Honnan tudta ...?** *How did she know...?* | **Meddig?** *How long?* |
|---|---|

# —— Magyarország és a magyarok ——

## *Writing letters*

How you address people in a letter, and how you end it depends on whether the letter is formal or informal. Here are the most common examples:

### Informal letters

Addressing people

| | |
|---|---|
| Kedves Kati! | *Dear Kati,* |
| Drága Anyu! | *Dear / Darling Mum,* (This is for people who are very close) |
| Szia Gyuri! | *Hello, Gyuri,* (This is often preferred by young people) |

Closing lines

| | |
|---|---|
| Szeretettel: | *With love,* |
| Sok szeretettel: | *With much love,* |
| Üdvözlettel: | (Lit.) *with regards,* equivalent to *Regards,* |
| Üdv.: | *short for Üdvözlettel* |
| Minden jót! | *All the best!* |
| Szia! | *Bye!* (This is often used by young people) |
| Puszi: | (Lit.) *a kiss* |
| Sok puszi: | (Lit.) *lots of kisses* |
| Csókollak: | (Lit.) *I kiss you* |

These last three expressions are usually used by women when writing to close friends or relatives. Men can also use them when writing to female friends or relatives, but never to other men!

### Formal letters

Addressing people

Here the word **tisztelt** (Lit.) *respected* is used.

| | |
|---|---|
| Tisztelt Igazgató Úr! | (Lit.) *Respected Mr Director,* (Use this form if you know the person's title) |
| Tisztelt Uram! | *Dear Sir,* |
| Tisztelt Asszonyom! | *Dear Madam,* |

| | |
|---|---|
| Tisztelt Nagy Úr! | *Dear Mr Nagy,* |
| Tisztelt Nagy József! | *Dear József Nagy,* |
| Tisztelt Kovács Júlia! | *Dear Júlia Kovács,* |
| Tisztelt Nagy Józsefné! | *Dear Mrs József Nagy,* |

Closing lines:

| | |
|---|---|
| Tisztelettel: | (Lit.) *with respect,* equivalent to *Yours sincerely* or *Yours faithfully.* |

When signing, use your full name.

The format for letters in Hungarian is shown in Sári's letter in the **Dialogue**.

- When addressing people, all words begin with a capital letter, followed by an exclamation mark. Write it in the middle of the page.

- Write the closing line on the right hand side, followed by a colon and your signature underneath.

- The date can be written in the top right hand corner, or after the closing line on the left hand side. Usually it is preceded by the name of the place where the letter was written from, and is followed by a comma, e.g. **Budapest, 1992. december 7**. (Budapest is often shortened to Bp.)

- In letters, to show respect, some people like to spell the personal pronouns **te**, **ti**, **maga**, **ön**, **maguk** and **önök** with a capital letter.

- The address of the **feladó** (*sender*) is written on the envelope either in the top left hand corner or on the back, but not on the letter itself.

## Writing cards

People send each other a **karácsonyi lap** (*Christmas card*) saying **Kellemes karácsonyi ünnepeket és boldog új évet kívánok!** (Lit.) *I wish pleasant Xmas holidays and a happy New Year.* **Boldog új évet kívánok!** is often shortened to **B.Ú.É.K.** (read out in one word: buék). It is customary to send a **húsvéti lap** (*Easter card*) as well saying **Kellemes húsvéti ünnepeket kívánok!** (Lit.) *I wish pleasant Easter holidays.*

It is not a tradition in Hungary to send people humorous birthday cards. On birthday and nameday cards people express what they wish for others, e.g. **Boldog születésnapot kívánok!** (Lit.) *I wish a happy birthday.* On occasions such as a wedding, the birth of a baby or when someone dies, people might send a **dísztávirat**. This is a card-like telegram with a picture on the front. The phrases used on these occasions might be:

| | |
|---|---|
| **Gratulálok!** | *Congratulations!* |
| **Sok boldogságot kívánok!** | *I wish lots of happiness!* |
| **Őszinte részvétem**. | *My heartfelt condolences.* |

**Megismerkedik, találkozik** (vkivel): both these mean *meet somebody.* **Megismerkedik** is used when meeting someone for the first time:

A vonaton **megismerkedtem** egy furcsa lánnyal.   *On the train I met a strange girl.*

**Találkozik** means meet or bump into somebody you already know:

A pályaudvar előtt **találkoztunk**. *We met outside the railway station.*
Képzeld, tegnap **találkoztam** Ferivel!   *Just imagine, yesterday I met Feri.*

**Fiú** (*boy*): this word can be used in Hungarian for a young man in his twenties, e.g. Egy **22 év körüli fiú** ült az ablak mellett. *A young man of about 22 was sitting near the window.*

**Vár**: this word can mean:

(a) *wait for somebody or something,* e.g. Mit csinálsz itt? *What are you doing here?* **Marit várom**. *I'm waiting for Mari.*

(b) *expect somebody or something,* e.g. **Levelet vársz?** [�] *Are you expecting a letter?*

(c) *look forward to something,* e.g. Már nagyon **várom a nyarat**. *I'm very much looking forward to the summer.*

# Nyelvtan

## 1 The past tense: definite conjugation

### Back vowel verbs

|            | Group (a)   | Group (b)  | Group (c)  |
|------------|-------------|------------|------------|
| (én)       | tanítottam  | vártam     | adtam      |
| (te)       | tanítottad  | vártad     | adtad      |
| (maga/ön/ő)| tanította   | várta      | adta       |
| (mi)       | tanítottuk  | vártuk     | adtuk      |
| (ti)       | tanítottátok| vártátok   | adtátok    |
| (maguk/önök/ők) | tanították | várták  | adták      |

### Front vowel verbs

|            | Group (a)   | Group (b)  | Group (c)  |
|------------|-------------|------------|------------|
| (én)       | kötöttem    | kértem     | néztem     |
| (te)       | kötötted    | kérted     | nézted     |
| (maga/ön/ő)| kötötte     | kérte      | nézte      |
| (mi)       | kötöttük    | kértük     | néztük     |
| (ti)       | kötöttétek  | kértétek   | néztétek   |
| (maguk/önök/ők) | kötötték | kérték   | nézték     |

The first person singular definite and indefinite personal endings are identical in the past tense (see page 205 for indefinite personal endings in the past tense).

Note the **-alak/-elek** form:

Tegnap sokáig **vártalak**.     *Yesterday I was waiting for you for a long time.*

Nem **felejtettelek** el benneteket.     *I didn't forget you.*

The following verbs are irregular:

| Verb | Full definite conjugation in the past tense | | | | | |
|------|------|------|------|------|------|------|
| eszik | ettem | etted | ette | ettük | ettétek | ették |
| iszik | ittam | ittad | itta | ittuk | ittátok | itták |
| tesz | tettem | tetted | tette | tettük | tettétek | tették |
| vesz | vettem | vetted | vette | vettük | vettétek | vették |
| hisz | hittem | hitted | hitte | hittük | hittétek | hitték |
| visz | vittem | vitted | vitte | vittük | vittétek | vitték |

● In Hungarian a sentence might start in the past tense and continue in the present or future:

Azt **hittem**, hogy **szereted** a csirkét.
*I thought you liked chicken.*

**Tudtam**, hogy nem **fogsz** unatkozni.
*I knew you wouldn't be bored.*

The past tense in the second half of the sentence is only necessary if the action or event expressed there happened before the one expressed in the first half of the sentence:

A pincér nem **értette**, hogy mit **akar** a fiú.
*The waiter didn't understand what the young man wanted.*

A pincér nem **értette**, hogy mit **akart** a fiú.
*The waiter didn't understand what the young man had wanted.*

## 2 The -tól and -től (from) ending

Words taking the ending **-nál/-nél** in answer to the question **Hol?**, and the ending **-hoz/-hez/-höz** in answer to the question **Hova?**, take the **-tól/-től** ending in answer to the question **Honnan?**

| Hol? (Where?) | Hová? (Where to?) | Honnan? (Where from?) |
|------|------|------|
| folyó**nál** | folyó**hoz** | folyó**tól** |
| pék**nél** | pék**hez** | pék**től** |
| Ági**nál** | Ági**hoz** | Ági**tól** |

Anna a **zöldségestől** a pékhez ment.
*Anna went to the baker's from the greengrocer's.*

Az utolsó **háztól** lehet látni a folyót.
*One can see the river from the last house.*

**Mártától** jössz? [↵]     *Are you coming from Márta's?*

## The -tól/-től forms of the personal pronouns

| Ki? | Kitől? | Kik? | Kiktől? |
|-----|--------|------|---------|
| én | tőlem | mi | tőlünk |
| te | tőled | ti | tőletek |
| maga | magától | maguk | maguktól |
| ön | öntől | önök | önöktől |
| ő | tőle | ők | tőlük |

**Tőlünk** egyenesen a sörözőbe mentek? [↵]   *Are you going from here straight to the pub?*

## 3  -ig (*to, as far as, up to, till, until*)

● This ending has only one form. It is used in expressions of place and time. In both cases it is often used together with the **-tól/-től** ending:

| | |
|---|---|
| **Meddig** jöttök? | *How far are you coming?* |
| Egészen a **kapuig**. | *Right up to the gate.* |
| **Londontól Budapestig** két óra az út. | *The flight from London to Budapest takes two hours.* |
| **Mettől meddig** maradtatok náluk? | *How long did you stay at their place?* |
| **Reggel héttől este hétig** dolgoztam. | *I worked from 7 in the morning till 7 in the evening.* |

Note the irregular form **estig**, e.g. Reggeltől **estig** szólt a magnó. *The tape recorder was on from morning till night.*

● The **-ig** ending can also express a duration of time. Here it means *for* in English, e.g. **Három évig** nem láttuk Tóni bácsit. *We didn't see Tóni bácsi for three years.*

## 4  The endings taken by ez and az

When a noun after **ez a/ez az**, **az a/az az** takes an ending, **ez** and **az** also have to take the same ending. Here is a list of the endings learnt so far, as combined with **ez** and **az**.

| ending | ez + ending | az + ending |
|---|---|---|
| -t | **ezt** (*pron.* eszt) | **azt** (*pron.* aszt) |
| -ba/-be | ebbe | abba |
| -ban/-ben | ebben | abban |
| -ból/-ből | ebből | abból |
| -n | **ezen** | **azon** |
| -ra/-re | erre | arra |
| -ról/-ről | erről | arról |
| -nál/-nél | ennél | annál |
| -hoz/-hez/-höz | ehhez | ahhoz |
| -tól/-től | ettől | attól |
| -val/-vel | **ezzel*** | **azzal*** |
| -nak/-nek | ennek | annak |
| -ig | **eddig** | **addig** |

*The forms **evvel** and **avval** can also be heard.

Note that with the four exceptions highlighted the **-z** in **ez** and **az** changes to the first consonant of the ending. Here are some examples:

| | |
|---|---|
| **Ezt a kabátot** vettem tegnap. | *This is the coat I bought yesterday.* |
| **Abba az iskolába** jártál? [⌐] | *Did you go to that school?* |
| Régen **ebben a házban** laktunk. | *A long time ago we lived in this house.* |
| **Erre a székre** nem lehet ülni. | *One can't sit on this chair.* |
| **Arról a filmről** sokat hallottam. | *I heard a lot about that film.* |
| **Ebből a fiókból** vetted ki a ceruzát? [⌐] | *Did you take the pencil out of this drawer?* |
| **Ehhez a pékhez** jártunk. | *We used to go to this baker's.* |

Note that **ez** and **az** can also take endings on their own.

| | |
|---|---|
| Melyik szekrényben van a piros pulóverem? | *In which wardrobe is my red pullover?* |
| **Ebben**. | *In this one.* |
| Melyik blúzt kéri, asszonyom? | *Which blouse do you want, madam?* |
| **Azt**. | *That one.* |

Note that '*one*' has no Hungarian equivalent in sentences of this type.

## 5 Time expressions

Unlike in English, time expressions in Hungarian go from the general to the particular:

**Délután négy óra** fele lehetett.  *It was about 4 o'clock in*
*the afternoon.*
**Vasárnap este 11-kor** érkeztünk  *We arrived at Lake Balaton at*
a Balatonhoz.  *11 o'clock on Sunday evening.*

## 6 Üdvözöl (vkit): give (sy) one's regards

This is an irregular verb. In the present tense the final vowel is sometimes dropped. Here is its conjugation in full:

|  | Indefinite conjugation | Definite conjugation |
|---|---|---|
| (én) | üdvözlök | üdvözlöm |
| (te) | üdvözölsz | üdvözlöd |
| (maga/ön/ő) | üdvözöl | üdvözli |
| (mi) | üdvözlünk | üdvözöljük |
| (ti) | üdvözöltök | üdvözlitek |
| (maguk/önök/ők) | üdvözölnek | üdvözlik |

**Üdvözlöm** Pétert.  *Give my regards to Péter.*
**Üdvözöllek.**  *Regards.*

 ——————— Gyakorlatok ———————

1 The young man whom Sári met in Budapest has met a Hungarian friend of his and has told him of the incident. Write in the correct past tense form of the verbs listed below. Then imagine that you are the young man and tell his story aloud.

| ért | lát | mond | néz |
|---|---|---|---|
| történik | ért | jár | talál |
| tetszik | kér | megismétel | lehet |
| segít | | megismerkedik | |

Képzeld, mi (a) _____ velem! (b) _____ egy csinos magyar lánnyal. A múlt csütörtökön délelőtt a budai Várban (c) _____.
(d) _____ a Nemzeti Galériát, a Mátyás-templomot, a

Halászbástyát. Minden nagyon (e) _____. Már 4 fele (f) _____, amikor a József körúton (g) _____ egy kis éttermet. Csirkét (h) _____. A pincér elég buta volt, nem (i) _____. Többször is (j) _____ neki: csirke. De csak (k) _____. Végül egy lány (l) _____. Őt (m) _____ a pincér, pedig ő is ugyanazt (n) _____, mint én. A magyarok nehezen értik a külföldieket!

| | | | |
|---|---|---|---|
| **buta** | *stupid, dumb* | **nehezen** | *with difficulty* |
| **többször** (*pron.* töpször) | *several times* | **külföldiek** | *foreigners* |

2  In 1991, István wrote this card to his friend John to let him know when he would be arriving in London.

5:2 is spoken 'öt kettő'. In 1953, the famous Hungarian *'golden team'* was the first to beat England at Wembley. The score was 6–3.

| | | | |
|---|---|---|---|
| **játszik** (*pron.* jáccik) | *play* (verb) | **stadion** (-t) | *stadium* |
| **Nem csoda, hogy ...** | *No wonder that ...* | **győz** | *win* |
| **eredmény** (-t) | *score* (noun) | **jegyet szerez** (vmire) | *get, obtain a ticket/tickets for* (sg) |

The following year John visited István in Debrecen. Write his card to István using the information given below:

John wrote a letter to István a month ago, but he hasn't yet received an answer. He hopes that nothing is wrong. He tells István that he will be arriving in Debrecen on the 6.45 train on

Saturday, August 5. He is really looking forward to August. His card is dated 16 July 1992.

**3** Károly Pozsonyi is lonely. He placed this advertisement in the paper.

---

### FELESÉGET KERES

Idős, viszonylag egészséges
nyugdíjas vagyok. Fiatalos,
nyugdíjas partnert keresek,
aki szeret főzni és aki belvárosi
lakásomban szívesen velem
ebédel. Biztosan nem bánja meg!

---

| | |
|---|---|
| **idős** _old, elderly_ | **partner** (-t) _partner_ |
| **viszonylag** _relatively_ | **lakásomban** _in my flat_ |
| **egészséges** (_pron._ egésséges) | **Nem bánja meg**. _You won't_ |
| _healthy_ | _regret it._ (sing.form.) |
| **fiatalos** _youthful_ | |

Gizike Somlai saw his advertisement and wrote him a letter. Give the right forms of the verbs in brackets. Then say her letter aloud.

### Kedves Uram!

Somlai Gizella vagyok, ebben az évben (**megy**) _____ nyugdíjba. Egy nagyvállalatnál voltam 25 évig titkárnő. Most egyedül (**él**) _____ a kutyámmal. Özvegy vagyok, a férjem három évvel ezelőtt (**meghal**) _____. Öntől nem messze (**lakik**) _____ a VI. kerületben. De régen én is a Belvárosban (**lakik**) _____ a Galamb utcában. Egész életemben sokat (**sportol**) _____ és (**teniszezik**) _____. Ezért ma is fiatalos, egészséges vagyok. Most pedig minden nap (**sétál**) _____ a kutyámmal a parkban. Mindig is (**szeret**) _____ főzni, a paprikás csirke a kedvencem.

És maga? Csak enni (**szeret**) _____? Én (**csodál**) _____ azt a férfit, aki főzni is tud!

(**Vár**) _____ válaszát!

Tisztelettel:
Somlai Gizella

Bp., 1992. nov. 9.

DEAR RITA,

| | |
|---|---|
| **a kutyámmal** *with my dog* | **mindig is** *always* |
| **özvegy** (-et) *widow* | **a kedvencem** *my favourite* |
| **galamb** (-ot) *pigeon* | **csodál** (vkit) *admire* (sy) |
| **egész életemben** *all my life* | **válaszát** *your answer* (sing.form.) |

**4**  Which are the correct alternatives?

(a)  (i)  **Tőletek/Nálatok** a borozóba mentünk.
    (ii)  **Kitől/Kihez** kaptad a levelet?
    (iii)  Ágit is **üdvözlöm/üdvözlök**.
    (iv)  A **mozitól/mozihoz** egészen hazáig gyalog mentünk.
    (v)  János minden nap **5-tól/-től** 6-ig a kertben dolgozott.

(b)  (i)  Nem téged **kérdeztelek/kérdeztem**!
    (ii)  **Láttátok/Láttatok** azt a sárga kocsit?
    (iii)  Pistit minden reggel óvodába **vitték/vittek** a szülei.
    (iv)  Pár héttel ezelőtt még nem **tudtunk/tudtuk**, ki volt Széchenyi István.
    (v)  Hogy **hívták/hívtak** az édesapád?

| | |
|---|---|
| **hazáig** *to one's home* | **az édesapád** *your father* |
| **óvoda** *nursery school* | |

**5**  You are in Budapest for a holiday and you have a free evening. Your Hungarian friend has given you a **Pesti Műsor**\* and has encircled for you the four events overleaf. Study them and then answer the questions that follow.

| | |
|---|---|
| **vége** *it finishes* | **f8** (is short for fél nyolc) |
| **du.** (is short for délután) | **művelődési központ** (-ot) |
| **kb.** (*pron.* kábé) (is short for | *cultural centre* |
| körülbelül) *approximately* | **együttes** (-t) *band* |
| **Mária evangéliuma** *the gospel* | **jegypénztárnyitás** (Lit. *the box* |
| *according to Mary* | *office opening*) the box office |
| **rész** (-t) *part* | *opens* |
| **szín.** (is short for színes) *colour* | |
| (adj.) | |

\***Pesti Műsor** (Lit. *Pest Programme*) is the weekly entertainment guide of Budapest.

**DANUVIA MŰVELŐDÉSI KÖZPONT**
(XIV., Angol u. 13. Tel.: 183-1574)
Minden vasárnap, du. 5-kor: Görög táncház. Du. 6-tól:
Játszik a Sirtos együttes.

**Rock Színház**

(VI., Nagymező u. 22-24. Tel.: 131-0500. Jegypénztárnyitás: du. 1-kor.
este 7-kor, vége kb. 1/4 10-kor.

TOLCSVAY LÁSZLÓ – MŰLLER
PÉTER – MŰLLER PÉTER SZIÁMI:

**Mária evangéliuma**
Új magyar rockopera két részben

*EXKLUZÍV!*

**TOLDI STÚDIÓ MOZI**

(ART Mozihálózat)
V., Bajcsy-Zs. út 36-38. NH
Tel.: 131-8129

Rosalie vásárolni megy (szín.
német) * este f8.

Nyitva     22–06

**ÉDEN**
**DISCÓ BÁR**

*Budapest I., Széna tér 7.*
*Telefon: 115-3013, 135-4700*

XLI. ÉVF. 17. SZÁM | ÁRA:
1992. ÁPRILIS 24–30. | 25 Ft

**PESTI MŰSOR**

(a)  Hánytól hányig van nyitva az Éden discó (*pron.* diszkó) bár?

(b)  Mettől meddig tart a Rock (*pron.* rok) Színházban az új magyar rockopera?

(c)  Hánykor kezdődik a „Rosalie vásárolni megy" című színes német film a Toldi Stúdió moziban?

(d)  Mettől meddig tart a görög táncház?

| **Mettől meddig tart…?** | *How long is…?* | **… című film** | *a film called …* |
|---|---|---|---|

**6** Supply the correct endings, making the necessary changes.

(a) A régi fekete-fehér tv-t (**ez az**) ———— asztalra tettük.

(b) Már megint (**az a**) ———— rossz gyerekkel játszol?

(c) (**Ez a**) ———— városban sok uszoda, fürdő és strand van.

(d) Nem akartam (**az a**) ———— trafikba menni, mert a trafikos mindig mérges.

(e) (**Ez a**) ———— héten még nem volt időm újságot olvasni.

(f) Én is (**az a**) ———— hónapban születtem.

(g) (**Ez a**) ———— férfiról beszéltél?

(h) (**Az a**) ———— zöldségesnél kaptam a múltkor rohadt almát.

---

**Nem volt időm.** *I didn't have time.*  **rohadt** (*pron.* rohatt)  *rotten*

---

**7** Answer these questions about yourself.

(a) Kitől kapott utoljára levelet vagy képeslapot?

(b) Mit szeret jobban: levelet írni vagy kapni?

(c) Tökéletes a kiejtése vagy akcentussal beszél magyarul?

(d) Várja a karácsonyt? [⤳]

(e) Mettől meddig dolgozik?

(f) Írt már húsvéti lapot valakinek? [⤳] Ha igen, kinek és mikor?

(g) Volt már nyaralni ebben az évben? [⤳] Ha igen, mikor?

# 16

## NAGYON JÓL
## ÉREZTEM MAGAM

*I had a very good time*

### In this unit you will learn how to

- talk about past and present habits and some holiday activities
- express regret

## Párbeszéd

Edit has just come back from Lake Balaton, where she was looking after children in a summer camp. She is talking to her brother András about it.

**András**  De szép barna vagy! Úgy látszik, jó idő volt.

**Edit**  Igen, végig nagyon jó idő volt, igazi kánikula. Sokat fürödtünk, napoztunk. Igaz, sokat kellett dolgozni: reggel 8-tól délután 4-ig voltam szolgálatban. Elég fárasztó 11–14 éves gyerekekre vigyázni, programokat szervezni nekik. De 4-től szabad voltam. Nagyon jól éreztem magam.

**András**    És milyenek voltak a többiek?
**Edit**    Elég szimpatikusak.
**András**    És mit tudtatok este csinálni? Hova jártatok szórakozni?
**Edit**    Eleinte a discóba, de azt hamar meguntuk. Fonyódon van egy kertmozi, ott többször is voltunk. Minden este más film ment. Viszonylag jó filmeket játszottak. A hétvégeken vagy a szabadnapokon sokféle program volt: koncertek, kiállítások. Egyszer hajókirándulásra mentünk a gyerekekkel. Kár, hogy nem voltál ott! Lehetett vitorlázni, csónakázni, szörfözni.
**András**    Tudod, hogy engem nem érdekelnek a gyerekek, főleg nem a Balatonnál!
**Edit**    Lusta vagy András, az a baj!
**András**    Én? Lusta? Ki szokta a kutyát minden nap kétszer levinni sétálni? Talán te? A Balaton már különben sem a régi: túl nagy a tömeg. És az árak! Azokról jobb nem is beszélni! Már a lángos is egy vagyonba kerül. Emlékszel, amikor gyerekek voltunk? Hogy imádtunk ott lenni! Egész nap a vízben játszottunk. Soha nem unatkoztunk. És a főtt kolbász, a sült hal, a sok finom palacsinta …

 ———— Szavak és kifejezések ————

| | |
|---|---|
| **szép barna**  *nice and brown* | **kiállítás** (-t)  *exhibition* |
| **úgy látszik** (*pron.* láccik)  *it seems* | **kirándulás** (-t)  *outing, trip* |
| **végig**  (Lit.) *to the end* | **Kár, hogy…**  *It's a pity that…* |
| **sokat dolgozik**  *work hard* | **vitorlázik**  *sail* (verb) |
|   (Lit. *work a lot*) | **csónakázik**  *go boating* |
| **szolgálatban van**  *is on duty* | **főleg**  *especially* |
| **fárasztó**  *tiring* | **lusta**  *lazy* |
| **vigyáz** (vkire)  *look after* (sy) | **levisz** (vkit) (vmit) **sétálni**  *take* (sy) |
| **szervez** (vmit)  *organise* (sg) |   (sg) *down for a walk* |
| **a többiek** (-et)  *the others* | **Azokról jobb nem is beszélni.**  *It's* |
| **szimpatikus**  *likeable* |   *better not even to talk about those.* |
| **szórakozni jár**  *go out* | **lángos** (-t)  *fried dough* |
| **eleinte**  *at first* | **vagyon** (-t)  *fortune* |
| **megun** (vmit) (vkit)  *get bored* | **unatkozik**  *be bored* |
|   *with* (sg) (sy) | **A sok finom palacsinta…**  *All* |
| **kertmozi**  *open-air cinema* |   *those delicious pancakes…* |
|   (Lit. *garden cinema*) |   (Lit. *the many delicious pancakes…*) |

## Kérdések

1 Igaz vagy nem igaz? Correct and re-write the false statements.

(a) Edit szerint fárasztó 8-tól 4-ig dolgozni.
(b) Edit minden este a discóba járt szórakozni.
(c) Edit többször is volt a fonyódi kertmoziban, mert jó filmeket játszottak.
(d) A Balatonnál lehet vitorlázni és csónakázni.
(e) Amikor gyerekek voltak, András és Edit imádtak a Balatonnál nyaralni.

2 Feleljen a kérdésekre!

(a) Mitől szép barna Edit?
(b) Milyen programok voltak a hétvégeken?
(c) Miért nem ment András Edittel a Balatonhoz?
(d) Mit csinál András minden nap kétszer?
(e) Milyen finom ételeket lehet a Balatonnál kapni?

# —— Magyarország és a magyarok ——

## Balaton

**A magyar tenger** (the *Hungarian Sea*), as Balaton is also called, is the biggest lake in Central Europe. Being only an hour's drive from Budapest, it is the country's main holiday resort. Its water has a special, soft quality and its colour is green-silver. Balaton is a shallow lake, and its water is very warm, therefore the holiday season around it starts in late spring and goes on until early autumn. There are more resorts on the sandy, shallower southern shore.

The towns around Lake Balaton have a lot to offer for those who are interested in museums and cultural events. The lake is famous for its sudden, unexpected storms. So watch out for the red rocket signals! When you see them, leave the water straight away. In the winter the lake is frozen over and it is used for winter sports, like skating and tobogganing. There is a variety of fish in Balaton. The most famous one is **fogas** (*pikeperch*), which is exclusive to the lake.

**Kell** has two meanings:

(a) It means *is needed, is necessary* when used with nouns:

**Mi kell** még?        *What else is needed?*
**Kell** egy kiló **krumpli** is.        *We also need a kilogram of potatoes.*

Note that the dative ending is used when stating who needs something, e.g. **Pistának** új cipő kell. *Pista needs new shoes.*

(b) When used with the infinitive it means *have to, must.* This is an impersonal form and usually means *one has to/must,* e.g. Hétfőn sokat **kellett dolgozni.** *One/we had to work hard on Monday.*

**Főtt, sült**: the word **főtt** (*boiled, cooked*) is used with food that has to be boiled, e.g. **főtt étel** (*cooked food*), **főtt kolbász** (*boiled sausage*). The verb to use here is **főz** (*cook*), e.g. Mit **főztél** ebédre? *What have you cooked for lunch?* The word **sült** (*fried, baked*) means baked in the oven or fried in oil or cooking fat, e.g. **sült kolbász** (*fried sausage*), **sült krumpli** (*fried potatoes*). The verb to use here is **süt** (*fry, bake*) e.g. A születésnapodra tortát **sütöttem.** *I baked a cake for your birthday.*

# ⚙ ——————— Nyelvtan ———————

## 1 Szokott – *to express habitual actions*

This verb is conjugated only in the past tense, but it is mainly used to express present habits. It is followed by the infinitive. Here is its conjugation in full:

|  | Indefinite conjugation | Definite conjugation |
|---|---|---|
| (én) | szoktam | szoktam |
| (te) | szoktál | szoktad |
| (maga/ön/ő) | szokott | szokta |
| (mi) | szoktunk | szoktuk |
| (ti) | szoktatok | szoktátok |
| (maguk/önök/ők) | szoktak | szokták |

Ebben a közértben **szoktunk** *We do our shopping in this*
  **vásárolni.** *supermarket.*
A cukrot ide **szoktam tenni.** *I usually put the sugar here.*

To express a past habit, use **szokott** with a time expression, e.g.

**Régen** itt **szoktam** vásárolni. *I used to shop here.*

## 2 The plural of nouns

● The plural of nouns is formed with the **-k** ending.

Just add the **-k** to words ending in a vowel. (As usual, before it the **a** changes to **á**, and the **e** to **é**.)

| Ki? | Kik? | Mi? | Mik? |
|---|---|---|---|
| nő | nők | autó | autók |
| anya | anyák | lecke | leckék |

Nouns ending in a consonant take the same linking vowel before the plural ending as before the object ending.

| Ki?/Mi? | Kit?/Mit? | Kik?/Mik? |
|---------|-----------|-----------|
| étlap | étlapot | étlapok |
| ház | házat | házak |
| gyerek | gyereket | gyerekek |
| gyümölcs | gyümölcsöt | gyümölcsök |

The same irregularities also occur before the plural, as before the object ending, e.g.

| | | | | | |
|---|---|---|---|---|---|
| **étterem** | éttermet | éttermek | **tó** | tavat | tavak |
| **híd** | hidat | hidak | **levél** | levelet | levelek |

Words which do not need a linking vowel before the object ending, need one before the plural ending. (When choosing the linking vowel, apply vowel harmony.)

| Ki?/Mi? | Kit?/Mit? | Kik?/Mik? |
|---------|-----------|-----------|
| asztal | asztalt | asztalok |
| ember | embert | emberek |
| sör | sört | sörök |

Note that the plural for **férfi** is **férfiak** and for **szó** it is **szavak**, e.g. A **férfiak** otthon maradtak. *The men stayed at home.*

● In Hungarian, nouns are not always singular or plural when they are in English.

With numbers and words expressing quantity like **sok**, **kevés**, **pár**, etc. always use the singular:

**Két körtefa van** a kertben.　　*There are two pear trees in the garden.*

**Kevés ember olvas** irodalmat.　*Few people read literature.*

Names of fruits are always singular in Hungarian, e.g. Szereted a **narancsot**? [⌣] *Do you like oranges?*

Use the singular when talking about something in connection with several people, e.g. **Kevesen** vesznek nyugati **autót** Magyarországon. *Few people buy western cars in Hungary.* If you used the plural here (**Kevesen** vesznek nyugati **autókat** Magyarországon.), that would imply that each person buys more than one car.

Similarly, Anyu karácsonyra **pulóvert** kötött nekünk. *Mum knitted pullovers for us for Christmas.* (i.e. one pullover each) and Anyu karácsonyra **pulóvereket** kötött nekünk (i.e. two or more pullovers each).

• Note that the definite article is required before indefinite plural nouns in Hungarian:

**A gyerekek** nem tudnak sokáig koncentrálni.     *Children can't concentrate for long.*

Jóska nem szereti **az állatokat**.     *Jóska doesn't like animals.*

## 3 The plural of adjectives

• Just add the **-k** ending to most adjectives ending in a vowel. (As usual, the **a** changes to **á**, and the **e** to **é** before it.)

However, back vowel adjectives ending in **ú** or **i** take an **a**, and front vowel adjectives ending in **ű** or **i** take an **e** linking vowel before the plural ending.

| Milyen? | Milyenek? |
|---|---|
| jó | jó**k** |
| buta | but**ák** |
| fekete | feket**ék** |

| Milyen? | Milyenek? |
|---|---|
| lassú | lassú**ak** |
| igazi | igazi**ak** |
| gyönyörű | gyönyörű**ek** |
| eredeti | eredeti**ek** |

Note that the plural of **kicsi** is **kicsik**.

Back vowel adjectives ending in a consonant take the linking vowel **a** before the plural ending.

| Milyen? | Milyenek? |
|---|---|
| piros | piros**ak** |

Note that a few back vowel adjectives take the **o** linking vowel. Here is a list of some:

| | | |
|---|---|---|
| boldog – boldog**ok** | fiatal – fiatal**ok** | gazdag – gazdag**ok** |
| nagy – nagy**ok** | olyan – olyan**ok** | |

Names of nationalities are also in this group, e.g. **angol – angolok**.

Front vowel adjectives ending in a consonant, almost without exception, take the **e** linking vowel.

| Milyen? | Milyenek? |
|---------|-----------|
| kedves | kedves**ek** |
| zöld | zöld**ek** |

Note that the plural of **nehéz** is **nehezek**, and that of **kevés** is **kevesek**.

● Adjectives only take the plural ending if they do not precede a noun i.e. they are used on their own:

Ezek **drága cipők.** *These are expensive shoes.*
Ezek a cipők **drágák.** *These shoes are expensive.*

● To say *the old, the young, the English*, etc. in Hungarian, use the plural form of the adjective: **az öregek, a fiatalok, az angolok**:

Az **öregek** gyakran *The old are often impatient.*
türelmetlenek.
A mai **fiatalok** túl sokat nézik *The young today watch too*
a televíziót. *much television.*

Note the difference in meaning between these two questions:

Milyen programok voltak? *What programmes were on?*
Milyenek voltak a programok? *What were the programmes like?*

## 4 Ezek (*these*), azok (*those*)

These forms are used with plural nouns:

**Ezek a lányok** elég csinosak. *These girls are quite pretty.*
**Ezek az ablakok** piszkosak. *These windows are dirty.*
**Azok a férfiak** nagyon jóképűek. *Those men are very handsome.*
**Azok az asztalok** a másik *Those tables are normally*
szobában szoktak lenni. *in the other room.*

From now onwards you will find in brackets the plural form of words ending in a consonant whenever they occur, as well as in the **Hungarian–English vocabulary** at the end of the book.

## 5 Plural forms followed by other endings

The plural forms of words can be followed by almost all the endings
learnt so far. Here is an example for each:

| Ending | Front vowel words | Back vowel words |
|---|---|---|
| -t | kerteket | házakat |
| -ba/-be | kertekbe | házakba |
| -ban/-ben | kertekben | házakban |
| -ból/-ből | kertekből | házakból |
| -ra/-re | székekre | asztalokra |
| -n | székeken | asztalokon |
| -ról/-ről | székekről | asztalokról |
| -hoz/-hez/-höz | gyerekekhez | lányokhoz |
| -nál/-nél | gyerekeknél | lányoknál |
| -tól/-től | gyerekektől | lányoktól |
| -val/-vel | gyerekekkel | lányokkal |
| -nak/-nek | gyerekeknek | lányoknak |
| -ig | kertekig | házakig |

Miért nem szeretsz **gyerekekre**
vigyázni?
**Ezekről a filmekről** nem
érdemes beszélni.
Sajnos **nevekre** sohasem
emlékszem.

*Why don't you like looking
after children?*
*It's not worth talking about
these films.*
*Unfortunately I never
remember names.*

Note that after plural back vowel words, the linking vowel is always
**a**, and after plural front vowel words it is always **e** before the object
ending, e.g. asztalok**a**t, gyümölcsök**e**t, etc.

## 6 The -szor, -szer and -ször (times) ending

This ending is added straight to the word stem. (Apply vowel
harmony, when choosing the right form.) It is used with three groups
of words:

(a) after cardinal numbers;

**Hányszor?** *How many times?*
egyszer, kétszer, háromszor, négyszer, ötször, etc.

In pronunciation the **t** and **sz** change to **cc**, e.g. **kétszer** (*pron.* **kéccer**) and the **gy** to **ty** before the **sz**, e.g. **egyszer** (*pron.* **etyszer**).

Note the expressions **egyszer egy héten**, or **egy héten egyszer** (*once a week*), **kétszer egy hónapban**, or **egy hónapban kétszer** (*twice a month*), etc. E.g. **Egyszer egy héten** szoktam járni úszni. *I go swimming once a week.*

(*b*) after ordinal numbers without **-ik**;

---

**Hányadszor?** *How many times?*

először, másodszor, harmadszor, negyedszer, ötödször etc.

---

In pronunciation the **d** and **sz** change to **cc**, e.g. **másodszor** (*pron.* **másoccor**).

Note the only exception: **először** for the first time.

Most vagyok **először** Magyarországon. *This is the first time I've been to Hungary.*

(*c*) after certain words:

Here are some very common examples;

---

| | | | |
|---|---|---|---|
| **néhányszor** | *a few times* | **számtalanszor** | *countless times* |
| **párszor** | *a couple of times* | **többször** | *several times* |
| **sokszor** | *a lot of times* | | |

---

Ezt már **sokszor** hallottam. *I've heard this many times before.*

## 7 The -féle *and* -fajta (*sorts of, kinds of*) *endings*

These can be used interchangeably after numbers and certain words, e.g. **kétféle** (*two kinds of*), **többféle** (*several kinds of*), **mindenfajta** (*all sorts of*), **különféle** (*various kinds of*), **sokfajta** (*many kinds of*).

| | |
|---|---|
| Régen csak **kétféle** kenyeret lehetett kapni. | *In the old days one could only get two kinds of bread.* |
| **Mindenfajta** emberrel találkoztam már. | *I've met all sorts of people.* |

## 8 Magam (*myself*)

Here are the other forms of this word:

| magam | *myself* | magunk | *ourselves* |
|---|---|---|---|
| magad | *yourself* (fam.) | magatok | *yourselves* (fam.) |
| maga | *yourself* (form.) | maguk | *yourselves* (form.) |
| maga | *himself/herself* | maguk | *themselves* |

These words are used in the same way as in English.

They can take endings if required by a verb:

**Vettem magamnak** egy szép blúzt.
*I bought myself a beautiful blouse.*

Györgyi mindig csak **magáról beszél!**
*Györgyi always talks only about herself!*

Szegény Tóni bácsi **magában beszél.**
*Poor Tóni bácsi talks to himself.*

The expressions **jól érzem magam** and **rosszul érzem magam** can mean *I have a good/bad time* or *I feel well/unwell*. **Érez** (Lit. *feel*) is an irregular verb in the present tense. Here is its conjugation in full:

| | |
|---|---|
| (én) **jól érzem magam** (at) | (mi) **jól érezzük magunkat** |
| (te) **jól érzed magad** (at) | (ti) **jól érzitek magatokat** |
| (maga/ön/ő) **jól érzi magát** | (maguk/önök/ők) **jól érzik magukat** |

Note that (*a*) **maga** requires the definite conjugation (*b*) in the 1st and 2nd person singular, the object ending can be left out.

Hogy **érzitek magatokat?**
*How are you?*

A Balatonnál nagyon jól **éreztük magunkat**.
*We had a very good time at Lake Balaton.*

Rosszul **érzem magam**.
*I'm feeling unwell.*

Note that **maga** is sometimes used where English uses a personal pronoun, e.g. Engem is **magaddal viszel**? [⌐]   *Are you taking me with you as well?*

## 9 Érdekel (*be interested in*)

(Vkit) **érdekel** (vmi) (vki) means (sg) or (sy) *interests* (sy). In some persons it takes the definite, and in others the indefinite conjugation.

| (engem) | érdekel | érdekelnek |
|---|---|---|
| (téged) | érdekel | érdekelnek |
| (magát/önt/őt) | érdekli | érdeklik |
| (minket) | érdekel | érdekelnek |
| (titeket/benneteket) | érdekel | érdekelnek |
| (magukat/önöket/őket) | érdekli | érdeklik |

**Engem érdekel a magyar népzene.**

*Hungarian folk music interests me.*

**Pistát** még nem **érdeklik a lányok.**

*Girls don't interest Pista yet.*

## 10 Fürdik (*have a bath, bathe*)

The conjugation of this verb is irregular in the past tense.

| | |
|---|---|
| (én) **fürödtem** | (mi) **fürödtünk** |
| (te) **fürödtél** | (ti) **fürödtetek** |
| (maga/ön/ő) **fürdött** | (maguk/önök/ők) **fürödtek** |

---

# Gyakorlatok

1   Cili is talking about what her family usually does at the weekend. Write in the correct forms of **szokott**. Imagine that you are Cili and tell her story aloud. (**Mi** in brackets indicates which person to use.)

Szombaton általában takarítani (*a*) (**mi**) _____. Anyu (*b*) _____ bevásárolni. Néha én is (*c*) _____ neki segíteni. Apu utálja a házimunkát, ezért mindig ő (*d*) _____ levinni a kutyát sétálni. Vasárnap délelőtt anyu az ebédet (*e*) _____ főzni, apu pedig az újságot (*f*) _____ olvasni. Én leckét (*g*) _____ írni. Ebéd után a szüleim pihenni (*h*) _____. Délután sétálni (i) (**mi**) _____, este pedig tévét (*j*) (**mi**) _____ nézni. Szórakozni csak ritkán (*k*) (**mi**) _____ járni, mert apu szerint manapság minden egy vagyonba kerül.

| | |
|---|---|
| **ritkán** | *rarely* |

**2** Ági is notorious for sweeping generalisations. Here are a few of her gems. Write in the plural forms of the words in brackets. (You might need other endings as well!)

(a) A (**férfi**) _____ csak a csinos (**nő**) _____ érdeklik.
(b) A (**rendőr**)* _____ mindig (**buta**) _____.
(c) A mai (**fiatal**) _____ dolgozni nem, csak szórakozni akarnak.
(d) A (**politikus**) _____ mindig hazudnak.
(e) A (**kínai**) _____ nagyon (**kicsi**) _____.
(f) Az idős (**asszony**) _____ nagyon (**kíváncsi**) _____.

*In Hungarian jokes, policemen are always thick.

| | | |
|---|---|---|
| **szórakozik** *have fun* | **kínai** *Chinese* | |
| **hazudik** *tell a lie* | | |

**3** Do you know your clichés? Pair the nationalities below with their supposed characteristics, and then make up complete sentences like this one:

(a) Az írek nem nagyon okosak.

| **nemzetiség** (*nationality*) | **tulajdonság** (*characteristic*) |
|---|---|
| (a) ír | szenvedélyes |
| (b) francia | mindig pontos |
| (c) angol | kulturált |
| (d) olasz | hidegvérű |
| (e) német | nem nagyon okos |
| (f) skót | fukar |

| | |
|---|---|
| **szenvedélyes** *passionate* | **okos** *clever* |
| **kulturált** *civilised, cultured* | **fukar** *mean* |
| **hidegvérű** *cold blooded* | |

**4** What follows what? Pair the sentences below.

(a) Mihály szereti a régi könyveket,
(b) Jóska bácsi nem szereti az állatokat,
(c) Szilvia imádja a francia borokat,

(i) tehát nem szokott a kutyákról és a macskákról olvasni.
(ii) tehát csak francia éttermekbe szokott járni.
(iii) tehát nem ír cikkeket a tavaszi virágokról.

(d) Nóra utálja a modern fest-
ményeket,
(e) Gábort nem érdeklik a
virágok,

(iv) tehát    gyakran    jár
antikváriumokba.
(v) tehát ritkán jár kiállítá-
sokra.

---

**tehát**  *so, therefore*
**cikk** (-et, -ek)  *article*
**festmény** (-t, -ek)  *painting*

**antikvárium** (-ot, -ok)
*second-hand bookshop*

---

5   Erzsi is very house-proud. Her house is always clean and tidy.
How often does she do what? Study the information below and
then make up complete sentences about her. Here is the first one
for you:

(a)  Erzsi egy héten háromszor szokott mosni.

| **Milyen gyakran?** | **Hányszor?** | **Mit szokott csinálni?** |
|---|---|---|
| (a)  egy héten | 3 | mos |
| (b)  egy nap | sok | mosogat |
| (c)  egy nap | 1 | vasal |
| (d)  egy héten | 2 | porszívózik |
| (e)  egy hónapban | 1 | ablakot tisztít |

---

**mosogat**  *wash up*
**vasal**  *iron* (verb)

**porszívózik**  *vacuum clean* (verb)
**ablakot tisztít**  *clean the windows*

---

6   Our lazy Jack is incorrigible. Put **jó** after the sentences that he
got right, and **rossz** after the ones that he got wrong. Correct the
latter.

(a)  Engem már csak az okos nők érdekel.
(b)  Juliska rosszul érezte magát, mert túl sok epret evett.
(c)  Úgy látszik, néha szoktad hazudni.
(d)  Kár, hogy nem szereted a lovakat.
(e)  Most voltál egyszer külföldön?
(f)  Az ablakból csak a házak lehet látni.

7   Csilla and Tünde work in the same office. Tünde has just come
back from a holiday with her husband and friends at Ráckeve on
the Danube. Re-arrange Tünde's answers to Csilla's questions in
order to make sense of their conversation. Then act it all out from
memory.

| | |
|---|---|
| Csilla | De szép barna vagy! Hol nyaraltatok? |
| (a) Tünde | Általában két-három hétig. Attól függ, hogy milyen az idő. Most nagy melegek voltak. Sokat napoztunk és fürödtünk a Dunában. Imádunk kinn lenni a friss levegőn. Itt Pesten az ember egész nap csak az irodában ül, aztán meg rohan bevásárolni, főzni ... Jól jött egy kis kikapcsolódás. |
| Csilla | De szerencsések vagytok! És mennyi ideig szoktatok ott lenni? |
| (b) Tünde | Ők is jól érezték magukat. Mind a ketten szenvedélyes horgászok. Őket napközben csak a halak érdeklik. Képesek kora reggeltől késő estig csak a halakat figyelni. Sokféle halat fogtak már – legtöbbször persze pontyot. |
| Csilla | És a férfiak mit csináltak egész nap? |
| (c) Tünde | Ráckevén. Egy évben legalább egyszer le szoktunk menni, mert ott van a barátnőm nyaralója. |
| Csilla | És mit csináltok azzal a rengeteg hallal? |
| (d) Tünde | Minden este halászlét szoktunk főzni vagy halat sütünk. Szerencsére mindannyian szeretjük a halat. De egy idő után megunjuk, és egyszer – kétszer egy kis közeli vendéglőbe szoktunk menni vacsorázni. |

---

**Attól függ, hogy...** *It depends on...*
**Nagy melegek voltak.** *It was very hot.*
**az ember** (-t) *one, you*
**kikapcsolódás** (-t) *rest* (noun) (Lit. *switching off*)
**mind a ketten** *both of them/us/you*
**horgász** (-t, -ok) *angler*
**napközben** *during the day*
**képes** (vmit) **csinálni** *capable of doing* (sg)

**kora reggeltől késő estig** *from early morning till late at night*
**legtöbbször** *most often*
**ponty** (-ot, -ok) *carp*
**le szoktunk menni** *we go down*
**nyaraló** *weekend/summer cottage*
**a barátnőm nyaralója** *my girlfriend's summer cottage*
**mindannyian** *all of us/you/them*
**egy idő után** *after a while*

---

8  Answer these questions about yourself.

(a)  Hová szokott szórakozni járni?
(b)  Mi érdekli jobban: a sport vagy az irodalom?
(c)  Az angol söröket vagy borokat szereti jobban?
(d)  Egy nap hányszor szokott mosogatni?

(e)  Hogy érezte magát, amikor utoljára nyaralni volt?
(f)  Hányfajta magyar levest ismer?
(g)  Lusta ember? [⌐⌐]

---

**irodalom** (irodalmat)   *literature*

---

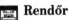

## Érti?

---

Jeremy and his wife are on holiday at Lake Balaton. Their room has
been broken into. The police have come to investigate.

**Rendőr**   Tehát önök éppen a discóban voltak, amikor betörtek a
szobába. Mennyi ideig tartózkodtak a discóban?

**Jeremy**   Éjfélig tartott a discó, utána jöttünk haza. Minden este 8
óra körül szoktunk vacsorázni, aztán általában valahova
szórakozni megyünk. Tegnap éjjel 1 fele értünk vissza.

**Rendőr**   És hogyan találták a szobát, amikor hazaértek?

**Jeremy**   A tolvajok betörték az ablakot, és azon keresztül másztak
be. A bőröndöket kinyitották, a ruhákat a földre dobálták.
A fiókokból és a szekrényekből is kiszórtak mindent.

**Rendőr**   És mit vittek el?

**Jeremy**   Egy arany nyakláncot, egy pár fülbevalót, egy Olympos
fényképezőgépet és ruhákat.

**Rendőr**   Hol szokták tartani a fényképezőgépet és az ékszereket?

**Jeremy**   Sajnos a fényképezőgépet tegnap este elfelejtettük
magunkkal vinni. Pedig akárhová megyünk, a
fényképezőgép mindig velünk van. Az ékszereket
általában itt szoktuk hagyni a fiókban.

**Rendőr**   Hm. Kár, hogy nem adták át a recepción megőrzésre. Nem
kerül egy vagyonba, érdemes ...

**Jeremy**   Igaza van, egy kicsit felelőtlenek voltunk, de most már
késő.

**Rendőr**   És pénzt nem vittek el?

**Jeremy**   De igen. De csak kb. 20 fontot. Szerencsére nem szoktunk
magunknál készpénzt tartani. Ahol csak lehet, csekkel
vagy hitelkártyával fizetünk.

Önök éppen a discóban voltak.
You happened to be at the disco.
betör   break in
éjfél   midnight
visszaér   get back
tolvaj (-t, -ok)   thief
(vmin) keresztül   through (sg)
bemászik   climb in
bőrönd (-öt, -ök)   suitcase
dobál (vmit)   throw (sg) about
fiók (-ot, -ok)   drawer

kiszór (vmit)   throw (sg) out
arany (-at)   gold
nyaklánc (-ot, -ok)   necklace
fülbevaló   earrings
ékszer (-t, -ek)   jewel
ahol csak lehet   wherever possible
átad (vmit) megőrzésre   hand over
 (sg) for safe-keeping
felelőtlen   irresponsible
tartózkodik (vhol)   be, stay
 (somewhere)

Feleljen a kérdésekre!

(a) Hogy szokta Jeremy az estét tölteni a feleségével (*with his wife*)?
(b) Hogyan sikerült a tolvajoknak bejutni a szobába?
(c) Mit vittek el?
(d) Miért maradt a fényképezőgép tegnap este a szobában?
(e) Miért csak 20 fontot vittek el a betörők?

bejut   get in, into                    betörő   burglar

# 17

## MI A PANASZA?
### *What's wrong with you?*

### In this unit you will learn

- what to say when visiting a doctor
- how to write a get-well card
- how to promise something
- how to express indifference

————————— **Párbeszéd** —————————

Tivadar Márkus is visiting his doctor.

**Orvos**      Tessék, Márkus úr. Mi a panasza?

**Márkus úr**  Nagyon beteg vagyok, doktor úr. Mindenem fáj: a torkom, a hasam. Erősen köhögök, és náthás is vagyok.

**Orvos**      Lázas?

**Márkus úr**  Lehet, de nem tudtam megmérni a lázam, mert nincs otthon lázmérőm.

**Orvos**      Tessék, itt van egy. (*After taking Mr Márkus's temperature.*) Lássuk csak! Hm. Elég magas, 39 fokos láza van. És tud rendesen enni? Van étvágya?

**Márkus úr**  Nem nagyon. Tegnap egész nap alig ettem valamit. Elfelejtettem mondani, hogy szédülök is.

**Orvos**      Nyissa ki a száját! Megnézem a torkát. Egy kicsit piros. De meg fog gyógyulni, Márkus úr. Nem kell félni. Csak influenzája van. Felírok magának egy gyógyszert. Naponta háromszor kell beszedni étkezés után. Tessék ágyban maradni egy hétig. A jövő héten délután rendelek. Csütörtökön majd újra megvizsgálom. Tessék, itt a recept.

**Márkus úr**    Köszönöm. Ha már itt vagyok, doktor úr, van még valami. Szörnyen fáj a derekam meg a vállam. Tudja, a reumám ... Nem tud valamit ajánlani?

**Orvos**    Már a múltkor is akartam magát gyógyfürdőbe küldeni, de nem nagyon lelkesedett ... Pedig tudja jól, hogy jót tesz magának. Itt vagyunk a gyógyfürdők hazájában, és maga nem akarja kihasználni ezt a páratlan lehetőséget.

**Márkus úr**    Ígérem, doktor úr, most megfogadom a tanácsát.

**Orvos**    Hova szeretne menni? Hévízre vagy Gyulára?

**Márkus úr**    Nekem teljesen mindegy. Hévíz is, Gyula is rettenetesen drága lett. De egy hetet kibírok. Hátha segít ...

 ——— Szavak és kifejezések ———

**Mi a panasza?** (Lit.) *What's your complaint?*
**köhög** *cough* (verb)
**náthás** *have a cold* (adj.)
**lázas** *have a temperature* (adj.)
**láz** (-at) *high temperature, fever*
**megméri a lázát** *take one's temperature*
**Lássuk csak!** *Let's see.*
**rendesen eszik** *eat properly*
**szédül** *feel giddy*
**Nyissa ki a száját!** *Open your mouth* (sing.form.)
**megnéz** (vmit) *examine* (sg)
**Meg fog gyógyulni.** *You will recover* (sing.form.).
**fél** *be afraid*
**felír gyógyszert** *prescribe a medicine*
**derék** *the lower part of one's back*
**a derekam** *the lower part of my back*

**gyógyszert beszed** *take medicine*
**étkezés után** *after meals*
**rendel** *receive patients*
**megvizsgál** (vkit) *examine* (sy)
**recept** (-et, -ek) *prescription*
**Ha már itt vagyok...** *Since I'm here...*
**Szörnyen fáj.** *It hurts a lot* (Lit. *It terribly hurts*).
**lelkesedik** *be enthusiastic*
**a gyógyfürdők hazája** *the home of medicinal baths*
**kihasznál** (vmit) *take advantage of* (sg)
**páratlan** *unique*
**lehetőség** (-et, -ek) *opportunity*
**megfogad tanácsot** *take advice*
**rettenetes** *terrible*
**kibír** (vmit) *stand, afford* (sg)
**torok (torka)** *throat* (*your/his/her throat*)

## Kérdések

1 Igaz vagy nem igaz? Correct and re-write the false statements.

(a) Márkus Tivadar nagyon rosszul érzi magát.

(b) Márkus Tivadar nem tudta otthon megmérni a lázát, mert nincs hőmérője.

(c) Márkus úrnak nincs jó étvágya.

(d) Márkus úr halálos beteg.

| | | | |
|---|---|---|---|
| **hőmérő** | *thermometer* | **halálos beteg** | *terminally ill* |

2 Feleljen a kérdésekre!

(a) Miért ment Márkus úr orvoshoz?

(b) Milyen magas Márkus úr láza?

(c) Milyen gyakran kell a gyógyszert beszedni?

(d) Mi tesz jót az orvos szerint Márkus úrnak?

(e) Miért mindegy Márkus úrnak, hogy melyik gyógyfürdőbe megy?

# —— Magyarország és a magyarok ——

## Gyógyfürdők (*medicinal baths*)

Hungary is very rich in natural hot spring water. These world famous thermal waters contain a lot of minerals which cure a number of diseases.

**Beteg** means both *ill* and *patient*:

| | |
|---|---|
| **Beteg** vagyok. | *I am ill.* |
| Az orvos megvizsgálta a **betegeket**. | *The doctor examined the patients.* |

**Naponta háromszor** means *three times a day*. Note other similar expressions, like **hetente, havonta, évente**:

| | |
|---|---|
| **Hetente kétszer** járok edzésre. | *I go to training twice a week.* |
| **Évente kétszer** megnézek egy focimeccset. | *I watch a football match twice a year.* |

**Lázmérő** (*thermometer*) is used for taking someone's temperature. If you want to know the temperature outside, you will need a **hőmérő** (also *thermometer* in English).

**Nekem teljesen mindegy** (*it's all the same to me*) or **nekem mindegy** or just **mindegy** express indifference, e.g. Hová akarsz menni ma este? **Nekem mindegy**. *Where do you want to go tonight? I don't mind.*


## Parts of the body

In Unit 9 you learnt some parts of the body. Here is an additional list with the singular possessive endings they take:

**váll** (*shoulder*)
**a vállam** *my shoulder*
**a vállad** *your shoulder* (fam.)
**a válla** *your* (form.) / *his* / *her shoulder*

**has** (*stomach*)
**a hasam** *my stomach*
**a hasad** *your stomach* (fam.)
**a hasa** *your* (form.) / *his* / *her stomach*

**gyomor** (*stomach*)
**a gyomrom** *my stomach*
**a gyomrod** *your stomach* (fam.)
**a gyomra** *your* (form.) / *his* / *her stomach*

**kéz** (*hand*)
**a kezem** *my hand*
**a kezed** *your hand* (fam.)
**a keze** *your* (form.) / *his* / *her hand*

**kar** (*arm*)
**a karom** *my arm*
**a karod** *your arm* (fam.)
**a karja** *your* (form.) / *his* / *her arm*

**szem** (*eye*)
**a szemem** *my eyes*
**a szemed** *your eyes* (fam.)
**a szeme** *your* (form.) / *his* / *her eyes*

**száj** (*mouth*)
**a szám** *my mouth*
**a szád** *your mouth* (fam.)
**a szája** *your* (form.) / *his* / *her mouth*

**arc** (*face*)
**az arcom** *my face*
**az arcod** *your face* (fam.)
**az arca** *your* (form.) / *his* / *her face*

Note that parts of the body of which there are two are mostly expressed in the singular in Hungarian, e.g. Györgyinek kék **szeme** van. *Györgyi has blue eyes.*

Hungarian uses the singular when talking about more than one person's face, mouth, etc. E.g. Szerintem a **szájuk** túl nagy. *I think their mouths are too big.*

 ——————— **Nyelvtan** ———————

## 1 Possessive endings

The English words *my*, *your*, *his*, *her*, etc. in Hungarian are expressed by possessive endings.

● Just add the ending to words ending in a vowel. (As usual, before them, the final **a** and **e** change to **á** and **é**.)

### Back vowel words ending in a vowel

| singular | | plural | |
|---|---|---|---|
| autó**m** | *my car* | autó**nk** | *our car* |
| autó**d** | *your car* (fam.) | autó**tok** | *your car* (fam.) |
| autó**ja** | *your car* (form.) | autó**juk** | *your car* (form.) |
| autó**ja** | *his/her car* | autó**juk** | *their car* |

| singular | | plural | |
|---|---|---|---|
| kuty**ám** | *my dog* | kuty**ánk** | *our dog* |
| kuty**ád** | *your dog* (fam.) | kuty**átok** | *your dog* (fam.) |
| kuty**ája** | *your dog* (form.) | kuty**ájuk** | *your dog* (form.) |
| kuty**ája** | *his/her dog* | kuty**ájuk** | *their dog* |

### Front vowel words ending in a vowel

| singular | | plural | |
|---|---|---|---|
| cipő**m** | *my shoes* | cipő**nk** | *our shoes* |
| cipő**d** | *your shoes* (fam.) | cipő**tök** | *your shoes* (fam.) |
| cipő**je** | *your shoes* (form.) | cipő**jük** | *your shoes* (form.) |
| cipő**je** | *his/her shoes* | cipő**jük** | *their shoes* |

| singular | | plural | |
|---|---|---|---|
| zsemlém | *my roll* | zsemlénk | *our roll* |
| zsemléd | *your roll* (fam.) | zsemlétek | *your roll* (fam.) |
| zsemléje | *your roll* (form.) | zsemléjük | *your roll* (form.) |
| zsemléje | *his/her roll* | zsemléjük | *their roll* |

Note that in the second person plural **-tök** is needed instead of **-tek** after words whose final vowel is **ö, ő, ü** or **ű**.

Words ending in a consonant take the same linking vowel before possessive endings starting with a consonant, as before the plural ending.

## Back vowel words ending in a consonant

| singular | | plural | |
|---|---|---|---|
| barátom | *my friend* | barátunk | *our friend* |
| barátod | *your friend* (fam.) | barátotok | *your friend* (fam.) |
| barátja | *your friend* (form.) | barátjuk | *your friend* (form.) |
| barátja | *his/her friend* | barátjuk | *their friend* |

| singular | | plural | |
|---|---|---|---|
| házam | *my house* | házunk | *our house* |
| házad | *your house* (fam.) | házatok | *your house* (fam.) |
| háza | *your house* (form.) | házuk | *your house* (form.) |
| háza | *his/her house* | házuk | *their house* |

## Front vowel words ending in a consonant

| singular | | plural | |
|---|---|---|---|
| kertem | *my garden* | kertünk | *our garden* |
| kerted | *your garden* (fam.) | kertetek | *your garden* (fam.) |
| kertje | *your garden* (form.) | kertjük | *your garden* (form.) |
| kertje | *his/her garden* | kertjük | *their garden* |

| singular | | plural | |
|---|---|---|---|
| söröm | *my beer* | sörünk | *our beer* |
| söröd | *your beer* (fam.) | sörötök | *your beer* (fam.) |
| söre | *your beer* (form.) | sörük | *your beer* (form.) |
| söre | *his/her beer* | sörük | *their beer* |

Note that **t** + **j** is pronounced as **tty** between two vowels, and **ty** after a consonant, e.g. barátja (*pron.* baráttya), kertje (*pron.* kertye).

● In the third person singular and plural, the possessive ending after a consonant can be either **-ja/-a**, **-juk/-uk** or **-je/-e**, **-jük/-ük**. Unfortunately there is no rule as to when to use the ending with or without the **j**. So you must simply learn which endings to use with each word. There is one consolation: if a word takes **-ja** or **-je** in the 3rd person singular, it will take **-juk** or **-jük** in the 3rd person plural, e.g. barátja – barátjuk, kertje – kertjük. The same goes for **-a/-uk** and **-e/-ük**, e.g. háza – házuk, söre – sörük.

✳ From now onwards you will find in brackets the 3rd person singular possessive ending for words that end in a consonant both as you come across them, and in the **Hungarian – English vocabulary**.

● The same irregularities occur before the possessive endings as before the plural and object endings, e.g. **név – nevet – nevek – nevem, neved, neve, nevünk, nevetek** and **nevük**.

● You usually need the definite article before a possessive form, e.g. A **barátom** még nem evett kivit. *My friend hasn't eaten a kiwi fruit yet.*

✳ When learning the possessive forms of words, say them aloud with the definite article (e.g. **a** cipőm, **a** cipőd, etc). This will help you to remember to use the definite article when talking.

However, the indefinite article can also be used, e.g. **Egy barátom** mondta, hogy itt laksz. *A friend of mine told me that you lived here.* Similarly the expression **az egyik** (*one of*) can be used, e.g. **Az egyik barátom** mondta, hogy itt laksz. *One of my friends told me that you lived here.*

● Words with possessive endings always require the use of the definite conjugation, e.g. **A feleségemet várom**. *I'm waiting for my wife.* Note that the words **ajtó** (*door*) and **idő** (*time, weather*) have an irregular 3rd person singular and plural form:

ajtóm, ajtód, **ajtaja**, ajtónk, ajtótok, **ajtajuk**
időm, időd, **ideje**, időnk, időtök, **idejük**

## 2 Possessive forms followed by other endings

The possessive forms can be followed by all the endings learnt so far (except for **-kor**):

| | |
|---|---|
| Hová tetted a könyv**emet**? | *Where have you put my book?* |
| Mariska néni gyakran ül a kert**jében**. | *Mariska néni often sits in her garden.* |
| A barátnő**ddel** voltál moziban? [⌐] | *Did you go to the cinema with your girlfriend?* |

The final **a** and **e** of the possessive endings in the 3rd person singular form change to **á** and **é** respectively before the other endings, e.g. ágy**ában** *in your/his/her bed*, kert**jében** *in your/his/her garden*.

Note what a difference an accent makes in expressions like:

| | |
|---|---|
| Látom a ház**at**. | *I can see the house.* |
| Látom a ház**át**. | *I can see your/his/her house.* |

Before the object ending, the linking vowel is always **a** for back vowel words and **e** for front vowel words, e.g. barátom**at**, barátnőd**et**.

The object ending is often left out after the 1st and 2nd person singular possessive forms:

| | |
|---|---|
| Nem találom **a fésűmet**. *or* Nem találom **a fésűm**. | *I can't find my comb.* |
| Hozod **a kabátodat**? *or* Hozod **a kabátod**? [⌐] | *Are you bringing your coat?* |

## 3 How to say 'Péter's father' or 'the door of the car'

In Hungarian the possessor is always followed by the thing possessed. To mark the possession, the thing possessed takes the third person singular possessive ending: Péter édesap**ja** *Péter's father*; a kocsi ajta**ja** *the door of the car*.

| | |
|---|---|
| **Péter édesapja** most jött haza Londonból. | *Peter's father has just got back from London.* |
| **A kocsi ajtaja** nyitva van. | *The door of the car is open.* |

The possessor can also take possessive endings in expressions like: az édesap**ám** neve (*my father's name*); a barátn**őd** lakása (*your friend's flat*).

| | |
|---|---|
| **Az édesapám neve** nem tipikus magyar férfinév. | *My father's name is not a typical Hungarian male name.* |
| Hol **a barátnőd lakása**? | *Where is your girlfriend's flat?* |

## 4 I have got

This phrase is expressed by the word **van** (in positive questions and statements) or **nincs** (in negative questions and statements), followed by the thing possessed. The thing possessed takes the possessive ending of the possessor.

| | |
|---|---|
| **van/nincs kalapom** | *I have/haven't a hat* |
| **van/nincs kalapod** | *you have/haven't a hat* (sing.fam.) |
| **van/nincs kalapja** | *you have/haven't a hat* (sing.form.) |
| **van/nincs kalapja** | *he/she has/hasn't a hat* |
| **van/nincs kalapunk** | *we have/haven't a hat* |
| **van/nincs kalapotok** | *you have/haven't a hat* (pl.fam.) |
| **van/nincs kalapjuk** | *you have/haven't a hat* (pl.form.) |
| **van/nincs kalapjuk** | *they have/haven't a hat* |

Új **esernyőm van**.  *I have a new umbrella.*
**Nincs kutyánk**.  *We haven't a dog.*
Nagy **házatok van**? [⌐]  *Have you got a big house?*

Note how to give short answers:

Van egy tollad? [⌐] **Van**.  *Have you got a pen? Yes, I have.*
Van autótok? [⌐] **Nincs**.  *Have you got a car?*
  *No, we haven't.*

Nincs kabátotok? [⌐] **De van**.  *Haven't you got a coat?*
  *Yes, we have.*

Nincs egy százasod? [⌐] **Nincs**.  *Have you got 100 forints?*
  *No, I haven't.*

When naming the possessor, use the dative ending:

**Péternek** nincs új barátnője.  *Péter hasn't got a new girlfriend.*
**A háznak** fehér ajtaja van.  *The house has a white door.*
**A gyerekeknek** új angol  *The children have a new*
  tanáruk van.  *teacher of English.*
**Jóska feleségének** jó állása van. *Jóska's wife has a good job.*
**A szomszédunk fiának** megint  *Our neighbour's son has*
  új kocsija van.  *a new car again.*

Note the use of the dative ending in questions like: **Kinek van** egy cigarettája? *Who has got a cigarette?*

In the past, use **volt/nem volt**, and in the future **lesz/nem lesz**:

Sajnos **nem volt kertünk**.

*Unfortunately, we didn't have a garden.*

Nemsokára nekünk is **lesz videónk**.

*Soon we'll also have a video.*

## 5 Adverbs of manner

Adverbs of manner answer the question **Hogy?** or **Hogyan?** (*How?*). They are formed from adjectives by adding the **-n** ending.

Just add the **-n** ending to most adjectives ending in a vowel (the **a** changes to **á**, and the **e** to **é** before it). However, just as before the plural ending, back vowel adjectives ending in **ú** or **i**, take the linking vowel **a**, and front vowel adjectives ending in **ű** or **i**, take the linking vowel **e** before it.

| Milyen? | | Hogyan? | |
|---|---|---|---|
| olcsó | *cheap* | olcsón | *cheaply* |
| drága | *expensive* | drágán | *expensively* |
| gyenge | *weak* | gyengén | *weakly* |
| szomorú | *sad* | szomorúan | *sadly* |
| kíváncsi | *curious* | kíváncsian | *curiously* |
| gyönyörű | *gorgeous* | gyönyörűen | *gorgeously* |
| eredeti | *original* | eredetien | *in an original way* |

However, there are a few exceptions to this rule. Here are some:

**lassú** *slow* – **lassan** *slowly*
**könnyű** *easy* – **könnyen** *easily*
**szörnyű** *horrible* – **szörnyen** *horribly*
**rossz** *bad* – **rosszul** *badly*
**jó** *good* – **jól** *well*
**kiváló** *outstanding* – **kiválóan** *outstandingly*
**kitűnő** *excellent* – **kitűnően** *excellently*
**felelőtlen** *irresponsible* – **felelőtlenül** *irresponsibly*
**hosszú** *long* – **hosszan** *for a long time, at length*

Back vowel adjectives ending in a consonant take the **a** linking vowel, and front vowel adjectives ending in a consonant take the **e** linking vowel before the **-n** ending.

| Milyen? | | Hogyan? | |
|---|---|---|---|
| komoly | *serious* | komolyan | *seriously* |
| kedves | *kind* | kedvesen | *kindly* |

But again, there are a few exceptions. Here are some:

**nagy** *big* – **nagyon** *very*
**szabad** *free* – **szabadon** *freely*
**gazdag** *rich* – **gazdagon** *richly*
**vastag** *thick* – **vastagon** *thickly*
**fiatal** *young* – **fiatalon** *young*
**bátor** *brave* – **bátran** *bravely*
**nehéz** *difficult* – **nehezen** *with difficulty*

| | |
|---|---|
| A vállalat igazgatója **hosszan** beszélt a tervekről. | *The manager of the company talked about the plans for a long time.* |
| A titkárnő **kedvesen** mosolygott. | *The secretary smiled kindly.* |
| Petőfi Sándor **nagyon fiatalon** halt meg. | *Sándor Petőfi died very young.* |

## 6 ... is ... is, sem... sem..., vagy ... vagy ...

(*a*) **...is és ...is** *or* **...is, ...is** means *both ... and ....* Unlike in English, both words come after, not before the words they refer to, e.g. Mari **szép is és okos is.** *or* Mari **szép is, okos is.** *Mari is both beautiful and clever.*

(*b*) **Nem is ... és nem is ...** *or* **nem is..., nem is...** *or* **se nem ..., se nem...** means *neither ... nor ...* in English:

Edit **nem is szép és nem is okos.** *Edit is neither beautiful*
or Edit **nem is szép, nem is okos.**  *nor clever.*
or Edit **se nem szép, se nem okos.**

Note that instead of **se**, **sem** can be used, e.g. **Sem a zöld, sem a kék** kalap nem tetszett. *I didn't like either the green or the blue hat.*

(*c*) **Vagy ..., vagy ...** means *either ... or ...,* e.g. **Vagy színházba, vagy moziba** megyünk. *We'll either go to the theatre or to the cinema.*

---

## ☑ ————— Gyakorlatok —————

1 There are five people waiting in the **orvosi rendelő** (*surgery*) for their turn. What do they answer when the doctor asks them: **Mi a panasza?** Look at the list below, and make up complete sen-

tences like the one provided for you: (*a*) Fáj a fülem.

| | | | |
|---|---|---|---|
| (*a*) | fül (*ear*) | (*d*) | kar |
| (*b*) | torok | (*e*) | derék |
| (*c*) | has | (*f*) | kéz |

2 Zsolt has come to see the dentist. Re-arrange the dentist's lines so that their conversation makes sense. Then act it out.

**Zsolt**      Doktor úr, nagyon fáj a fogam! Már se aludni, se enni nem tudok.

(*a*) **Fogorvos**      Hát persze, hogy érdemes. Először adok magának egy injekciót. (*after giving him the injection*) Tessék kinn egy kicsit leülni.

**Zsolt**      (*pointing at it*) Ez.

(*b*) **Fogorvos**      Hm. Lyukas a foga. Bizony elég csúnya. De nem akarom kihúzni. Megpróbálom betömni.

**Zsolt**      Gondolja, hogy érdemes?

(*c*) **Fogorvos**      Kérem nyissa ki a száját! Melyik foga fáj?

---

| | | | |
|---|---|---|---|
| **fogorvos** (-t, -ok, -a) | *dentist* | **kihúz** (vmit) | *pull* (sg) *out* |
| **injekció** (*pron.* inyekció) | *injection* | **megpróbál** (vmit) | *try* (sg) |
| **lyukas fog** (-at, -ak, -a)   *tooth* cavity | | **betöm** (fogat) | *fill* (tooth) |

---

3 You are on holiday at Lake Velencei and you are feeling unwell. You go to see a doctor. Supply your own lines. Then act it out from memory.

**Orvos**      Tessék befáradni! Mi a panasza?

(*a*)      *Tell him that you have a sore throat.*

**Orvos**      Nyissa ki a száját! Megnézem a torkát. Hm. Nagyon piros. A feje is fáj?

(*b*)      *Tell him that you had a bad headache yesterday, but today you haven't.*

**Orvos**      Megmérte a lázát?

(*c*)      *Tell him that you have, and it's quite high: 38°C.*

**Orvos**      Étvágya van?

(*d*)      *Tell him that you haven't got an appetite and that you hardly ate anything yesterday.*

**Orvos**      Nincs komoly baja. Torokgyulladása van. Felírok magának egy tablettát. Naponta háromszor kell beszedni étkezés előtt. Pénteken délelőtt rendelek. Akkor majd újra megvizsgálom.

| | |
|---|---|
| **Nincs komoly baja.** *It's nothing serious.* (sing.form.) | **torokgyulladás** (-t, -a) *laryngitis* <br> **tabletta** *pill* |

**4**  This is a get-well card from Tamás to his friend István, who has had an accident. Study it and then write a similar one using the information given below.

Kedves Barátom!
Nagyon megijedtem, amikor megtudtam, hogy autóbaleseted volt. Szerencsére nincs komoly baj, csak a karod törted el. Mikor tudlak a kórházban meglátogatni? Remélem, hamarosan hazaengednek. Mielőbbi gyógyulást kívánok szeretettel: Tamás

| | |
|---|---|
| **megtud** (vmit) *get to know* (sg), *learn* (sg) <br> **autóbaleset** (-et, -ek, -e) *car accident* <br> **Csak a karod törted el**. *You have only broken your arm.* | **megijed** *get frightened* <br> **meglátogat** (vkit) *visit* (sy) <br> **hazaenged** (vkit) *discharge* (sy) <br> **Mielőbbi gyógyulást kívánok**. *I wish you a speedy recovery.* |

Your friend has had an accident. He has broken his leg. Ask him if he was driving too fast, and how the accident happened. Tell him that you'll visit him in the hospital on Friday afternoon. Wish him a speedy recovery. You will need the word **vezet** (*drive*) (verb).

**5**  This is an extract from a letter sent by Szilvia to her friend Mónika. First study it, and then supply Szilvia's answers to the doctor's questions.

„Sajnos már az első nap elrontottam a gyomrom. Nem tudom, mit ettem. Talán a hal nem volt friss. Két napig hánytam is és hasmenésem is volt. Az idegenvezetőnk felesége is rosszul volt, de ő hamar meggyógyult. Én sajnos allergiás vagyok a gyógyszerre, amit az orvos felírt. Ráadásul, mint tudod, cukorbeteg is vagyok, így muszáj volt valamit enni. De most már sokkal jobban vagyok és már nincs lázam."

| | |
|---|---|
| **elrontja a gyomrát** *upset one's stomach* | **mint tudod** *as you know* |
| **hány** *be sick, vomit* | **cukorbeteg** (-et, -ek) *diabetic* |
| **hasmenés** (-t, -e) *diarrhoea* | **Sokkal jobban vagyok.** *I'm much better.* |
| **allergiás** (vmire) *allergic to* (sg) | |

(a) Mi a panasza?
(b) Mit evett?
(c) Hányt?
(d) Hány napig volt hasmenése?
(e) Más is elrontotta a gyomrát?

6 Who is whose favourite? Study the table below, and then make up complete sentences like this one: (a) Bálint kedvenc írója Mikszáth Kálmán.

**Kinek a kedvence? Ki?**          **foglalkozása**

| | | |
|---|---|---|
| (a) | Bálint | Mikszáth Kálmán | író |
| (b) | Andrea | Radnóti Miklós | költő |
| (c) | Anita | Huszárik Zoltán | filmrendező |
| (d) | Attila | Csontváry Kosztka Tivadar | festő |
| (e) | Árpád | Bartók Béla | zeneszerző |
| (f) | Mariann | Latinovits Zoltán | színész |

| | |
|---|---|
| **kedvenc** *favourite* | **festő** *painter* |
| **filmrendező** *film director* | |

7 Match the Hungarian sentences below with their English equivalents.

(a) A barátnőm férje cukorbeteg.

(b) A férjem barátnője cukorbeteg.

(c) János sokáig nézte a lovat.

(i) *János watched the horse for a long time.*

(ii) *From our window the Parliament building can easily be seen.*

(d) János sokáig nézte a lovát.
(e) Az ablakunkból jól lehet látni az Országházat.
(f) Az ablakukból jól lehet látni az Országházat.

(iii) *My friend's husband is a diabetic.*
(iv) *János watched his horse for a long time.*
(v) *From their window the Parliament building can easily be seen.*
(vi) *My husband's friend is a diabetic.*

8 Feri is talking about how he almost missed a great chance to travel to London. Turn the words in brackets into adverbs of manner. Then tell his story aloud.

(**Nagy**) ———— készültem erre az útra. Sikerült olcsó repülőjegyet szerezni a hétvégére. Ugyanis az egyik barátom édesanyja a Malévnál dolgozik. (**Kíváncsi**) ———— vártam, milyen lesz London. Anyu szerint (**bátor**) ———— viselkedtem, hiszen addig még se repülőgépen nem ültem, se külföldön nem jártam. De szerintem (**fiatal**) ———— mindent ki lehet próbálni. Az utazás előtti napok (**lassú**) ———— múltak. (**Izgatott**) ———— vártam a nagy napot. Sajnos két nappal az indulás előtt nagyon megfáztam, (**csúnya**) ———— köhögtem, és elég magas lázam volt. Az orvos hallani sem akart a londoni utamról. Én (**hosszú**) ———— magyaráztam neki, hogy páratlan lehetőségről van szó, amit nem szabad kihagyni. Végül (**nehéz**) ————, de beleegyezett.

| | |
|---|---|
| **készül** (vmire) *look forward to* (sg) | **két nappal az indulás előtt** *two days before departure* |
| **ugyanis** *as, the thing is* | **indulás** (-t, -a) *departure* |
| **viselkedik** *behave* | **magyaráz** (vkinek) (vmit) *explain* (sg) *to* (sy) |
| **külföldön** *abroad* | **nem szabad** *one shouldn't* |
| **utazás** (-t, -ok, -a) *journey, travelling* | **kihagy lehetőséget** *miss opportunity* |
| **múlik** *pass* (time) | **beleegyezik** (vmibe) *agree to* (sg) |
| **izgatott** *excited* | |
| **megfázik** *catch cold* | |

# 18

## MILYEN EMBEREK VOLTAK A SZÜLEI?

### What were your parents like?

## In this unit you will learn how to

- talk about your family and marital status
- describe people's appearance and character
- talk about religion and politics

## Párbeszéd

Katalin Almási, a famous actress is being interviewed on a chat show about her childhood and family.

**Riporter** Hogyan emlékszik a gyerekkorára?

**Almási K.** Nagyon boldog gyerekkorom volt. Öten voltunk testvérek. A szüleinkkel egy nagy, romos házban éltünk Szekszárdon. Sajnos soha nem volt elég pénzünk a házat teljesen rendbe hozni. De talán éppen ezért volt olyan romantikus! A házunk mögött volt egy óriási kert. Tavasztól őszig itt szoktunk játszani a testvéreimmel.

**Riporter** Milyen emberek voltak a szülei?

**Almási K.** Anyám magas, karcsú, világosbarna hajú, kék szemű lány volt. Imádott olvasni, színházba járni. Biztosan tőle örököltem a színház szeretetét. Mindig vidám, kedves, igen vallásos ember volt; katolikus. Apámmal jól kiegészítették egymást. Ő ugyanis csendes, komoly ember volt, bár szerencsére volt humorérzéke is. Apám jóképű, nagy bajuszos, fekete hajú férfi volt. Kálvinista volt, de anyám hite erősebb volt, mint apámé. Így kato-

|  |  |
|---|---|
|  | likus templomban volt az esküvőjük, és minket is ebben a hitben neveltek. Minden vasárnap jártunk misére. A szüleim életük végéig nagyon szerették egymást. Ritkán veszekedtek, de akkor is hamar kibékültek. |
| **Riporter** | Mindez nagyon idillikusan hangzik. Milyenek voltak a rokonai? |
| **Almási K.** | Nagy család volt a miénk. Anyámék hatan voltak testvérek, apámék pedig hárman. Így sok nagynéni, nagybácsi, unokatestvér volt mindig nálunk. Vidám, zajos család voltunk. Különösen Jakab bácsira emlékszem, anyám nővérének a férjére. Ő volt az egyetlen liberális a mi konzervatív családunkban. Igazi különc volt, de imádtuk. Emlékszem mindig cukorral, csokoládéval érkezett. Nem csoda, hogy olyan rosszak a fogaim! |
| **Riporter** | Úgy tudom, egyedül a húga folytatta a családi hagyományt: neki öt gyereke van. |
| **Almási K.** | Igen, a másik három testvéremnek nincs családja, és sajnos nekem sincsenek gyerekeim. Igaz, az öcsém még elég fiatal, nőtlen. Ő is, a menyasszonya is imádják a gyerekeket. Talán nemsokára újra nagynéni leszek ... |

 ——— **Szavak és kifejezések** ———

| | |
|---|---|
| **gyerekkor** (-t, -a)  *childhood* | **humorérzék** (-et, -e)  *sense of humour* |
| **romos**  *partly ruined* | **hit** (-et, -e)  *faith* |
| **teljesen**  *entirely* | **erősebb, mint**  *stronger than* |
| **rendbe hoz** (vmit)  *restore* (sg) | **nevel** (vkit)  *bring up* (sy) |
| **éppen ezért**  *for this very reason* | **mise**  *mass* |
| **magas**  *tall* | **vég** (-et, -e)  *end* |
| **karcsú**  *slim, slender* | **veszekedik** (vkivel)  *quarrel with* (sy) |
| **világosbarna hajú**  *with light brown hair, light brown-haired* | **kibékül** (vkivel)  *make peace with* (sy) |
| **kék szemű**  *with blue eyes, blue-eyed* | **rokon** (-t, -ok, -a)  *relative* |
| **örököl** (vkitől) (vmit)  *inherit* (sg) *from* (sy) | **idillikus**  *idyllic* |
| **vidám**  *cheerful* | **hangzik**  *sound* (verb) |
| **vallásos**  *religious* | **idillikusan hangzik**  *sounds idyllic* |
| **Apámmal jól kiegészítették egymást.**  *She and my father complemented each other well.* (Lit. *With my father they complemented...*) | **nagynéni**  *aunt* |
| | **nagybácsi** (nagybátyja) (pron. *nagybáttya*)  *uncle* |
| | **unokatestvér** (-t, -ek, -e)  *cousin* |
| | **különösen**  *especially, particularly* |
| **kiegészít** (vkit)  *complement* (sy) | **különc** (-öt, -ök)  *eccentric* |
| | **hagyomány** (-t, -ok, -a)  *tradition* |

## Kérdések

1   Igaz vagy nem igaz? Correct and re-write the false statements.

(a)   Almási Katalin gyerekkorában egy nagy, romos, kertes házban élt a szüleivel és öt testvérével.

(b)   Almási Katalin édesanyja is színésznő volt, és Katalin tőle örökölte a színház szeretetét.

(c)   Almási Katalin szülei jól kiegészítették egymást.

(d)   Almási Katalint kálvinistának nevelték.

(e)   Jakab bácsi Almási Katalin különc nagybátyja volt.

2   Feleljen a kérdésekre!

(a)   Hol szokott Almási Katalin a gyerekkorában játszani a testvéreivel?

(b)   Milyen ember volt az édesanyja?

(c)   Milyen férfi volt az édesapja?

(d)   Ki volt Jakab bácsi?

(e)   Vannak Almási Katalinnak gyerekei? [◸]

# —— Magyarország és a magyarok ——

## Vallás (*religion*)

There are a number of **keresztény** (*Christian*) denominations in Hungary. Most religious people are **katolikus** (*Catholic*) or **protestáns** (*Protestant*) (mostly **kálvinista**, *Calvinist*, or **lutheránus**, *Lutheran*). The **zsidó** (*Jewish*) community is quite strong as well. A lot of people are **ateista** (*atheist*). Hungary is dedicated to the Virgin Mary, 'Our Lady of Hungary'. **Esztergom**, a small town on the Danube Bend, is the Catholic capital of the country. Its ecclesiastical collection is supposed to be second only to the Vatican's.

## Esküvő (*wedding*)

This means the wedding ceremony itself. Afterwards people usually go to a restaurant to celebrate. Weddings can still be very traditional in villages. A **lakodalom** (*a country wedding*) may last for three days, with lots of eating, drinking, dancing and merry-making.

Traditionally, a gypsy band is hired. The most famous event is the **menyasszonytánc** (*the bride's dance*). Anybody wanting a dance with the bride, has to put money in a hat. The money will be used by the young couple later to build or furnish their home. After this dance, the young men try to steal the bride. If they succeed, the bridegroom has to buy them a round of drinks to get her back.

**Szeretet**: while the verb **szeret** can mean *love, like* or *be fond of* (sy), the noun **szeretet** only refers to love without any sexual attraction. **Szerelem** is the word used for love between a man and a woman.

**Marital status**: **nőtlen** means *single man*. If a man marries, he becomes **nős** (*married*). If a woman is single, use the expression **nincs férjnél**, and if she is married **férjnél van**. **Elvált** is *divorced*, **özvegy** is *widower* and **özvegyasszony** is *widow*.

**Testvér** means *sibling*, i.e. either a brother or a sister. Here is a list of words for relatives, together with their 1st and 3rd person singular possessive endings and other irregular forms:

| | | |
|---|---|---|
| **öcs** | *younger brother* | öcsém, öcséd, öccse, öcsénk, öcsétek, öccsük |
| **báty** | *elder brother* | bátyám, bátyád, bátyja (*pron.* báttya), bátyánk bátyátok, bátyjuk (*pron.* báttyuk) |
| **húg** | *younger sister* | húgom (*pron.* hugom), húga (*pron.* huga) |
| **nővér** | *elder sister* | nővérem, nővére |
| **szülők** | *parents* | szüleim, szüleid, szülei, szüleink, szüleitek, szüleik |
| **fiú** | *son* | fiam, fiad, fia, fiunk, fiatok, fiuk |
| **lány** | *daughter* | lányom, lánya |
| **anya** | *mother* | anyám, anyja (*pron.* annya) |
| **apa** | *father* | apám, apja |
| **feleség** | *wife* | feleségem, felesége |
| **férj** | *husband* | férjem, férje |

Here is an additional list of words describing people's appearance or character:

| | | | |
|---|---|---|---|
| **agresszív** | *aggressive* | **középkorú** | *middle aged* |
| **alacsony** | *short* | **ősz** | *grey* |
| **becstelen** | *dishonest* | **sovány** | *thin* |
| **becsületes** | *honest* | **szőke** | *blonde* |
| **durva** | *rude* | **szomorú** | *sad* |
| **intelligens** | *intelligent* | **udvarias** | *polite* |
| **kopasz** | *bald* | **udvariatlan** | *impolite* |

**Bajusz** (*moustache*): traditionally, big droopy moustaches are very popular with Hungarian men. You can either say **Pistának bajusza van** or **Pista bajuszos**. *Pista has a moustache.*

**Politika** (*politics*): here are a few words to describe political inclinations:

**demokrata**  *democratic*
**kereszténydemokrata**  *Christian democrat*
**kommunista**  *communist*
**konzervatív**  *conservative*
**liberális**  *liberal*
**szociáldemokrata**  *social democrat*
**szocialista**  *socialist.*

 ———————— **Nyelvtan** ————————

## 1 Double possession

This means that there are two possessions expressed by one phrase, e.g. **Péter feleségének a barátnője.** *Péter's wife's friend.*

In this phrase the two possessions are: **Péter felesége** *Péter's wife* and a **feleség barátnője** *the wife's friend*. The two possessions are joined by the dative ending (**-nak/-nek**). It comes after the second noun. The third noun is usually preceded by the definite article, and it can take a number of endings:

Különösen **anyám nővérének a férjére** emlékszem jól.  *I remember my mother's sister's husband particularly well.*
A **barátom édesanyjának a kocsijával** jöttünk haza.  *We came home in my friend's mother's car.*
Mi **Erzsi főnökének a neve**?  *What is Erzsi's boss's name?*

## 2 Plural possessive

This is used when there is more than one thing possessed, e.g. **autóim** (*my cars*). The plural possessive is formed with the **-i** ending. With the exception of the 3rd person singular and plural, this form is then followed by the possessive endings learnt in Unit 17.

(*a*) With words ending in a vowel, simply add the **-i** ending. (Note the usual changes: **a** to **á** and **e** to **é** before it.)

## Back vowel words ending in a vowel

| singular | | plural | |
|---|---|---|---|
| autó**im** | *my cars* | autó**ink** | *our cars* |
| autó**id** | *your cars* (fam.) | autó**itok** | *your cars* (fam.) |
| autó**i** | *your cars* (form.) | autó**ik** | *your cars* (form.) |
| autó**i** | *his/her cars* | autó**ik** | *their cars* |

| singular | | plural | |
|---|---|---|---|
| kutyá**im** | *my dogs* | kutyá**ink** | *our dogs* |
| kutyá**id** | *your dogs* (fam.) | kutyá**itok** | *your dogs* (fam.) |
| kutyá**i** | *your dogs* (form.) | kutyá**ik** | *your dogs* (form.) |
| kutyá**i** | *his/her dogs* | kutyá**ik** | *their dogs* |

## Front vowel words ending in a vowel

| singular | | plural | |
|---|---|---|---|
| cipő**im** | *my shoes* | cipő**ink** | *our shoes* |
| cipő**id** | *your shoes* (fam.) | cipő**itek** | *your shoes* (fam.) |
| cipő**i** | *your shoes* (form.) | cipő**ik** | *your shoes* (form.) |
| cipő**i** | *his/her shoes* | cipő**ik** | *their shoes* |

Note that **cipőm** means my pair of shoes, while **cipőim** means my pairs of shoes.

| singular | | plural | |
|---|---|---|---|
| zseml**éim** | *my rolls* | zseml**éink** | *our rolls* |
| zseml**éid** | *your rolls* (fam.) | zseml**éitek** | *your rolls* (fam.) |
| zseml**éi** | *your rolls* (form.) | zseml**éik** | *your rolls* (form.) |
| zseml**éi** | *his/her rolls* | zseml**éik** | *their rolls* |

(*b*) With words ending in a consonant, the **-i** ending comes after the 3rd person singular possessive form, e.g. **háza, kalapja, füle, kertje**.

## Back vowel words ending in a consonant

| singular | | plural | |
|---|---|---|---|
| házaim | *my houses* | házaink | *our houses* |
| házaid | *your houses* (fam.) | házaitok | *your houses* (fam.) |
| házai | *your houses* (form.) | házaik | *your houses* (form.) |
| házai | *his/her houses* | házaik | *their houses* |

| singular | | plural | |
|---|---|---|---|
| kalapjaim | *my hats* | kalapjaink | *our hats* |
| kalapjaid | *your hats* (fam.) | kalapjaitok | *your hats* (fam.) |
| kalapjai | *your hats* (form.) | kalapjaik | *your hats* (form.) |
| kalapjai | *his/her hats* | kalapjaik | *their hats* |

## Front vowel words ending in a consonant

| singular | | plural | |
|---|---|---|---|
| füleim | *my ears* | füleink | *our ears* |
| füleid | *your ears* (fam.) | füleitek | *your ears* (fam.) |
| fülei | *your ears* (form.) | füleik | *your ears* (form.) |
| fülei | *his/her ears* | füleik | *their ears* |

| singular | | plural | |
|---|---|---|---|
| kertjeim | *my gardens* | kertjeink | *our gardens* |
| kertjeid | *your gardens* (fam.) | kertjeitek | *your gardens* (fam.) |
| kertjei | *your gardens* (form.) | kertjeik | *your gardens* (form.) |
| kertjei | *his/her gardens* | kertjeik | *their gardens* |

✷ Make sure you pronounce the **i** distinctly. Don't run it together with the previous vowel.

Note that two common words have irregular forms: barát – **barátaim**, etc., szomszéd – **szomszédaim**, etc.

(c) The same irregularities occur here as before the object, the plural and the other possessive endings, e.g. **név – nevet – nevek – nevem – neveim**.

(d) A plural possessive form can also be followed by other endings, e.g. Már nem a **szüleimmel** járok nyaralni. *I don't go on holiday with my parents any more.*

## 3 The -é ending

This ending is used when the thing possessed has already been mentioned, and there is no need to repeat it, e.g. Kié ez a toll? (*Whose is this pen?*) Karcsié. (*It's Karcsi's.*) It can also come after plural forms and nouns with possessive endings. (Note the usual changes: **a** to **á** and **e** to **é**.)

| Ki? | Kié? | (Whose?) | Kik? | Kiké? | (Whose?) |
|-----|------|----------|------|-------|----------|
| Anikó | Anikóé | *Anikó's* | gyerekek | gyerekeké | *children's* |
| Anna | Annáé | *Anna's* | szüleink | szüleinké | *our parent's* |
| Imre | Imréé | *Imre's* | | | |
| Péter | Péteré | *Péter's* | | | |
| apám | apámé | *my father's* | | | |

| | |
|---|---|
| Anyám családja vidéken él, **apámé** pedig a fővárosban. | *My mother's family lives in the country, and my father's in the capital.* |
| Anna fia ötéves, **Katié** három. | *Anna's son is five years old, Kati's is three.* |

(*a*) The -é ending can also be followed by the **-i** ending to denote a plural possessive, e.g. Péter gyerekei még nagyon kicsik, **Imrééi** már felnőttek. *Péter's children are still very young, Imre's are already grown-up.*

✳ Make sure you pronounce the two or three vowels at the end of words distinctly, e.g. Katié, Imrééi, etc.

(*b*) Instead of nouns with the **-é** ending, possessive pronouns can be used. (When two forms are given either is correct.)

| Single possession | | Plural possession | |
|---|---|---|---|
| **enyém** | *mine* | **enyéim** | *mine* |
| **tied/tiéd** | *yours* (sing.fam.) | **tieid/tiéid** | *yours* (sing.fam.) |
| **magáé, öné** | *yours* (sing.form.) | **magáéi, önéi** | *yours* (sing.form.) |
| **övé** | *his/hers* | **övéi** | *his/hers* |
| **mienk/miénk** | *ours* | **mieink/miéink** | *ours* |
| **tietek/tiétek** | *yours* (pl.fam.) | **tieitek/tiéitek** | *yours* (pl.fam.) |
| **maguké, önöké** | *yours* (pl.form.) | **magukéi, önökéi** | *yours* (pl.form.) |
| **övék** | *theirs* | **övéik** | *theirs* |

(*c*) The possessive pronouns are usually preceded by the definite article:

Kié ez az esernyő? **Az enyém.** *Whose is this umbrella? It's mine.*
**A tiéd** ez a könyv? [⌐] *Is this book yours?*

Again, when learning the possessive pronouns, say them aloud with the definite article, e.g. **az enyém, a tied**, etc.

(*d*) All these forms can be followed by other endings:

Zsiga új házát már láttuk, de **Tamásét** még nem. — *We've seen Zsiga's new house, but we haven't seen Tamás's yet.*

A mi kocsink nem akart elindulni, így **a szüleinkével** mentünk le a Balatonhoz. — *Our car wouldn't start, so we went down to Lake Balaton in our parents' car.*

A ti utcátokban van közért? [⌐] **A miénkben** kettő is van. — *Is there a small supermarket in your street? There are two in ours.*

Note also that you can either ask: **Kinek a kutyája ez?** *or* **Kié ez a kutya?** (*Whose is this dog?*).

## 4 The -ék ending

It is used to denote a group of people, e.g. **Péterék** means *Péter and his family or friends*, and **Szabóék** means *the Szabós*. The -ék ending is added to the word stem. (Note the usual changes: **a** to **á** and **e** to **é** before it.) It can be followed by other endings:

**Annáékkal** voltunk moziban. — *We were at the cinema with Anna and her friends/family.*

**Feketééknek** még nincs színes tévéjük. — *The Feketes haven't got a colour television yet.*

**A barátodék** is Erdélybe mennek nyaralni? [⌐] — *Are your friend and his family/friends also going on holiday to Transylvania?*

## 5 Sincs, sincsenek

Use these words to express 'nincs is' and 'nincsenek is', which do not exist.

Bálint még nincs itt és Eszter **sincs**. — *Bálint is not here yet, and neither is Eszter.*

Nekem nincsenek angol ismerőseim. Neked **sincsenek**? [⌐] — *I haven't any English acquaintances, haven't you any either?*

## 6 Egymás (*each other, one another*)

When used with a transitive verb, this word always requires the definite conjugation, e.g. A szüleim nagyon **szerették egymást**. *My parents loved each other very much.*

## 7 Personal pronouns used for emphasis

Personal pronouns are often used for emphasis or when drawing a contrast:

**Énvelem** senki sem akar ma
beszélni? [~]
**A mi szüleink** nem szeretik,
ha későn járunk haza.
És a tieitek?

*Does nobody want to talk to
me today?*
*Our parents don't like us
coming home late. And what
about yours?*

 **Gyakorlatok**

1 **Ki kicsoda?** (*Who is who?*) Can you work it out? You will need to know these new words:

a nagyapám (*my grandfather*), a nagynéném (*my aunt*), a vejem (*my son-in-law*).

(a) Milyen rokonom az édesanyám lányának az öccse?
(b) Milyen rokonom az édesapám édesanyjának a férje?
(c) Milyen rokonom a nagynéném férjének a felesége?
(d) Milyen rokonom az édesapám nővérének a fia?
(e) Milyen rokonom a lányom anyósának a fia?

2 Read this passage on Dénes Újhelyi. Then write a similar one on Zoltán Kerekes using the information given below. Finally, say them both aloud.

Újhelyi Dénes alacsony, középkorú, kissé pocakos férfi. A haja és a szeme barna, a fülei kissé elállóak. Egy kicsit kopaszodik. Nagy bajusza van, de szakálla nincsen. Olvasáshoz általában szemüveget visel. Újhelyi Dénes elég intelligens ember, egy nagyvállalat igazgatója. Az ügyfeleivel mindig udvariasan viselkedik, de ha rossz napja van, a titkárnőjével egy kicsit ingerült. Tavaly elvált a feleségétől. Két fiukat a felesége neveli.

| | |
|---|---|
| **pocakos** *pot-bellied* | **visel** (vmit) *wear* (sg) |
| **haj** (-at, -a) *hair* | **ügyfél** (ügyfelet, ügyfelek, ügyfele) |
| **kissé elálló** *slightly protuberant* | *client* |
| **kopaszodik** *go bald* | **ingerült** *irritable* |
| **szakáll** (-at, -a) *beard* | **elválik** (vkitől) *divorce* (sy) |
| **olvasáshoz** *for reading* | |

**Zoltán Kerekes:** quite tall, young, thin, no moustache, blue eyes, black hair, small ears, wears glasses, taxi driver, not married, polite to everybody, intelligent, very religious, goes to church every Sunday.

You will need to know the word **taxisofőr** (-t, -ök) *taxi driver*.

3 Now write a similar passage about yourself using the 1st person singular form. Then say it aloud from memory.

4 Make up the second half of the sentences below, using the information given in brackets. Here is the first one: (*a*) Az öcsém neve Gyula, a bátyámé Ferenc.

(*a*) Az öcsém neve Gyula, (**bátyám**, **Ferenc**).
(*b*) A szüleim háza kétszintes, (**nagyszüleim**, **csak egyszintes**).
(*c*) Imre kutyájának Bodri a neve, (**Anna**, **Ügyes**).
(*d*) A nagybátyám menyasszonyát már ismered, (**unokaöcsém**, **még nem**).
(*e*) Vargáék fiai már felnőttek, (**Keresztesék**, **még gyerekek**).
(*f*) Ildikóék esküvőjén cigányzenekar játszott (**miénk**, **jazz-zenekar**).

| | |
|---|---|
| **zenekar** (-t, -ok, -a) *band* | **cigány** (-t, ok) *gypsy* |
| **unokaöcs** *cousin* (younger male) | **nagyszülők** (**nagyszüleim**, etc.) |
| | *grandparents* |

5 Beáta is remembering the long summer holidays she spent in her childhood with her grandparents in a little village. Write in the correct forms of the words in brackets. Then tell her story.

A mi (**nagyszülők**) _____ egy kis faluban laktak Veszprém megyében. A (**nagyapám**) _____ sok (**állat**) _____ volt:

tehenek, lovak, csirkék, disznók. A (**nagypapa**) _____
különösen a (**lovak**) _____ szerette. Kora reggel indult a
(**lovak**) _____ a földekre dolgozni. A (**nagymama**) _____
közben otthon volt; főzött, mosott, takarított. A ház körül mindig
sok (**munka**) _____ volt. Mi, gyerekek egész nap kinn játszot-
tunk a (**szomszédok**) _____ (**gyerekek**) _____. Csak akkor
mentünk haza, ha éhesek lettünk. Este a hosszú, fárasztó nap
után a felnőttek a (**házak**) _____ előtt ültek és beszélgettek, mi
pedig tovább játszottunk.

| | |
|---|---|
| **nagyapa**  *grandfather* | **disznó**  *pig* |
| **nagymama**  *grandmother* | **kora reggel**  *early in the morning* |
| **falu**  *village* | **föld** (-et, -ek, -je)  *land* |
| **megye**  *county* | **tovább játszik**  *carry on playing* |
| **tehén** (tehenet, tehenek, tehene)  *cow* | |

**6**  Give the correct form of the words in brackets.

(*a*)  A mi családunkban senki sem dohányzik. És a (**ti**) _____?

(*b*)  Az én anyósommal nem szabad politikáról beszélni. És a (**te**)
_____?

(*c*)  A mi kocsinkkal nem lehet hosszú útra menni. És az (**ő**)
_____?

(*d*)  Veszélyes a kutyád? Az (**én**) _____ nagyon félnek a
betörők.

(*e*)  A ti kertetekben egyetlen virág sincs? A (**mi**) _____
rengeteg van.

| |
|---|
| **veszélyes**  *dangerous* |

**7**  This is Csilla Szeles's account of her life at home, recorded by a
social worker. Study it, and then write the social worker's report
on her. Use the 3rd person singular. Finally, say the report aloud.

Sajnos a szüleim sokat veszekednek egymással. Apám min-
den este részegen jár haza. Anyám állandóan fáradt és
ingerült. Néha verekednek és kiabálnak. A testvéreimmel a
szomszédokhoz vagy a térre menekülünk.

---

**részeg**  *drunk* (adj. or noun)     **menekül**  *escape*
**tér** (teret, terek, tere)  *playground*

---

**8**  Answer these questions about yourself.

(a)  A szüleinek sok testvére van? [⌢]
(b)  Milyen emberek a szülei?
(c)  Az édesapja és az édesanyja jól kiegészítik egymást? [⌢]
(d)  Milyen gyerekkora volt?
(e)  Vallásos? [⌢] Ha igen, milyen vallású?
(f)  Rosszak a fogai? [⌢]

---

**Milyen vallású?**  *What is your religion?* (sing.form.)

---

# Érti?

An eye-witness is being interviewed on the radio about the murder of a young taxi-driver in Szolnok.

**Riporter**  Kedves hallgatóink! Mint ismeretes, április ötödikén este 7 óra fele ismeretlen tettesek megölték Kozma Sándor 25 éves szolnoki taxisofőrt. Az esetnek több szemtanúja is volt. Ön hol tartózkodott a gyilkosság elkövetésének idején?

**Szemtanú**  Én a tizenkettes busz megállójában vártam a buszra a Béke Szállóval szemben.

**Riporter**  Kérem, mondja el, mit látott.

**Szemtanú**  Fél hét felé egy üres taxi közeledett a megállóhoz. A taxit két 20 év körüli fiatalember megállította, és beszálltak.

**Riporter**  Tudna személyleírást adni a két fiatalemberről?

**Szemtanú**  Hogyne. Egyikük kissé kövér, bajuszos férfi volt. Magassága 165–170 cm* lehetett. Göndör, fekete haja a válláig ért. Farmeröltönyt és edzőcipőt viselt. A másik szemüveges, vékony fiatalember volt. Magassága körülbelül 175–180 cm volt. Világosbarna, rövid, egyenes haja és kissé elálló fülei voltak. Ő világosszürke kabátot, sötét nadrágot és cipőt viselt. Durva, agresszív arca volt.

---

WHAT WERE YOUR PARENTS LIKE?

**Riporter**   Úgy tudom, egyiküknél nagy, fekete bőrtáskát láttak.
**Szemtanú**   Igen, úgy emlékszem a táska a farmeröltönyös fiatalem-
beré volt. Mindenesetre nála láttam. Azt hiszem, üres
lehetett.
**Riporter**   Talán később ebbe rakták a taxisofőr rádióját és rádiós-
magnóját. Amikor beszálltak a kocsiba, ön hallott is
valamit.
**Szemtanú**   Igen. A farmeröltönyös azt mondta a másiknak:
„Kalmáréknál ma jó buli lesz. Jössz?"
**Riporter**   Ha hallgatóink közül a személyleírás alapján bárki
felismeri a két fiatalembert, vagy esetleg tudja, kik
lehetnek Kalmárék, jelentkezzen a Szolnok Megyei
Rendőrfőkapitányság 62–745–ös telefonszámán.
Segítségüket előre is köszönjük.

---

| | |
|---|---|
| **mint ismeretes**   *as is known* | *a description of* (sy) |
| **ismeretlen**   *unknown* | **egyikük**   *one of them* |
| **tettes** (-t, -ek)   *offender* | **magasság** (-ot, -a)   *height* |
| **megöl** (vkit)   *kill* (sy) | **göndör**   *curly* |
| **eset** (-et, -ek, -e)   *case, incident* | **farmeröltöny** (-t, -ök, -e)   *denim suit* |
| **szemtanú**   *eye-witness* | **farmeröltönyös fiatalember** |
| **gyilkosság** (-ot, -ok, -a)   *murder* | *a young man in a denim suit* |
| (noun) | **mindenesetre**   *in any case, anyway* |
| **elkövetés**   *commission* | **rak** (vmit)   *put* (sg) |
| **Mondja** (*pron.* monggya) **el, mit** | **hallgatóink közül**   *from among our* |
| **látott.**   *Tell us what you saw.* | *listeners* |
| **közeledik**   *approach* (verb) | **alap** (-ot, -ok, -ja)   *basis* |
| **megállít** (vkit)   *stop* (sy) | **bárki**   *anybody* |
| **beszáll** (vmibe)   *get into* (sg) | **felismer** (vkit)   *recognise* (sy) |
| **személyleírás** (-t, -ok, -a) **ad** | **jelentkezzen**   *contact* (sing.form.) |
| (vkiről)   *give* | **jelentkezik**   *come forward, contact* |

*Cm is short for **centiméter** (*centimetre*). It is read out in full.

Feleljen a kérdésekre!

(a)  Mi történt április 5-én este?
(b)  Milyen haja volt az első fiatalembernek?
(c)  Milyen fülei voltak a második férfinak?
(d)  Kié volt a fekete bőrtáska?
(e)  Hol volt este a buli?
(f)  Mit kell tenni, ha valaki felismeri a tetteseket?

# 19

## SOKKAL JOBBAN
## TETSZIK

*I much prefer it*

## In this unit you will learn how to

- make comparisons
- talk about your job
- wish someone well

## Párbeszéd

Antal and Tibor are friends. They meet unexpectedly at a bus stop.

**Antal** Szevasz, Tibor! Ezer éve nem láttalak! Mi van veled, öregem?

**Tibor** Már két hónapja új vállalatnál dolgozom.

**Antal** Emlékszem, hogy a régi munkahelyeden nem érezted jól magad.

**Tibor** Igen, szükségem volt a változásra.

**Antal** És itt milyen?

**Tibor** Sokkal jobban tetszik. Nemcsak érdekesebb a munkám, hanem többet is keresek. Az idő is gyorsabban telik, ha az ember nem unatkozik. Saját irodám, titkárnőm van. Igaz, kicsit korábban kell kelnem, mert most valamivel messzebb dolgozom. De megéri, mert hamarabb is végzek. Az óvodába

|       | is odaérek minden nap ötre. Ritkán kell túlóráznom, de azt is jól megfizetik. |
|-------|---|
| **Antal** | Jól hangzik! |
| **Tibor** | Ráadásul gyakran járok külföldre is. Legutóbb Londonba küldtek pár napra tárgyalni és egy szerződést aláírni. Jól esett, hogy ilyen hamar megbíztak bennem. Azt mondják, én folyékonyabban beszélek angolul, mint a tolmács. Azt hiszem, hamarosan vegyes vállalat leszünk. Az egyik legnagyobb brit gépipari vállalattal folytatunk tárgyalásokat. Akkor pedig még nagyobb lesz a felelősségem. |
| **Antal** | Jön a tizenhetes. Felszállsz erre a buszra? |
| **Tibor** | Fel, mert sietek. De majd a héten felhívlak. |
| **Antal** | További sok sikert! |
| **Tibor** | Kösz! Szevasz! |

 ── **Szavak és kifejezések** ──

---

**öregem** *old chap*
(vkinek) **szüksége van** (vmire) (sy) *needs* (sg)
**Az idő is gyorsabban telik.** *Even time passes more quickly.*
**Saját irodám van.** *I have an office of my own.*
**saját** (-ot, -ja) *own*
**Megéri.** *It's worth it.*
**odaér** *get there*
**ritkán** *rarely*
**túlórázik** *work overtime*
**Jól megfizetik.** *It's well paid.*

**legutóbb** *last time*
**tárgyal** *negotiate*
**szerződés** (-t, -ek, -e) *contract*
**aláír** (vmit) *sign* (sg)
(vkinek) **jól esik** (vmi) (sg) *pleases* (sy)
**megbízik** (vkiben) *trust* (sy)
**tolmács** (-ot, -ok, -a) *interpreter*
**vegyes vállalat** *joint venture*
**gépipari vállalat** *engineering company*
**vállalat** (-ot, -ok, -a) *company*
**felelősség** (-et, -e) *responsibility*

---

## Kérdések

1 Melyik igaz?

   (a)   (i)   Antal kétezer éve nem látta Tibort.

        (ii)   Antal régen látta Tibort.

   (b)   (i)   Tibor nem szeretett a régi helyén dolgozni.

        (ii)   Tibornak szüksége volt egy titkárnőre.

(c) (i) Az új helyen Tibornak érdekesebb a munkája és jobb a fizetése.

(ii) A régi helyen Tibornak korábban kellett kelnie.

(d) (i) Tibor többé nem túlórázik, mert nem fizetik meg.

(ii) Tibor nem bánja, hogy az új helyen néha túlórázni kell, mert jól megfizetik.

(e) (i) Tibor vállalata angol-magyar vegyes vállalat lesz.

(ii) Tibor az egyik legnagyobb brit gépipari vállalattal írt alá szerződést.

**2 Feleljen a kérdésekre!**

(a) Mennyi ideje dolgozik Tibor új vállalatnál?
(b) Miért kell Tibornak korábban kelnie?
(c) Megfizetik Tibornak az új helyén a túlórát? [~]
(d) Mennyi időre küldték Tibort legutóbb Londonba tárgyalni?
(e) Milyen vállalattal folytat Tibor vállalata tárgyalásokat?

---

| | |
|---|---|
| **Mennyi ideje?** *How long?* | **túlóra** *overtime* |
| **bán** (vmit) *mind* (sg) | |

---

## —— Magyarország és a magyarok ——

**Vegyes vállalat** (*joint venture*): this is usually between a Hungarian and a foreign company. The most frequent types of business you might come across in Hungary are:

**részvénytársaság** (**rt.**) *joint stock company*;
**korlátolt felelősségű társaság** (**kft.**) *limited liability company*;
**termelőszövetkezet** or **téesz** (**tsz**) *cooperative farm*.

Here are some terms you might need when doing business with people in Hungary:

| | |
|---|---|
| **adó** *tax* | **névjegykártya** *business card* |
| **áfa** *VAT* | **nyomtató** *printer* |
| **cég** *firm* | **privatizáció** *privatisation* |
| **faxol** *fax* (verb) | **szövegszerkesztő** *word processor* |
| **fénymásoló** *photocopier* | **telefax** *fax machine* |
| **írógép** *typewriter* | **üzenetrögzítő** *answerphone* |
| **komputer** (*pron.* kompjúter) *or* | **vám** *customs duty* |
| **számítógép** *computer* | |

**Az ember** (*one, you*) is used with the 3rd person singular form, e.g. Az idő is gyorsabban telik, ha **az ember** nem **unatkozik**. *Even time passes more quickly if one is not bored.*

**Sok sikert!** (*Lots of success!*) This is used when wishing somone success with some new enterprise. Similarly **Sok szerencsét!** (*Lots of luck!*) and **További sok sikert!** (*Further success!*). Other expressions to wish people well are:

| | |
|---|---|
| **Jó szórakozást!** | *Have a nice time!* |
| **Jó hétvégét!** | *Have a nice weekend!* |
| **Jó pihenést!** | *Have a good rest!* |

**A héten** (*this week*): this expression is often used instead of the longer **ezen a héten**. Similarly **az este** which can mean either *yesterday evening* or *this evening*, **az éjszaka** or **az éjjel** (*last night*) or (*tonight*), **a nyáron** (*this summer*) or (*last summer*), etc.

 ———————— **Nyelvtan** ————————

## 1 Comparisons

There are three degrees of comparison:

positive, e.g. *cheap, expensive*
comparative, e.g. *cheaper, more expensive*
superlative, e.g. *cheapest, most expensive.*

● In Hungarian, the comparative is formed by adding the ending **-bb** to the positive form of the adjective. Simply add **-bb** after words ending in a vowel. (Remember the usual changes: **a** to **á**, and **e** to **é** before it.)

| | | | |
|---|---|---|---|
| **olcsó** | *cheap* | olcsó**bb** | *cheaper* |
| **drága** | *expensive* | drág**ább** | *more expensive* |
| **fekete** | *black* | feket**ébb** | *blacker* |

Words ending in a consonant need an **a** or an **e** linking vowel (see vowel harmony) before the **-bb** ending.

| | | | |
|---|---|---|---|
| **magas** | *tall* | **magasabb** | *taller* |
| **becsületes** | *honest* | **becsületesebb** | *more honest* |

- The superlative is formed by adding the particle **leg-** to the comparative form of the adjective. (Particles are minor parts of speech like *up*, *off*, or *in-* as in indiscreet, etc.)

| | | | |
|---|---|---|---|
| **olcsóbb** | *cheaper* | **leg**olcsóbb | *cheapest* |
| **drágább** | *more expensive* | **leg**drágább | *most expensive* |
| **feketébb** | *blacker* | **leg**feketébb | *blackest* |
| **magasabb** | *taller* | **leg**magasabb | *tallest* |
| **becsületesebb** | *more honest* | **leg**becsületesebb | *most honest* |

Note that just as in English, the superlative is usually preceded by the definite article, e.g. **a legmagasabb** *the tallest*, and so on.

Note these irregular comparisons:

| | | |
|---|---|---|
| **jó** *good* | **jobb** *better* | **legjobb** *best* |
| **nagy** *big* | **nagyobb** *bigger* | **legnagyobb** *biggest* |
| **szép** *beautiful* | **szebb** *more beautiful* | **legszebb** *most beautiful* |
| **sok** *many* | **több** *more* | **legtöbb** *most* |
| **kis, kicsi** *small* | **kisebb** *smaller* | **legkisebb** *smallest* |
| **könnyű** *easy* | **könnyebb** *easier* | **legkönnyebb** *easiest* |
| **hosszú** *long* | **hosszabb** *longer* | **leghosszabb** *longest* |
| **lassú** *slow* | **lassabb** *slower* | **leglassabb** *slowest* |
| **kevés** *little, few* | **kevesebb** *less, fewer* | **legkevesebb** *least, fewest* |
| **nehéz** *difficult* | **nehezebb** *more difficult* | **legnehezebb** *most difficult* |
| **bátor** *brave* | **bátrabb** *braver* | **legbátrabb** *bravest* |
| **bő** *loose* | **bővebb** *looser* | **legbővebb** *loosest* |
| **régi** *old* | **régebbi** *older* | **legrégebbi** *oldest* |

- There are three very common constructions with comparisons.

(a) Constructions with the positive forms of adjectives:

Zsolt már **olyan** magas, **mint** az édesapja.     *Zsolt is already **as** tall **as** his father.*

Boriska **nem olyan** szép, **mint** Greta Garbo.     *Boriska is **not as** beautiful **as** Greta Garbo.*

(b) Constructions with the comparative forms of adjectives:

Magyarország szegénye**bb** ország, **mint** Anglia.     *Hungary is a poorer country **than** England.*

A magyar neheze**bb** nyelv,
**mint** a német.

*Hungarian is a **more** difficult
language **than** German.*

These two sentences can also be expressed by using the **-nál/-nél**
ending instead of the word **mint**:

Magyarország szegénye**bb** ország Angliá**nál**.
A magyar neheze**bb** nyelv a német**nél**.

To express how much poorer, more difficult, etc. something or some-
one is, use the **-val/-vel** ending:

A piros szín **sokkal jobban** áll
neked, mint a fekete. *or*
A piros szín **sokkal jobban** áll
neked a feketénél.

*Red suits you much better
than black.*

Egy **számmal kisebbet**
legyen szíves.

*One size smaller, please.*

(c)  Constructions with the superlative forms of adjectives:

Szerintem Budapest a **leg**szebb
város a világon.

*In my opinion Budapest is the
most beautiful city in the world.*

Note the expression **az egyik leg ... bb**:

A Kovács Margit Múzeum **az
egyik legérdekesebb múzeum**
Magyarországon.

*The Margit Kovács Museum is
one of the most interesting
in Hungary.*

● When not followed by a noun, the comparative and superlative can
take other endings as well, e.g. **Többet** nem kérek. *I don't want any
more.*

## 2  Adverbs of manner in comparisons

To form adverbs of manner, add **-an** or **-en** to the comparative or the
superlative form of the adjective. (See vowel harmony.)

| | | |
|---|---|---|
| **olcsón** *cheaply* | olcsó**bban** *more cheaply* | **leg**olcsó**bban** *most cheaply* |
| **gyorsan** *quickly* | gyorsa**bban** *more quickly* | **leg**gyorsa**bban** *most quickly* |
| **kedvesen** *kindly* | kedvese**bben** *more kindly* | **leg**kedvese**bben** *most kindly* |
| **jól** *well* | jo**bban** *better* | **leg**jo**bban** *best* |

Note that the superlative is usually preceded by the definite article.

Jakab **gyorsabban** fut nálam.
**A legolcsóbban** a piacon lehet
vásárolni.

*Jakab runs faster than me.*
*One can buy cheapest in*
*the market.*

Note these irregular forms:

| | | | |
|---|---|---|---|
| **rosszul** | *badly* | **felelőtlenül** | *irresponsibly* |
| **rosszabbul** | *more badly* | **felelőtlenebbül** | *more irresponsibly* |
| **legrosszabbul** | *most badly* | **legfelelőtlenebbül** | *most irresponsibly* |

## 3  Verbal particles expressing the direction of an action

Verbal particles are used with verbs, and have several functions in Hungarian. Some of them express the direction of an action. Here are the most common examples:

| Verbal particle | English equivalent | Example of verbal particle with verb |
|---|---|---|
| be | *in, into* | **bemegy** *go in/into* |
| bele | *into* | **beleugrik** *jump into* |
| ki | *out, out of* | **kijön** *come out/out of* |
| le | *down* | **lefut** *run down* |
| fel or föl | *up* | **felszalad** *run up* |
| el | *away, off* | **eltesz** *put away* |
| vissza | *back* | **visszahoz** *bring back* |
| át | *across, over* | **átsétál** *walk across* |
| végig | *along* | **végigmegy** *go along* |
| ide | *here* | **idejön** *come here* |
| oda | *there* | **odamegy** *go there* |
| rá | *on, onto* | **rátesz** *put onto* |
| haza | *home* | **hazamegy** *go home* |
| össze | *together* | **összejön** *come together* |
| szét | *apart* | **szétszalad** *scatter* |

**Visszahoztad** a könyvem? [⌐]
Balázs **kijött** az erkélyre.

*Have you brought back my book?*
*Balázs came out on to the*
*balcony.*

• Note that verbal particles sometimes require certain endings:

| | |
|---|---|
| Kati **be**ment a szobába. | *Kati went into the room.* |
| Zita **ki**jött a konyhából. | *Zita came out of the kitchen.* |
| A lift gyorsan **le**ért az első emeletről a földszintre. | *The lift came down quickly from the first to the ground floor.* |
| Este **végig**sétáltunk a körúton. | *In the evening we walked along the boulevard.* |
| **Át**mentem az úton. | *I walked across the road.* |

● Note the expressions:

| | |
|---|---|
| **felszáll a buszra/villamosra,** etc. | *get on the bus / tram, etc.* |
| **leszáll a buszról/villamosról,** etc. | *get off the bus / tram, etc.* |
| **beszáll a taxiba/kocsiba** | *get into the taxi / car* |
| **kiszáll a taxiból/kocsiból** | *get out of the taxi / car* |
| **átszáll a buszról a metróra,** etc. | *change from the bus to the metro.* |

## 4  The word order of the verbal particle and the verb

The position of the verbal particle depends on the emphasis in the sentence.

(a) The verbal particle forms the first part of the verb and together they make a single word if:

this word is the focus of the sentence;

| | |
|---|---|
| **Elmész** a koncertre? [⌐⌐] | *Are you going to the concert?* |

or if there is no special emphasis on any word in the sentence;

| | |
|---|---|
| **Felszálltam** a villamosra. | *I got on the tram.* |

Note that yes-or-no questions always have this word order, e.g. **Felszállsz** a villamosra? [⌐⌐] *Are you getting on the tram?*

(b) The verbal particle follows the verb making a separate word if:

the focus is any other word or group of words;

| | |
|---|---|
| A villamosra **szálltam fel**. | *I got on the tram.* |
| Nem a buszra **szálltam fel**. | *I didn't get on the bus.* |

Note that the word order is always verb + verbal particle if the verb is negated, e.g. **Nem szálltam fel** a villamosra. *I didn't get on the tram.*

## 5  Yes-or-no questions with a verbal particle

A positive short answer to these questions can be given by just repeating the verbal particle:

Elmész? [⌣] **El.**                  *Are you leaving? Yes, I am.*
**Haza**mentek? [⌣] **Haza**.        *Are you going home? Yes we are.*


## 6  Time expressions with 'for'

The word *for* is expressed in different ways in Hungarian.

(a)  To express a specified period of time during which someone has not done something, or something has not happened, use the 3rd person singular possessive ending, e.g.

**két perce, órája, napja, hete, hónapja, éve,** etc.
*for two minutes, hours, days, weeks, months, years,* etc.

  **Ezer éve nem** láttalak.          *I haven't seen you for ages.*
                                       (Lit. *for a thousand years.*)
  **Két napja nem** ettem.            *I haven't eaten for two days.*

Note the questions: **Mennyi ideje?** or **Mióta?** (*for*) *How long?* **Hány napja?** (*for*) *How many days?*, etc. **Mióta nem** kaptál levelet? *How long is it since you received a letter?*

Note the change in meaning if these sentences are made positive:

  **Két éve nem voltam** Londonban. *I haven't been to London for*
                                       *two years.*
  **Két éve voltam** Londonban.      *I was in London two years ago.*
  **Egy hete nem láttalak.**          *I haven't seen you for a week.*
  **Egy hete láttalak.**              *I saw you a week ago.*

(b)  To express a period of time extending into the present, use also the 3rd person singular possessive ending, e.g.

  Már **két hónapja** új vállalatnál  *I've been working for a new*
    dolgozom.                          *company for two months now.*
  **Két órája** várlak!               *I've been waiting for you for*
                                       *two hours.*

(c)  To express the period of time that something is, or was, to last:

(i) use the **-ra/-re** ending with dynamic verbs (i.e. verbs which express any form of movement), e.g.

**két hétre / hónapra**   *for two weeks / months,* etc.

**Pár napra** Londonba küldtek tárgyalni.
*They sent me to London for a few days to negotiate.*
**Két hétre** mentünk Olaszországba.
*We went to Italy for two weeks.*

Note the questions: **Mennyi időre?** (*For how long?*) **Hány napra?** (*For how many days?*), etc. **Mennyi időre** mész Párizsba? *For how long* are you going to Paris?

(ii) use the **-ig** ending with static verbs (i.e. verbs not expressing any form of movement), e.g.

**Két napig** tartott a konferencia.
*The conference lasted for two days.*
**Három hétig** lesznek itt a szüleim.
*My parents are going to be here for three weeks.*
*Cf.* **Három hétre** jöttek a szüleim.
*My parents have come for three weeks.*

Note the questions: **Mennyi ideig?** or **Meddig?** (*How long?*) **Mennyi ideig** lesznek itt a szüleid? *How long are your parents going to be here?*

(*d*) To express that something was, is, or will be done by a certain time, also use the **-ra/-re** ending, e.g. **öt órára** (*by five o'clock*), etc.

Az óvodába is odaérek minden nap **ötre**.
*I also get to the nursery school by five o'clock every day.*

Note the questions: **Hány órára?**, **Hányra?**, **Mikorra?** (*When ... by?*):

**Hányra** kell az irodába menned? *What time do you have to get to the office by?*

## 7 The infinitive with possessive endings

The infinitive is often used to express a general, impersonal statement, e.g. **Itt nem szabad dohányozni.** *Smoking is not allowed here.* To say who is not allowed to smoke, use the possessive endings.

They are added to the infinitive, omitting the **i**, except in the 3rd person singular and plural forms, where the **i** is retained.

| Back vowel words | Front vowel words | Front vowel words with ö, ő, ü or ű as their final vowel |
|---|---|---|
| tud**ni** | beszél**ni** | főz**ni** |
| tud**nom** | beszél**nem** | főz**nöm** |
| tud**nod** | beszél**ned** | főz**nöd** |
| tud**nia** | beszél**nie** | főz**nie** |
| tud**nunk** | beszél**nünk** | főz**nünk** |
| tud**notok** | beszél**netek** | főz**nötök** |
| tud**niuk** | beszél**niük** | főz**niük** |

The infinitive (with or without the possessive endings) is used with words like:

| | | | |
|---|---|---|---|
| **érdemes** | *worth* | **sikerül** | *manage to, succeed* |
| **kell** | *must, have to* | **szabad** | *allowed* |
| **lehet** | *can, may* | **tilos** | *forbidden* |
| **muszáj** | *must, have to* | | |

| | |
|---|---|
| Most **mennem kell**. | *I have to go now.* |
| **Sikerült** taxit **találnod**? [◞] | *Did you manage to find a taxi?* |
| **Muszáj** ilyen hamar **elmennetek**? [◞] | *Do you have to go so soon?* |

Though it is grammatically correct to use the infinitive without the possessive endings, it is better style to use it with them.

To emphasise the person or to draw a contrast, use the dative ending:

| | |
|---|---|
| **Kinek kell aláírnia** a szerződést? Nekem? [◞] | *Who has to sign the contract? Me?* |
| **Editnek nem szabad dohányoznia**, mert terhes. | *Edit mustn't smoke because she's pregnant.* |

# 8 Bennem (*in me*)

**Bennem** is formed from the ending **-ban/-ben** with the first person singular possessive ending. The same in English is expressed by a preposition followed by the object form of the personal pronoun.

## The -ban/-ben forms of the personal pronouns

| | | | |
|---|---|---|---|
| **bennem** | *in me* | **bennünk** | *in us* |
| **benned** | *in you* (sing.fam.) | **bennetek** | *in you* (pl.fam.) |
| **benne** | *in you* (sing.form.) | **bennük** | *in you* (pl.form.) |
| **benne** | *in him/her* | **bennük** | *in them* |

These forms are used when certain words require the use of the **-ban/-ben** ending, e.g. **megbízik** (vki**ben**) *trust* (sy).

Nagyon jól esett, hogy ilyen hamar **megbíztak bennem**.

*It was nice to feel that they trusted me so soon.*

## 9 Végez (*finish*)

This is a somewhat irregular verb. Here is its conjugation:

present tense indefinite conjugation:
**végzek**, **végzel**, végez, **végzünk**, végeztek, végeznek

present tense definite conjugation:
**végzem**, **végzed**, **végzi**, végezzük, **végzitek**, **végzik**

past tense indefinite conjugation:
végeztem, végeztél, **végzett**, végeztünk, végeztetek, végeztek

past tense definite conjugation:
végeztem, végezted, végezte, végeztük, végeztétek, végezték

 —————— **Gyakorlatok** ——————

1  Answer the questions comparing the items listed below. Here is the first one for you: (a) A Lehel piacon olcsóbb a paradicsom, mint a Hunyadi téri piacon, de a Bosnyák téri piacon a legolcsóbb.

(a)  Hol olcsó a paradicsom?
Hunyadi téri piac, Lehel piac, Bosnyák téri piac

*(b)* Melyik nyelv nehéz?
orosz, magyar, kínai
*(c)* Ki szép?
Marilyn Monroe, Ingrid Bergman, Grace Kelly
*(d)* Melyik sport érdekes?
golf, krikett, foci
*(e)* Milyen üdítőital finom?
kóla, narancslé, almalé
*(f)* Melyik város nagy?
Budapest, Párizs, London

---

**almalé** (almalevet, almaleve)   *apple juice*

---

**2** In the army, soldiers are measured for height and weight. Can you work out how tall the following are?

Lajos az egyik legmagasabb katona a hadseregben. Péter olyan magas, mint Gyuri. András alacsonyabb Lajosnál, de magasabb Péternél. Lajos 8 centiméterrel magasabb Gyurinál, és Gyuri 5 centiméterrel alacsonyabb Andrásnál. Péter magassága 180 cm. Milyen magasak a többiek?

---

**katona**  *soldier*       **hadsereg** (*pron.* haccsereg)  *army*

---

**3** An engineering company has placed the following advertisement in the papers.

Angol-magyar vegyes vállalat titkárnőt keres, aki folyékonyan beszél angolul, gyorsan tud gépelni és több éves titkárnői tapasztalattal rendelkezik.

---

**...több éves titkárnői tapaszta-**       **gépel**  *typewrite*
**lattal rendelkezik.**  *...has sever-*
*al years of experience working as*
*a secretary.*

---

Three people are shortlisted. The head of the personnel department has listed their qualities and skills, marking them 1–3 (1 is the best). Compare the applicants following this sentence:

(a) Edit folyékonyan beszél angolul, de Brigitta folyékonyabban beszél nála, és Nóra beszéli a nyelvet a legfolyékonyabban.

|  |  | Nóra | Edit | Brigitta |
|---|---|---|---|---|
| (a) | hogy beszél angolul | 1 | 3 | 2 |
| (b) | milyen gyorsan tud gépelni | 2 | 3 | 1 |
| (c) | tapasztalat | 3 | 2 | 1 |

4　A short study was published in one of the Hungarian daily newspapers on the diet of the poor in Hungary. Study this extract. The writer of the article was interviewed on Hungarian radio about the subject. What were his answers to the reporter's questions?

Magyarországon manapság drágábbak az élelmiszerek, mint néhány évvel ezelőtt. A szegények tehát kevesebbet költenek élelmiszerre, és inkább az olcsóbb élelmiszereket vásárolják. Több kenyeret, zsírt, tésztát és szalonnát fogyasztanak, mint az átlagos szinten élők. A szegények friss gyümölcs-, zöldség-, főzelék-, sajt- és tojásfogyasztása csak negyvenhat százaléka az átlagos szinten élőkének. Ugyanakkor az átlagos szinten élők nemcsak egészségesebben táplálkoznak, hanem többet is sportolnak.

| | |
|---|---|
| **szalonna** *a type of bacon* <br> **fogyaszt** (vmit) *consume* (sg) <br> **átlagos** *average* <br> **szint** (-et, -ek, -je) *level* <br> **fogyasztás** (-t, -a) *consumption* <br> **százalék** (-ot, -a) *percentage* <br> **egészséges** (*pron.* egésséges) | *healthy* <br> **táplálkozik** *eat* <br> **az átlagos szinten élők** *those who have a reasonable standard of living* (Lit. *those living on an average level*) |

(a) Milyen élelmiszereket vásárolnak a szegények, és mennyit költenek élelmiszerre?

(b) Miből fogyasztanak többet a szegények mint az átlagos szinten élők?

(c) Miből fogyasztanak kevesebbet a szegények az átlagos szinten élőknél?

(d) Melyik csoport sportol többet: az átlagos szinten élők vagy a szegények?

HUNGARIAN: PART TWO

> **csoport** (-ot, -ok, -ja)  *group*

**5** Follow Tibor's route to his office every morning. Write in the missing verbal particles. Then say it aloud.

Tibor reggel korán (a) _____megy otthonról. Kissé szórakozott és néha elfelejti bezárni az ajtót vagy becsukni az ablakot és akkor gyorsan (b) _____siet a lakásba. Az utcán (c) _____sétál a tizenhetes busz megállójáig. (d) _____száll a buszra, majd a Széchenyi utcában (e) _____száll a buszról. (f) _____megy az úton és (g) _____megy a Széchenyi utcán. Az utca végében van az új irodája. (h) _____megy a kapun és (i) _____megy az ötödik emeletre.

> **szórakozott**   *absent-minded*       **becsuk** (vmit)   *close* (sg)
> **bezár** (vmit)   *lock* (sg)

**6** How do you go to work? Give a detailed description.

**7** Magda is an ambitious young woman who wants to be an opera singer. She is talking to a friend in a café. Write in the missing endings and then tell her story aloud.

Képzeld, már két nap_____ csend van a lakásban! A szomszédaim három hét_____ vidékre utaztak. Nem tudod elképzelni, hogy mit jelent ez nekem! Minden délután pontosan 5 óra_____ szoktak hazajönni. Éppen amikor én gyakorolni kezdek! Az apa bekapcsolja a rádiót és a híreket hallgatja. Az anya főz a konyhában, és közben hangosan veszekszik a gyerekekkel. Hét_____ kész a vacsora. Utána bekapcsolják a tv-t, a fiuk pedig a szobájában a magnót hallgatja. Pár nap_____ kutyájuk is van, az is hangosan ugat. Hát lehet így áriákat énekelni?

> **csend** (-et)   *quiet*              **bekapcsol** (vmit)   *switch on* (sg)
> **vidék** (-et, -ek, -e)   *countryside*   **ugat**   *bark* (verb)
> **gyakorol**   *practise*             **ária**   *aria*

**8** Éva is telling her friend Andrea why she is looking for another place to live. Write in the correct 1st person singular form of the infinitives in brackets and then tell her story aloud.

Nem bírom tovább. Elköltözöm! Képzeld, a lakásban tilos (**cigarettázni**) _____. Csak akkor szabad (**főzni**) _____, ha a házinéniék befejezték a vacsorát. Legkésőbb este tízre otthon kell (**lenni**) _____. Az utcáról kell (**telefonálni**) _____, mert az ő telefonjukat nem szabad (**használni**) _____. Ráadásul a barátom sem szabad (**felvinni**) _____. Muszáj lesz új albérletet (**keresni**) _____. Remélem, sikerül majd jó helyet (**találni**) _____.

---

| | |
|---|---|
| **Nem bírom tovább.** *I can't bear it any longer.* | **befejez** (vmit)   *finish* (sg) |
| **elköltözik**   *move house* | **legkésőbb** (*pron.* lekkésőbb) *the latest* |
| **cigarettázik**   *smoke* (verb) | **felvisz** (vkit)   *take* (sy) *up* |
| **házinéni**   *landlady* | |

---

**9**  Andrea was astounded to hear Éva's story. When she meets Jutka, their mutual friend, she tells her about Éva's experience. What does she say?

---

## Érti?

Ibolya and Balázs are a young couple with two small children. They are discussing where to go on holiday.

**Ibolya**  Hová megyünk idén nyaralni, Balázs?

**Balázs**  Nekem már elegem van a Velencei-tóból. Unalmas egész nap a vízparton ülni. És nagyon drága lett.

**Ibolya**  Manapság mindenhol drágább, mint régebben. Tudod jól, az infláció … A Velencei-tó még az egyik legolcsóbb hely. Ráadásul két gyerekkel minden sokkal többe kerül. Apáméknak saját nyaralójuk van ott, és nem kell szállást fizetnünk.

**Balázs**  Igen, de szerintem változásra van szükségünk. Már négy éve minden nyáron odajárunk. Milyen jó lenne két-három hétre biciklitúrára menni! Emlékszel, amikor bejártuk egész Kelet-Magyarországot? Annál érdekesebb nyarunk azóta sem volt. Szebbnél szebb helyeken jártunk, és sokkal több emberrel sikerült megismerkednünk, mint a Velencei-tónál! Vagy amikor gyalogtúrára mentünk az Őrségbe* és kempingekben szálltunk meg...

**Ibolya** És emlékszel, amikor három napig esett az eső és mindenünk csupa víz lett?! Amikor kisütött a nap, kiteregettem, de pár perccel később újra eleredt az eső, és megint minden átázott. És ez így ment három napig. Izgalmasabb volt, mint a Velencei-tónál, az biztos. De kisgyerekekkel nem lehet ezt csinálni. Az embernek muszáj áldozatot hoznia ... A Velencei-tó még a lehető legjobb megoldás. Majd ha a gyerekek nagyobbak lesznek, könnyebben tudunk utazni. Még talán külföldre is eljutunk. Már ott sem sokkal drágábbak a kempingek, mint nálunk...

**Balázs** Na jó! Akkor a nyáron is a Velencei-tóhoz megyünk. Végül mindig sikerül meggyőznöd...

| | | | |
|---|---|---|---|
| **elege van** *has had enough* | | **kitereget** *hang out the washing* | |
| **szállás** (-t, -ok, -a) *accommodation* | | **Elered az eső.** *It starts raining.* | |
| **Milyen jó lenne...** *How lovely it would be...* | | **átázik** *get soaked through* | |
| **bejár** (vmit) *go all over* (sg) | | **izgalmas** *exciting* | |
| **azóta** *since then* | | **áldozatot hoz** *make a sacrifice* | |
| **szebbnél szebb** *one more beautiful than the other* | | **a lehető legjobb** *the best possible* | |
| **megszáll** (vhol) *stay* (somewhere) | | **megoldás** (-t, -ok, -a) *solution* | |
| **csupa víz lett** *got wet through* | | **eljut** (vhova) *get* (somewhere) | |
| **Kisüt a nap.** *The sun comes out.* | | **meggyőz** (vkit) *convince* (sy) | |
| | | **az biztos** *that's for sure* | |

*** Őrség** is in the western-most part of Hungary. It is famous for its relatively untouched natural beauty as well as for its historical and cultural remains.

Feleljen a kérdésekre!

(a) Miből és miért van elege Balázsnak?
(b) Miért olcsó a Velencei-tó Ibolyáéknak?
(c) Mióta járnak Balázsék minden nyáron a Velencei-tóhoz?
(d) Miért sikerült jól Balázs szerint a kelet-magyarországi biciklitúra?
(e) Mi lesz, ha a gyerekek nagyobbak lesznek?

✳ This has been the most demanding unit so far. Before going on to Unit 20, it would be a good idea to go through the exercises again and see if you can remember the correct answers where you made mistakes before.

# 20

## JOBB LETT VOLNA, HA ...
### *It would have been better if ...*

### In this unit you will learn how to

- express what would happen or what someone would do, as well as what would have happened and what somebody would have done
- express possibility, permission, wishes and sympathy
- buy tickets to the theatre
- report what someone has said

## Párbeszéd

The Hajdú family has just received a letter from a relative inviting them to the country for the feast of pig killing.

**Robi**  Apa, mit írnak keresztmamáék?

**Apa**  Meghívtak bennünket disznóölésre.

**Robi**  De jó lenne elmenni! Én még soha sem voltam disznótoron. Emlékszel, amikor húsvétkor náluk voltunk, milyen finom volt a kolbász! Most még több finomat ehetünk majd: hurkát, kocsonyát ... És mikor lesz náluk a disznóölés?

**Apa**  Karácsony előtt. Eltölthetnénk náluk néhány napot, sőt karácsonyra is ott maradhatunk. Télen még úgysem voltál falun!

**Robi**  Nem, de szilveszterre szeretnék hazajönni. Pali bácsiéknak nincs színes tévéjük, és én meg szeretném nézni a szilveszteri műsort, meg lesz néhány jó film is ...

**Apa**   Jó, majd meglátjuk. Egyszer talán kibírod tv nélkül is.

**Anya**  Miklós, szerinted jó ötlet karácsonyra is lenn maradni? Húsvétkor is egy egész hetet náluk töltöttünk. Jobb lett volna, ha csak egy-két napra mentünk volna. Az ember ott mást se csinál, csak eszik egész nap. Állandóan kínálnak, és nem lehet nekik nemet mondani. Vilma egész nap csak pletykálna ... Sokkal fárasztóbb vendégségbe menni, mintha itthon maradnánk, és mindent nekem kellene egyedül csinálnom: főzni, takarítani, karácsonyfát díszíteni.

**Robi**  De anya, én mindig meg szoktalak kérdezni, hogy miben segíthetek. De te mindig azt mondod, hogy inkább egyedül csinálod.

**Apa**   Vilmáék már évek óta hívnak bennünket disznóölésre vagy karácsonyra. Tavalyelőtt azt mondtuk, hogy a nagy hó miatt leálltak a vonatok, tavaly a kocsink nem volt jó. Nem hinném, hogy idén is sikerülne valami jó kifogást találnunk ... Muszáj egyszer elfogadni a meghívásukat, különben megsértődnek. Vilma mégiscsak a nővérem!

**Anya**  Persze, hogy muszáj. De nem kell feltétlenül olyan sokáig lenn maradnunk. Mi lenne, ha csak disznóölésre mennénk? Karácsonyra pedig hazajövünk.

**Apa**   Na jó, nem bánom! Szegény Vilma, nem lesz kivel pletykálnia az ünnepek alatt ...

 ——— **Szavak és kifejezések** ———

**meghív** (vkit)  *invite* (sy)
**eltölt** (vhol) **néhány napot**  *spend a few days* (somewhere)
**Majd meglátjuk.**  *We shall see.*
**Egyszer talán kibírod tv nélkül is.** *Perhaps for once you can do without TV.*
**Az ember ott mást se csinál, csak eszik.**  *One does nothing there, but eat.*
**állandóan**  *constantly*
**kínál** (vmit)  *offer* (sg) (*food or drink*)
**pletykál**  *gossip* (verb)
**vendégségbe megy**  *go to see* (sy)

**állandóan csinál** (vmit)  *keep doing* (sg)
**tavalyelőtt**  *the year before last*
**leáll**  *stop*
**kifogás** (-t, -ok, -a)  *excuse*
**meghívást elfogad**  *accept an invitation*
**különben** (*pron.* külömben)  *or else*
**megsértődik**  *take offence*
**Nem feltétlenül.**  *Not necessarily.*
**Nem lesz kivel pletykálnia.**  *She will have nobody to gossip with.*
**Egész nap csak pletykálna.**  *She would like to gossip all day long.* (Lit. *She would only gossip all day long.*)

## Kérdések

1 Igaz vagy nem igaz? Correct and re-write the false statements.

(a) Robi keresztmamája Robit és a szüleit szilveszterre hívta meg.

(b) Robi szeretne elmenni a disznótorra, mert ott sok finomat ehet.

(c) Robi szilveszterre szeretne hazajönni, mert jó meccs lesz a tv-ben.

(d) Robi édesanyja szerint jobb lett volna, ha húsvétkor csak néhány napra mentek volna a férje nővéréékhez.

(e) Ha Hajdúék idén sem fogadják el a rokonaik meghívását, a rokonok megsértődnek.

2 Feleljen a kérdésekre!

(a) Mire hívták meg Hajdúékat a rokonaik?

(b) Miért szeretne Robi szilveszterre hazamenni?

(c) Mennyi időt töltöttek Hajdúék húsvétkor falun?

(d) Miért nem szeret az anya sokáig a rokonoknál lenni?

(e) Mit mondtak Hajdúék tavalyelőtt, miért nem tudtak karácsonykor elmenni a rokonaikhoz?

## —— Magyarország és a magyarok ——

### Disznóölés (Lit. *pig-killing*)

This is a traditional feast going back centuries. It still takes place in villages, usually in December. There is hardly any part of the pig which is not used. People make homemade **kolbász** (*sausage*), **hurka** (*white* or *black pudding*), **sonka** (*ham*), **disznósajt** (Lit. *pigcheese*) *souse* or *headcheese*, **kocsonya** (*cold pork in aspic*), **szalonna** (*a type of bacon*), **zsír** (*lard*) and other preserved foods.

Some of the smoked sausages might last until summer, and smoked ham is used at Easter. People celebrate the pig-killing occasion at a **disznótor**, which is a special feast consisting of several courses (all pork dishes). Relatives and friends are invited, and those who cannot attend are usually sent some **kóstoló** (*titbits*) as a taster.

## Karácsony (Christmas)

The Christmas season starts on the morning of December 6 when **Mikulás** or **Télapó** (*Santa Claus*) puts into good children's boots, placed on window sills, chocolate santas and other sweets. Bad children get a symbolic gold-painted **virgács** (*switch*). On the evening of December 24 **Jézuska** (*little Jesus*) brings a Christmas tree and presents. While small children are sent to play, parents decorate the Christmas tree in the afternoon. Apart from lots of ornaments and tinsel, they put **szaloncukor** on it (this looks like a small cracker, but inside the wrapper there is a delicious chocolate). In the evening everybody admires the tree and unwraps their presents. It is followed by Christmas dinner. Usually only the immediate family takes part. Some people go to church to the **éjféli mise** (*midnight mass*). On 25th and 26th December, friends and family visit each other. In small villages, children act out the Bethlehem story and sing carols in exchange for small gifts.

## Szilveszter (New Year's Eve)

This is usually spent with friends at big parties. People traditionally buy paper trumpets, which everybody blows in the streets. The **szilveszteri műsor** (*New Year's Eve Programme*) is on television starting from about 8pm. It is full of comedy sketches. At midnight, the national anthem is played on television. Afterwards people kiss and hug each other, wishing everybody a happy new year. Later in January, when people go back to work, everybody talks about the programme, usually finding it 'worse than last year'.

## Húsvét (Easter)

On Easter Monday (**húsvét hétfő**) boys and men visit their girlfriends and female relatives, and sprinkle them with **kölni** (*au de cologne*), reciting a little poem:

| | |
|---|---|
| Zöld erdőben jártam, | *I was walking in a green forest* |
| kék ibolyát láttam, | *and I saw a blue violet,* |
| el akart hervadni, | *it was about to wither* |
| szabad-e locsolni? | *may I water it?* |

In return they receive painted eggs, chocolate bunnies, food and drink. **Szegény** *poor, poor thing* expresses sympathy:

| | |
|---|---|
| Nagyon fáj a hasam! | *I have a bad stomach-ache.* |
| **Te szegény!** | *You poor thing!* |

———————— **Nyelvtan** ————————

## 1 The conditional

There are three types of conditional sentence in English. Here is an example of each:

(i) If it rains, we will stay at home.
(ii) If it rained, we would stay at home.
(iii) If it had rained, we would have stayed at home.

Type (i) is normally expressed in Hungarian by the present tense or occasionally by the future tense. Here are all the possibilities:

**Ha esik az eső, (akkor) otthon maradunk.**
**Ha esik az eső, (akkor) otthon fogunk maradni.**
**Ha esni fog az eső, (akkor) otthon maradunk.**

The word **akkor** (*then*) can be left out.

Type (ii) is expressed by the present conditional, e.g.

**Ha esne az eső, (akkor) otthon maradnánk.**

and type (iii) by the past conditional in Hungarian, e.g.

**Ha esett volna az eső, (akkor) otthon maradtunk volna.**

### The present conditional

Indefinite conjugation

| Back vowel verbs | | | |
|---|---|---|---|
| (én) ad**nék*** | *I would give* | (mi) ad**nánk** | *we would give* |
| (te) ad**nál** | *you would give* | (ti) ad**nátok** | *you would give* |
| (maga/ön) ad**na** | *you would give* | (maguk/önök) ad**nának** | *you would give* |
| (ő) ad**na** | *he/she would give* | (ők) ad**nának** | *they would give* |

| Front vowel verbs | | | |
|---|---|---|---|
| (én) főz**nék** | *I would cook* | (mi) főz**nénk** | *we would cook* |
| (te) főz**nél** | *you would cook* | (ti) főz**nétek** | *you would cook* |
| (maga/ön) főz**ne** | *you would cook* | (maguk/önök) főz**nének** | *you would cook* |
| (ő) főz**ne** | *he/she would cook* | (ők) főz**nének** | *they would cook* |

*Note that here, even back vowel verbs get a front vowel ending!

If the verb stem ends in **-ít** or two consonants, a linking vowel (**a** or **e**) is needed before the conditional endings, e.g.

| | |
|---|---|
| taní**tanék** | érte**nék** |
| taní**tanál** | érte**nél** |
| taní**tana** | érte**ne** |
| taní**tanánk** | érte**nénk** |
| taní**tanátok** | érte**nétek** |
| taní**tanának** | érte**nének** |

Note these irregular verbs:

| | | | | | | |
|---|---|---|---|---|---|---|
| **megy** | mennék | mennél | menne | mennénk | mennétek | mennének |
| **jön** | jönnék | jönnél | jönne | jönnénk | jönnétek | jönnének |
| **eszik** | ennék | ennél | enne | ennénk | ennétek | ennének |
| **iszik** | innék | innál | inna | innánk | innátok | innának |
| **lesz\*** | lennék | lennél | lenne | lennénk | lennétek | lennének |
| **van** | volnék | volnál | volna | volnánk | volnátok | volnának |
| **tesz** | tennék | tennél | tenne | tennénk | tennétek | tennének |
| **vesz** | vennék | vennél | venne | vennénk | vennétek | vennének |
| **hisz** | hinnék | hinnél | hinne | hinnénk | hinnétek | hinnének |
| **visz** | vinnék | vinnél | vinne | vinnénk | vinnétek | vinnének |
| **alszik** | aludnék | aludnál | aludna | aludnánk | aludnátok | aludnának |
| **fekszik** | feküdnék | feküdnél | feküdne | feküdnénk | feküdnétek | feküdnének |

\***Volna** and **lenne** can often be used interchangeably, but **lenne** is more frequent.

Definite conjugation

| Back vowel verbs | | | |
|---|---|---|---|
| (én) ad**nám** | *I would give* | (mi) ad**nánk** | *we would give* |
| (te) ad**nád** | *you would give* | (ti) ad**nátok** | *you would give* |
| (maga/ön) ad**ná** | *you would give* | (maguk/önök) ad**nák** | *you would give* |
| (ő) ad**ná** | *he/she would give* | (ők) ad**nák** | *they would give* |

| Front vowel verbs | | | |
|---|---|---|---|
| (én) főz**ném** | *I would cook* | (mi) főz**nénk** | *we would cook* |
| (te) főz**néd** | *you would cook* | (ti) főz**nétek** | *you would cook* |
| (maga/ön) főz**né** | *you would cook* | (maguk/önök) főz**nék** | *you would cook* |
| (ő) főz**né** | *he/she would cook* | (ők) főz**nék** | *they would cook* |

Note that 1st and 2nd person plural conditional endings are the same in both definite and indefinite conjugations.

Verbs ending in **-ít** or two consonants need the **a** or the **e** linking vowel here as well, e.g.

| | |
|---|---|
| tanít**anám** | ért**eném** |
| tanít**anád** | ért**enéd** |
| tanít**aná** | ért**ené** |
| tanít**anánk** | ért**enénk** |
| tanít**anátok** | ért**enétek** |
| tanít**anák** | ért**enék** |

Note the **-lak/-lek** forms: bemutat**nálak** (*I would introduce you*), szeret**nélek** (*I would love you*), tanít**análak** (*I would teach you*) and ért**enélek** (*I would understand you*).

Note these irregular verbs:

| | | | | | | |
|---|---|---|---|---|---|---|
| **eszik** | enném | ennéd | enné | ennénk | ennétek | ennék |
| **iszik** | innám | innád | inná | innánk | innátok | innák |
| **tesz** | tenném | tennéd | tenné | tennénk | tennétek | tennék |
| **vesz** | venném | vennéd | venné | vennénk | vennétek | vennék |
| **hisz** | hinném | hinnéd | hinné | hinnénk | hinnétek | hinnék |
| **visz** | vinném | vinnéd | vinné | vinnénk | vinnétek | vinnék |

● In Hungarian, unlike in English, in sentences of type (ii) above the present conditional must be used in both halves of the sentence:

Ha **esne** az eső, otthon **maradnánk**.

Here are some further examples:

| | |
|---|---|
| Ha **tudna**, biztosan **eljönne**. | *If he could, he'd surely come.* |
| Mit **főznél**, ha **lenne** itthon krumpli is? | *What would you cook if we had potatoes at home as well?* |
| Mit **szeretnétek** enni? | *What would you like to eat?* |
| **Szeretnélek** bemutatni a férjemnek. | *I'd like to introduce you to my husband.* |
| Ha ezt olaszul **mondanám**, akkor **értenéd**? [~] | *If I said this in Italian, would you understand it?* |

### The past conditional

The past conditional is much simpler than the present conditional, as it is expressed by the past tense of the verb, followed by the word **volna**, e.g.

| | |
|---|---|
| **adtál volna** | *you would have given* |
| **főztél volna** | *you would have cooked* |
| **adtad volna** | *you would have given* |
| **főzted volna** | *you would have cooked*, etc. |

Note the past conditional of the verb **lenni** *to be*:

| | |
|---|---|
| (én) **lettem volna** | *I would have been* |
| (te) **lettél volna** | *you would have been* |
| (maga/ön/ő) **lett volna** | *you / he / she would have been* |
| (mi) **lettünk volna** | *we would have been* |
| (ti) **lettetek volna** | *you would have been* |
| (maguk/önök/ők) **lettek volna** | *you / they would have been* |

● In sentences of type (iii) above the past conditional must be used in both halves of the sentence:

Ha **esett volna** az eső, otthon **maradtunk volna**.

Here are some more examples:

| | |
|---|---|
| Ha **lett volna** nálam pénz, akkor **felhívtalak volna**. | *If I'd had money on me, I would have telephoned you.* |
| **Elmentünk volna** a koncertre, ha korábban **kezdődött volna**. | *We would have gone to the concert if it had started earlier.* |

● Just as in English, there are many sentences where the present or the past conditional are only used in one half of the sentence:

| | |
|---|---|
| **Gondoltad volna**, hogy Péterből híres sportoló lesz? [↴] | *Would you have thought that Péter would become a famous sportsman?* |
| Ha nem **ettél volna** olyan sok rétest, most nem **éreznéd** ilyen rosszul magad. | *If you hadn't eaten so many strudels, you wouldn't feel so unwell now.* |

### The conditional is also used:

● in polite requests:

| | |
|---|---|
| **Megmondaná**, hol a jegypénztár? [↴] | *Would you tell me where the ticket office is?* |
| **Kinyitnád** az ablakot? [↴] | *Would you open the window?* |

● to express a wish:

**De jó lenne, ha** el **tudnál** jönni! *How lovely it would be if you*
*could come!*

Note that wishes are often introduced by the words **bárcsak**, **bár** or
**csak** (*if only*), e.g. **Bárcsak** már péntek lenne! *I wish it was already*
*Friday!*

● to express *should, should have, ought to, ought to have*:

| | |
|---|---|
| Nem **kellene** mindig virágot hoznod. | *You shouldn't always bring flowers.* |
| Nem **kellett volna** drága ajándékot venned! | *You shouldn't have bought an expensive present.* |

● to express *could* and *could have*:

| | |
|---|---|
| **Tudnék** előbb is jönni. | *I could come earlier, too.* |
| Előbb is **tudtam volna** jönni. | *I could have come earlier, too.* |

## 2 Verbal particles changing the meaning of the verb

Verbal particles can modify or completely change the meaning of
verbs. Apart from most of those listed in Unit 20, **meg** (which has no
English equivalent) is often used to serve this purpose. Here are two
words with various combinations as examples:

**beszél** (*speak*)
**le**beszél (vkit) (vmiről)   *talk* (sy) *out of* (sg)
**rá**beszél (vkit) (vmire)   *persuade* (sy) *to do* (sg)
**meg**beszél (vmit)   *discuss* (sg)
**vissza**beszél (vkinek)   *answer* (sy) back

**vesz** (*take*)
**ki**vesz (vmit) (vhonnan)   *take* (sg) *out of* (sg)
**be**vesz gyógyszert   *take medicine*
**le**vesz ruhát   *take off clothes*
**fel**vesz ruhát   *put on clothes*

| | |
|---|---|
| **Megbeszéltük**, hogy hol találkozunk. | *We discussed where to meet.* |
| Pisti mindig **visszabeszél** az anyukájának. | *Pisti always answers his mum back.* |

**Kivettem** a pulóvert a
szekrényből.

*I took the pullover out of the
wardrobe.*

Erzsi **levette** a ruháját és
**felvette** a pizsamáját.

*Erzsi took off her clothes and
put on her pyjamas.*

**Bevetted** a gyógyszert? [~]

*Have you taken the medicine?*

It is best if you learn these as new words as it is easier than working
out what they mean.

## 3 Separating the verbal particle and the verb

Certain words can come between the verbal particle and the verb.
Here are a few:

| | | | |
|---|---|---|---|
| **kell** | *must, have to* | **tetszik** | *(courtesy address)* |
| **lehet** | *may be* | **akar** | *want* |
| **tud** | *can* | **szokott** | *(see page 236)* |
| **fog** | *will* | **szeretne** | *would like to* |

● Note that this will only happen if these words, together with the
verb and the verbal particle, are the focus of the sentence, e.g.

**Le kell beszélnünk** Tamást
a tervéről.

*We must dissuade Tamás
from his plan.*

**Be tetszett venni**
a gyógyszert? [~]

*Have you taken the medicine?*

Veled mindent **meg lehet
beszélni.**

*One can discuss everything
with you.*

**Rá akarlak beszélni** a filmre.

*I want to persuade you about
the film.*

**Vissza kell hoznom**
a könyvet? [~]

*Have I got to bring the book back?*

● If any other part of the sentence is emphasised, these words (in
the box above) come between the focus and the verbal particle +
infinitive (written as one word):

**A filmre akarlak rábeszélni.**

*I want to persuade you
about the film.*

**Mikor kell visszahoznom**
a könyvet?

*When do I have to bring the
book back?*

**A piros ruhámat tudom csak
felvenni,** mert a kék piszkos.

*I can only put on my red dress
because the blue one is dirty.*

- Note that if these words are negated, they are also followed by the verbal particle + infinitive written as one word, e.g.

Sajnos ma **nem tudok elmenni**. *Unfortunately I can't go today.*

Note also that if the verb is negated in past conditional sentences, **volna** comes between the verb and the verbal particle.

*Cf.* Ha tudtam volna, hogy te is ott   *If I had known that you would*
  leszel, **elmentem volna**.     *be there too, I would have gone.*
  Ha te nem lettél volna ott,     *If you hadn't been there*
  **nem mentem volna el**.     *I wouldn't have gone.*

## 4  The *-hat and -het (can, could, may, might, be allowed to, must) ending*

This ending expresses possibility, permission or deduction, and can follow any verb stem. This form can then be conjugated in the present tense, the past tense and the conditional. Here are a few examples (see the Appendix for the full list of possibilities):

mos**hat**ok     *I may wash*
cigarettáz**hat**ott     *he was allowed to smoke*
főz**het**ed     *you can cook*
kér**het**nénk     *we could ask*

Note that these verbs have irregular **-hat/-het** forms:

| | |
|---|---|
| alszik – **alhat** | jön – **jöhet** |
| eszik – **ehet** | megy – **mehet** |
| fekszik – **fekhet** | tesz – **tehet** |
| fürdik – **fürödhet** | ugrik – **ugorhat** |
| hisz – **hihet** | lesz – **lehet** |
| iszik – **ihat** | vesz – **vehet** |
| | visz – **vihet** |

**Segíthetek?** [↵]     *Can I help?*
**Kinyithatjuk** az ablakot [↵]     *Can we open the window?*
**Várhatnátok** még egy kicsit.     *You could wait a little longer.*
Én is **elmehettem volna**, de nem  *I could have gone as well,*
  akartam.     *but I didn't want to.*
Nem **ehetek** sok édességet, mert  *I can't eat a lot of sweets*
  cukorbeteg vagyok.     *because I'm diabetic.*

| | |
|---|---|
| Okos ember **lehet**. | *He must be a clever man.* |
| Nem **lehetett** friss a hal, mert elrontottam a gyomrom. | *The fish can't have been good because I have an upset stomach.* |

● Note that possibility is often expressed with the phrase **lehet, hogy** (Lit. *it is possible that*):

| | |
|---|---|
| **Lehet, hogy** esni fog az eső. | *It might rain.* |
| **Lehet, hogy** Sanyi is a meccsre ment. | *Sanyi may have gone to the match as well.* |

## 5 Indirect statements

**Direct statements** quote word for word what someone has said:

| | |
|---|---|
| **Péter azt mondta: „Holnap nem jövök dolgozni."** | *Péter said, 'Tomorrow I won't come to work.'* |

**Indirect statements** report what someone has said rather than quoting it word for word:

| | |
|---|---|
| **Péter azt mondta, hogy holnap nem jön dolgozni.** | *Péter said that he wouldn't come to work tomorrow.* |

In English, the tense of the direct statement changes in the indirect statement (in the example above 'won't come' changed to 'wouldn't come'). In Hungarian, there is no change of tense when making indirect statements (both **jövök** and **jön** are in the present tense in the example above). However, the form of the verb might change, depending on the person we are talking about. (See **jövök**: 1st person singular, and **jön**: 3rd person singular above.)

Note that in indirect statements the word **hogy** (*that*) is always preceded by a comma.

## 6 Further time expressions

● **óta** (*since, for*)

This is a postposition. Note the question word **Mióta?** (*Since when?*, (*For*) *how long?*)

(*a*) The main meaning of **óta** is *since*:

| | |
|---|---|
| **Mióta** ismered Jánost? | *Since when have you known János?* |

| | |
|---|---|
| **1986 óta** Angliában élek. | *I've been living in England since 1986.* |
| **Hét óra óta** várlak! | *I've been waiting for you since 7 o'clock!* |
| **Június óta** nem dolgozom. | *I haven't been working since June.* |

(b)  **Óta** can also express an unspecified period of time during which someone has not done something or something has not happened. Here it means *for*, e.g.

| | | | |
|---|---|---|---|
| **napok óta** | *for days* | **hetek óta** | *for weeks* |
| **hónapok óta** | *for months* | **évek óta** | *for years* |

| | |
|---|---|
| **Évek óta nem** is **hallottunk** Péterről. | *We haven't even heard about Péter for years.* |
| **Napok óta nem láttalak.** | *I haven't seen you for days.* |

• The **-t** ending

This is used in time expressions when talking about a period spent doing something:

| | |
|---|---|
| **Három napot** töltöttünk a tengerparton. | *We spent three days at the seaside.* |
| A betörő **5 évet** ült börtönben. | *The burglar spent 5 years in prison.* |

• The ending **-kor** (*at*)

**-kor** means *at* or *on* in expressions such as: **karácsonykor** (*at Christmas*) **szilveszterkor** (*on New Year's Eve*) and **húsvétkor** (*at Easter*):

| | |
|---|---|
| **Karácsonykor** nem leszünk otthon. | *We won't be at home at Christmas.* |

## ⚡——————— Gyakorlatok ———————

1  Find the second half of each sentence. Then write out the complete sentences.

(*a*) Ha egy kicsit lassabban beszélnél,
(*b*) Szívesebben takarítanék hétközben, mint a hétvégén,
(*c*) Ha sok pénzünk lenne,

(i)  egy nagy, kertes házat vennénk Budán, a Rózsadombon.
(ii)  nem kellene mindig metróval utaznunk.

(d) Ha nem nyitottátok volna ki az ablakot,

(e) Ha lenne autónk,

(f) Előbb is tudnék jönni,

(iii) ha lenne időm.

(iv) ha sikerülne korábban befejeznem a munkámat.

(v) most nem lenne ilyen hideg a szobában.

(vi) sokkal jobban értenélek.

2 Bálint is buying some tickets at the Madách Kamara theatre.

**Bálint** A vasárnap délutáni előadásra szeretnék két jegyet venni.

**Pénztáros** Sajnos vasárnap délutánra már minden jegy elfogyott.

**Bálint** És este fél nyolcra lehet még jegyet kapni?

**Pénztáros** Igen. Hová parancsolja a jegyeket: az erkélyre vagy páholyba?

**Bálint** Kaphatnék a földszintre két jegyet egymás mellé?

**Pénztáros** Hogyne. Elöl vagy hátul szeretnének ülni?

**Bálint** Hátul.

**Pénztáros** A tizenhatodik sorba tudnék még két jegyet adni.

**Bálint** Az jó lesz.

**Pénztáros** Tessék, négyszázhatvan forintot kérek.

---

**pénztáros** (-t, -ok, -a)   *cashier*          **elöl**   *at the front*
**elfogy**   *sell out*                          **hátul**   *at the back*
**páholy** (-t, -ok, -a)   *box*                **sor** (-t, -ok, -a)   *row*
**egymás mellé**   *next to each other*        **előadás** (-t, -ok, -a)   *performance*

---

After Bálint, it is Ilona's turn in the queue. This is the ticket that she buys. What does she say to the cashier? Write their conversation down, and then say it out loud from memory.

**3** When Bálint went home with the tickets, his wife wasn't satisfied. What would she have preferred? Study the information below and then make up sentences like this one.

(a) Jobb lett volna, ha szombat estére vettél volna jegyet.

| | |
|---|---|
| (a) szombat este | (c) erkély |
| (b) 7 óra | (d) olcsóbb jegy |

**4** Zoltán has had a car accident. His wife was also in the car when it happened. She is a typical back-seat driver. This is what she told Zoltán when they got home. Reproduce their conversation in the car. Write it all down, and then act it out from memory.

> Lassabban is vezethettél volna, Zoltán! Bárcsak egyszer hallgattál volna rám! Nekem kellett volna vezetnem, mert én kevesebbet ittam Paliéknál, mint te. Bárcsak te se ittál volna olyan sok sört! Nem kellett volna még a pálinkát is elfogadnod! Mondtam, hogy vigyázz, amikor hirtelen megállt előttünk a teherautó. Jobb lett volna, ha azután én vezettem volna. De te azt mondtad, hogy jobb lenne, ha kevesebbet beszélnék, akkor jobban tudnál figyelni. Pedig most is csak azt tudom mondani, amit a baleset után mondtam a kocsiban: ha nem lettél volna részeg, nem aludtál volna el és nem karamboloztunk volna.

| | |
|---|---|
| **hallgat rám** *listen to me* | **elalszik** *fall asleep* |
| **hirtelen** *suddenly* | **karambolozik** *have a car crash* |
| **megáll** *stop* (verb) | **Nem aludtál volna el.** *You* |
| **előttünk** *in front of us* | *wouldn't have fallen asleep.* |
| **teherautó** *lorry* | |

**5** When the police arrived, Zoltán was questioned. What were his answers? Make up complete sentences like the one below. You can use any of these introductory phrases:

**Zoltán azt válaszolta, hogy ...** *Zoltán answered that ...*
**Zoltán azt felelte, hogy ...** *Zoltán answered that ...*
**Zoltán azt mondta, hogy ...** *Zoltán said that ...*

(a) Zoltán azt válaszolta, hogy ő vezette a kocsit.

| **a rendőr kérdései** | **Zoltán válaszai** |
|---|---|
| (a) Ki vezetett? | Én vezettem. |

(b) Miért nem állt meg a lámpánál?

Nem láttam a lámpát.

(c) Ivott ön ma este?

Csak egy keveset ittam.

(d) Mennyi volt az a kevés?

Nem emlékszem.

(e) A felesége nem tudott volna ön helyett vezetni?

Az talán jobb lett volna, mert akkor nem beszélt volna olyan sokat, és jobban tudtam volna figyelni.

---

| lámpa | traffic lights |
|-------|----------------|

---

**6** Write in the missing verbal particles. Then say the story aloud.

Már régóta szerettem volna egy igazi selyemblúzt. Anyu (a) _____ akart beszélni róla, mert szerinte a selymet nehéz vasalni. De végül sikerült (b) _____beszélnem. (c) _____beszéltük, hogy munka után találkozunk és együtt megyünk a Rákóczi útra, ahol egy butik kirakatában láttam egy gyönyörű, bordó selyemblúzt. (d) _____mentünk a boltba. Benn már minden selyemblúz (e) _____fogyott, de az eladó (f) _____vette a kirakatból a bordó selyemblúzt. (g) _____vittem a próbafülkébe (h) _____próbálni. (i) _____vettem a pulóveremet és (j) _____vettem a blúzt. Éppen az én méretem volt! Anyu szerint is nagyon jól állt. Drága volt, de (k) _____ vette a születésnapomra.

---

| selyem (selymet, selymek, selyme) *silk* | kirakat (-ot, -ok, -a) *shop window* |
|---|---|
| **lebeszél róla** *dissuade from it* | **régóta** *for a long time* |

---

**7** Insert the words in brackets in the sentences below. Make the necessary changes and write them all down.

(a) Végre befejeztem a könyvet! — (szeretném)
(b) Megvettük Pistáéktól a kocsit. — (akartuk)
(c) Megittátok azt a sok bort? — (tudtátok)
(d) Holnap elmész keresztmamáékhoz! — (fogsz)
(e) Most hazamegyek. — (kell)

**8** Rita has been irritable all day. Whenever someone says anything, she contradicts it. What did she say to the remarks below?

The first one is done for you: (a) Nem fogok elaludni!

(a)  Ha nem iszol kávét, el fogsz aludni.
(b)  Már ki lehet ülni a kertbe napozni.
(c)  Most el kell mennem.
(d)  Vissza tudsz adni ötszázasból?
(e)  Látom, ki akarsz menni.

---

**ötszázasból visszaad**  *give change from 500 forints*

---

9  What would you say in the situations described below? Use the **-hat/-het** ending.

(a)  Nagyon meleg van a vonaton, és ki akarja nyitni az ablakot.
(b)  Szeretne bemenni a szobába, ahol a barátnője éppen öltözködik.
(c)  Látja, hogy egy turista eltévedt.
(d)  Buliba hívták, és a barátját is szeretné elvinni.
(e)  Elrontotta a gyomrát, és nem tudja, mit szabad ennie. Mit kérdez az orvostól?

10  Due to bad weather, many planes have been delayed at Ferihegy airport. How late is each plane? Make up complete sentences, using the information given below. The first one is done for you: (a) A párizsi gép húsz percet késik.

(a)  Párizs: 20 perc          (d)  Prága: 40 perc
(b)  London: 30 perc          (e)  Moszkva: 25 perc
(c)  Róma: 15 perc            (f)  New York: 2 óra

11  Answer these questions about yourself. (You may need: **nyer** (vmit) *win* (sg); **máshogy** *differently*.)

(a)  Mit venne, ha sok pénzt nyerne?
(b)  Mit szeretett volna máshogy csinálni az életében?
(c)  Mióta tanul magyarul?
(d)  Mennyi időt szeretne Magyarországon tölteni?
(e)  Mit nem csinálhatott, amikor gyerek volt?
(f)  Ha meghívnák disznóölésre, elmenne?

✳ Well done, you have completed another demanding unit! It may be a good idea to do the exercises again, and make sure that this time you do not make any mistakes.

# 21
# HOVÁ MENJÜNK?
*Where shall we go?*

## In this unit you will learn how to

- tell somebody what to do or what not to do
- invite and make suggestions
- ask for and give advice
- talk about your daily routine
- explain why you have chosen to learn Hungarian

 ——————————— **Párbeszéd** ———————————

It is Saturday afternoon. A young couple, Teréz and Tibor, are discussing what to do in the evening.

**Teréz**   Jó lenne este valahova elmenni szórakozni. Hová menjünk?

**Tibor**   (*looking up from his newspaper*) Nem tudom. Van valami ötleted?

**Teréz**   Régen voltunk táncolni. De el kellene mennem a patyolatba a piros ruhámért. Már elég késő van, nem hiszem, hogy a tisztító még nyitva van. Talán majd a jövő héten … Tudod mit? Menjünk moziba! Van itthon egy Pesti Műsor? Tibi, hová tetted a Pesti Műsort? Nem találom.

**Tibor**   (*putting down his paper*) Mit mondasz?

— 312 —

**Teréz**  Azt kérdeztem, hogy hová tetted a Pesti Műsort.
**Tibor**  Várj csak! Megkeresem. Azt hiszem, a tv mellé tettem. Megvan.
**Teréz**  Nézzük csak, mi megy a moziban! (*leafing through the entertainment guide*) Már minden jó filmet láttunk. Azt mondják, a „Rémálom a Hotel Vadkacsában" nagyon izgalmas film. De az Ugocsában megy, az túl messze van. Különben sem rajongok a horrorfilmekért. Este nem tudok majd elaludni.
**Tibor**  Te, most jut eszembe. Feriék ma este szalonnasütést terveznek a kertjükben. Ne menjünk el hozzájuk?
**Teréz**  Nem rossz ötlet. De így egy kicsit kínos, hiszen nem is hívtak meg bennünket ...
**Tibor**  Ne aggódj! Feri jó barátom. Különben is úgy emlékszem, hogy meghívott, de elfelejtettem neked megmondani.
**Teréz**  Egyre szórakozottabb vagy, Tibi! Mi lesz veled öregkorodban? És még kik jönnek a szalonnasütésre?
**Tibor**  Icáék, Péterék, Gabiék. A többieket nem ismerem.
**Teréz**  Az jó! Icát nagyon megkedveltem. Szimpatikus.
**Tibor**  Akkor felhívjam Ferit, hogy megyünk?
**Teréz**  Jó, hívd fel. De mit vegyek fel?
**Tibor**  Mindegy, csak ne a lila kockás szoknyádat. Jobb ha nadrágban jössz. Az új blúzod nagyon jól áll.
**Teréz**  Még nem mostam ki. (*to herself while choosing a blouse*) Nem baj, jó lesz ez is.
(*after Tibor has phoned and Teréz has got dressed*)
**Tibor**  Gyere, siessünk! Már mindenki ott van!

 ———— **Szavak és kifejezések** ————

| | |
|---|---|
| **tisztító**  *dry cleaner's* | **így**  *like this* |
| **Tudod mit?**  *You know what?* | **kínos**  *embarrassing* |
| **Várj csak.**  *Wait a moment.* | **Úgy emlékszem, hogy...**  *As far as I remember ...* |
| **Megkeresem.**  *I'll find it.* | |
| **Megvan.**  *I've got it.* | **meghív** (vkit)  *invite* (sy) |
| **rémálom** (rémálmot, rémálma)  *nightmare* | **egyre szórakozottabb**  *more and more absent-minded* |
| **vadkacsa**  *wild duck* | **öregkor** (-t, -a)  *old age* |
| **izgalmas**  *exciting* | **És még kik jönnek?**  *And who else is coming?* |
| **Ugocsa**  *a cinema in Budapest* | |

---

**rajong** (vmiért) (vkiért)  *be crazy*
*about* (sg) (sy)
(vkinek) **eszébe jut** (vmi)  (sg)
*comes to* (sy's) *mind*

**megkedvel** (*pron.* mekkedvel) (vkit)
*take to* (sy)
**kockás**  *check*

---

## Kérdések

1  Igaz vagy nem igaz? Correct and re-write the false statements.

(a)  Terézék nem tudnak táncolni menni, mert Teri piros ruhája
a patyolatban van.

(b)  Teri nem akarja megnézni a Rémálom a Hotel Vadkacsában
című filmet, mert a barátnői nem tudtak a film után elaludni.

(c)  Teri szerint kínos lenne Feriékhez menni, mert Icáék is ott
lesznek.

(d)  Tibor nem szereti Teri lila kockás szoknyáját.

---

**... című film**   *a film called ...*

---

2  Feleljen a kérdésekre!

(a)  Miért nem mennek Tiborék este táncolni?
(b)  Hová tette Tibor a Pesti Műsort?
(c)  Miért nem rajong Teri a horrorfilmekért?
(d)  Mit felejtett el Tibor Terinek megmondani?
(e)  Az ismerőseik közül kik lesznek ott a szalonnasütésen?

---

# —— Magyarország és a magyarok ——

## Szalonnasütés (*Lit. bacon roasting*)

This is a Hungarian-style barbecue. People sit around an open fire
and put their **szalonna** (*bacon*) on a spit to roast with onions, pota-
toes and peppers. People often sing folk songs around the fire. These
are taught at school and most people know several.

**Te** (*you*) is sometimes used to address friends or relatives, e.g. **Te,
most jut eszembe.** *I've just remembered.*

# Nyelvtan

## 1 The imperative form of verbs

This form of the verb is used to give orders or commands like *Come!*
*Eat!*, etc. As the imperative in Hungarian is used to express more
than just commands and orders (see below), Hungarian verbs have a
full imperative conjugation (i.e. not only 2nd person singular and
plural).

● The imperative is formed by the **-j** ending. It is added to the verb
stem, e.g. adj, kérj, küldj. This form is then followed by the indefinite
or definite personal endings of the imperative.

### Indefinite conjugation

|  | Back vowel verbs | Front vowel verbs | Front vowel verbs whose final vowel is ö, ő, ü or ű |
|---|---|---|---|
| (én) | adjak | kérjek | küldjek |
| (te) | adj | kérj | küldj |
| (maga/ön/ő) | adjon | kérjen | küldjön |
| (mi) | adjunk | kérjünk | küldjünk |
| (ti) | adjatok | kérjetek | küldjetek |
| (maguk/önök/ők) | adjanak | kérjenek | küldjenek |

Note that in colloquial Hungarian some people use a longer form for
the 2nd person singular: **adjál** instead of **adj**, **kérjél** instead of **kérj**
and **küldjél** instead of **küldj**.

### Definite conjugation

|  | Back vowel verbs | Front vowel verbs | Front vowel verbs whose final vowel is ö, ő, ü or ű |
|---|---|---|---|
| (én) | adjam | kérjem | küldjem |
| (te) | add | kérd | küldd |
| (maga/ön/ő) | adja | kérje | küldje |
| (mi) | adjuk | kérjük | küldjük |
| (ti) | adjátok | kérjétek | küldjétek |
| (maguk/önök/ők) | adják | kérjék | küldjék |

Note that with the exception of the 2nd person singular form, the personal endings used in the definite conjugation of the imperative are the same as those of the definite conjugation of the past tense. Some people would use a longer form here as well: **adjad** instead of **add**, **kérjed** instead of **kérd**, and **küldjed** instead of **küldd**.

Note also the **-alak/-elek** form of the imperative várj**alak**, kérj**elek**.

● In pronunciation the following changes occur:

| Spelling | Pronunciation | Example spelled | Example pronounced |
|---|---|---|---|
| l + j | jj | induljon | (indujjon) |
| ll + j | jj | állj | (ájj) |
| n + j | nny | köszönjek | (köszönnyek) |
| d + j | ggy | adjunk | (aggyunk) |
| gy + j | ggy | hagyjátok | (haggyátok) |

● There are four groups of verbs whose stem and the **-j** ending change before the personal endings.

(i)  verbs ending in a sibilant (i.e. **s, sz, z, dz**):

The **-j** ending changes to the sibilant;

| | Verb stem | Verb stem with the imperative ending |
|---|---|---|
| s + j = ss | olvas | olva**ss** |
| sz + j = ssz | játsz(ik) | játs**sz** |
| z + j = zz | néz | néz**z** |
| dz + j = ddz | edz | eddz |

Note the forms: **olvasd/olvassad, játszd/játsszad, nézd/nézzed**, etc.

(ii)  verbs endings in **-st** or **-szt**:

The **t** is dropped and the same changes occur as above;

| | Verb stem | Verb stem with the imperative ending |
|---|---|---|
| st + j = ss | fest | fe**ss** |
| szt + j = ssz | választ (*choose*) | válas**sz** |

Note the forms: **fesd/fessed, válaszd/válasszad**.

(iii) verbs ending in a short vowel (i.e. **a, e, i, o, ö, u, ü**) + **t**:

The final **t** and the **-j** ending change to **ss**;

|  | Verb stem | Verb stem with the imperative ending |
|---|---|---|
| **short vowel + t = ss** | fut | fu**ss** |

Note that **lát** (*see*) and **megbocsát** (*forgive*) are also in this group.

Note the forms: **lásd/lássad**.

(iv) verbs ending in a long vowel (i.e. **á, é, í, ó, ő, ú, ű**) **+ t** or a **consonant + t**:

The **-j** ending changes to **s**;

|  | Verb stem | Verb stem with the imperative ending |
|---|---|---|
| **long vowel + t = ts** | tanít | taní**ts** |
| **consonant + t = ts** | ért | ér**ts** |

Note that the **ts** is pronounced **ccs** after a vowel, and **cs** after a consonant, e.g. (taníccs), (ércs).

● Note these irregular verbs:

(a) **eszik, iszik, lesz, tesz, vesz, visz, hisz**:

| | |
|---|---|
| **indefinite conj.** | egyek, egyél, egyen, együnk, egyetek, egyenek |
| **definite conj.** | egyem, edd/egyed\*, egye, együk, egyétek, egyék |
| **indefinite conj.** | igyak, igyál, igyon, igyunk, igyatok, igyanak |
| **definite conj.** | igyam, idd/igyad\*, igya, igyuk, igyátok, igyák |
| **indefinite conj.** | legyek, legyél/légy\*, legyen, legyünk, legyetek, legyenek |
| **indefinite conj.** | tegyek, tegyél, tegyen, tegyünk, tegyetek, tegyenek |
| **definite conj.** | tegyem, tedd/tegyed\*, tegye, tegyük, tegyétek, tegyék |
| **indefinite conj.** | vegyek, vegyél, vegyen, vegyünk, vegyetek, vegyenek |
| **definite conj.** | vegyem, vedd/vegyed\*, vegye, vegyük, vegyétek, vegyék |
| **indefinite conj.** | vigyek, vigyél, vigyen, vigyünk, vigyetek, vigyenek |
| **definite conj.** | vigyem, vidd/vigyed\*, vigye, vigyük, vigyétek, vigyék |
| **indefinite conj.** | higgyek, higgyél, higgyen, higgyünk, higgyetek, higgyenek |
| **definite conj.** | higgyem, hidd/higgyed\*, higgye, higgyük, higgyétek, higgyék |

\*Both forms are correct, but the first is more frequent.

(b) the **-j** ending is attached to the infinitive without the **-ni** ending:

| Verb | Infinitive | Verb stem with the imperative ending |
|------|-----------|--------------------------------------|
| **alszik** | aludni | aludj |
| **fekszik** | feküdni | feküdj |
| **megy** | menni | menj |
| **ugrik** | ugorni | ugorj |
| **fürdik** | fürödni | fürödj |
| **mosakszik** | mosakodni | mosakodj |

(c) **jön:**

(én) jöjjek (te) gyere* / jöjj/ jöjjél (maga/ön/ő) jöjjön
(mi) jöjjünk (ti) gyertek* / jöjjetek (maguk/önök/ők) jöjjenek

**\*Gyere** and **gyertek** are much more frequent than the other forms.

There is one more form **gyerünk** (*let's go*), which is a synonym of **menjünk**. In the **Hungarian – English vocabulary** at the end of the book you can find in brackets the imperative form of every verb: **lát** (láss).

## The imperative is used:

(a) in orders, commands, requests, suggestions and advice;

**Ülj le!** *Sit down!* (sing.fam.)
**Álljatok fel!** *Stand up!* (pl.fam.)
**Foglaljon helyet!** *Take a seat.* (sing.form.)
**Parancsoljanak!** *What can I do for you?* (pl.form.)

Note that in this case the verbal particle follows the verb.

(b) when telling, asking or ordering someone not to do something;

In these types of sentences the words **ne** (*don't*) and **se** (*don't ... either*) are used, e.g. **Ne edd meg!** *Don't eat it!* **Te se énekelj!** *Don't you sing either!*

Note that **se** is also used instead of **sem** in the imperative.

**Sehova se** menjetek egyedül! *Don't go anywhere on your own!*
**Senki se** szálljon fel a villamosra! *Don't anyone get on the tram.*

(c) in indirect statements when reporting someone's command, order, request, suggestion or advice;

A titkárnő azt mondja az *The secretary tells the client*
ügyfélnek, hogy **foglaljon** helyet. *to take a seat.*

| | |
|---|---|
| Az orvos azt kérte, hogy **nyissam ki** a szám. | *The doctor asked me to open my mouth.* |
| Ildi azt javasolta, hogy több gyümölcsöt **egyek.** | *Ildi suggested that I should eat more fruit.* |

(d) when inviting suggestions, advice or instructions (i.e. to express *shall I?* and *shall we?*);

| | |
|---|---|
| **Kinyissam** az ablakot? | *Shall I open the window?* |
| Mit **vegyek fel?** | *What shall I put on?* |
| Hová **tegyük** az asztalt? | *Where shall we put the table?* |

(e) to make a suggestion (i.e. to express *let's*);

| | |
|---|---|
| **Menjünk** haza! | *Let's go home!* |
| **Ne** most **együnk!** | *Let's not eat now!* |

## 2 Verbal particles expressing the completion or the beginning of an action

The most frequently used verbal particles to express:

(a) the completion of an action are **meg**, **el** and **ki**, e.g. **meg**tanul, **el**mond, **ki**olvas.

| | |
|---|---|
| Mit csinálsz ma este? **Tanulok.** | *What are you doing tonight? I'm studying.* |
| **Megtanultad** a szavakat? [⌣] | *Have you learnt the words?* (i.e. *Do you know them?*) |
| Még nem **olvastam ki** a könyvet, pedig már fél éve **olvasom.** | *I haven't finished reading the book yet, though I've been reading it for six months now.* |
| Mit **keresel?** | *What are you looking for?* |
| Majd én **megkeresem.** | *I'll find it.* |

(b) the beginning of an action are **meg** and **el**, e.g. **meg**szólal, **el**indul.

| | |
|---|---|
| **Megszólalt** a telefon. | *The telephone started to ring.* |
| A kocsi nem akart **elindulni.** | *The car wouldn't start.* |

## 3 Indirect question-word questions

As with statements, when reporting question-word questions, tense and word order remain the same.

| János azt kérdezte: | János asked, |
|---|---|
| „Hová jártok szórakozni?" | 'Where do you go out to?' |

János azt kérdezte, hogy hová János asked where we go out to.
járunk szórakozni.

## 4 The -ért ending (for)

The -ért ending has only one form, so it is added to both back vowel and front vowel words. (As usual, the final a and e change before it.)

Use it to express the purpose of an action.

Note the question words **Kiért?** (*Who for?*) and **Miért?** (or in colloquial Hungarian just **Mért?** *What for?*):

| **Miért** mész a boltba? | What are you going to the shop for? |
|---|---|
| **Kenyérért.** | For bread. |
| El kell mennem a tisztítóba **a ruhámért.** | I have to go to the dry cleaner's for my dress. |
| **Kiért** mentek az óvodába? | Who are you going to collect at the nursery school? |
| **A nővérem kisfiáért.** | My sister's son. |

Note that the purpose of an action can also be expressed by the infinitive, e.g. Lemegyek kenyeret **venni** a boltba. *I'm going to the shop to buy some bread.*

## 5 Mellé (next to)

Postpositions used in place expressions have three forms depending on whether they answer the question **Hol?**, **Hova?** or **Honnan?**

| Hol? | előtt | mögött | alatt | felett/fölött | körül | mellett | között |
|---|---|---|---|---|---|---|---|
| Hova? | elé | mögé | alá | fölé | köré | mellé | közé |
| Honnan? | elől | mögül | alól | fölül | – | mellől | közül |

Note that the postpositions **után** (*after*) and **felé** (*towards*) have only one form.

| **Hová** tetted a Pesti Műsort? | Where have you put Pesti Műsor? |
|---|---|
| **A tv mellé.** | Next to the television. |
| Jóska kivette a képet a **szekrény mögül.** | Jóska took the picture from behind the cupboard. |

— **320** —

Note that all these forms of postpositions can take possessive endings to express phrases like: **előttem** (*in front of me*), **mögötted** (*behind you*), etc.

☑─────────── **Gyakorlatok** ───────────

1   Attila is a mischievious five-year-old. He is at Lake Balaton with his mother, who has to keep an eye on him all the time. What does she keep telling him to do, or not to do? Write in the imperative forms of the verbs in brackets, and say it aloud.

Attila (**bemegy**) _____ a vízbe! (**vár**) _____ még egy kicsit! (**verekedik!**) _____ Attila, (**iszik**) _____ vizet, mert nagyon kimelegedtél! Itt (**játszik**) _____ a közelben, ahol látlak! (**bánt**) _____ a néni kutyáját! (**szégyelli magát**) _____! (**jön**) _____, hazamegyünk! Ebből mára elég volt.

| | |
|---|---|
| **kimelegedik**   *get hot*<br>**bánt** (vkit) (vmit)   *torment* (sy)<br>(sg)<br>**szégyelli magát**   *be ashamed of*<br>*oneself* | **Ebből mára elég volt.**   *I've had*<br>*enough of this for today.* |

2   Tamás and Erika have just got married. Neither of them can cook. Tamás has found this recipe for **paprikás csirke** in a cookery book. Erika is doing the cooking, and Tamás is telling her what to do step by step. Study the recipe. What does Tamás say to his wife?

### Paprikás csirke

**Hozzávalók:**      1 csirke
3 evőkanálnyi olaj vagy 5 dkg zsír
1 fej vöröshagyma
2 dl tejföl
1 evőkanálnyi liszt
1 kiskanál pirospaprika
só
nyáron friss, télen mirelit
paprika és paradicsom
(2–2 darab)

A csirkét hideg vízben megmossuk* majd feldaraboljuk. A vöröshagymát finomra vágjuk és zsírban vagy olajban a fedő alatt aranysárgára pirítjuk, majd megszórjuk pirospaprikával. Ezután beletesszük a csirkét, megsózzuk és 2 dl vizet öntünk hozzá. Fedő alatt a csirkét puhára főzzük. Közben a paradicsomot és a paprikát darabokra vágjuk és hozzáadjuk. Amikor a csirke puhára főtt, a tejfölt és a lisztet összekeverjük és a csirke levéhez öntjük. Miután felforrt, 2–3 percig forraljuk. Galuskával tálaljuk.

| | |
|---|---|
| **hozzávalók** *ingredients* | **pirít** (vmit) *fry until it's golden brown* |
| **evőkanálnyi** *tablespoonful* | |
| **fej vöröshagyma** *onion* (Lit. *head of onion*) | **megszór** (vmit) (vmivel) *sprinkle* (sg) *with* (sg) |
| **tejföl** (-t, -e) *sour cream* | **dl** i.e. *deciliter* |
| **liszt** (-et, -je) *flour* | **önt** (vmit) *pour* (sg) |
| **kiskanál** (kiskanalat, kiskanalak, kiskanala) *teaspoon, teaspoonful* | **puha** *soft* |
| | **összekever** (vmit) (vmivel) *stir together, mix* |
| **mirelit** (-et) *frozen food* | **a csirke leve** *the juice of the chicken* |
| **darab** (-ot, -ok, -ja) *piece* | |
| **feldarabol** (vmit) *chop up* (sg) | **forr** *boil* (verb) |
| **finomra vág** (vmit) *chop* (sg) *into small pieces* | **galuska** *noodles* |
| **fedő** *lid* | **tálal** (vmit) *serve up* (sg) |

*Note that recipes in Hungarian are written in the 1st person plural form of the present tense.

3 Sándor wants to introduce his new girlfriend Anikó to his parents. As his parents are highly critical, Anikó is a bit nervous. She rings Sándor to ask his advice. What were her questions? Write their conversation down and act it out.

(a) **Anikó** *She tells Sándor that she would like it if Sándor's parents took to her. She asks Sándor what she should do.*

**Sándor** Ne izgulj! Csak legyél önmagad!

(b) **Anikó** *She asks Sándor what she should put on.*

**Sándor** Anyu elég konzervatív. Ne gyere miniszoknyában és ne fesd ki magad!

(c) **Anikó** *She asks what presents she should bring them.*

**Sándor** Elég, ha anyunak hozol egy csokor virágot.

(d) **Anikó** *She asks Sándor if she should be on time or can she be a bit late as it is already 6.30.*

**Sándor**   Ne késs el! Inkább ülj taxiba!

| | |
|---|---|
| **izgul**  *worry* | **kifesti magát**  *use make up* |
| **Csak legyél önmagad!**  *Just be* | |
| *yourself!* | |

4 As Sándor puts the phone down, his little sister Anna comes into the room. She is inquisitive and wants to know all about Anikó. She asks Sándor what Anikó had asked about. What answer did Sándor give her?

5 István Bakos, a young actor, is talking to a journalist who wants to write about famous people's daily routines. Study the passage, and then answer the questions that follow.

Mindig későn, általában 10-kor kelek fel. Először a fürdő-szobába megyek. Megmosakszom, fogat mosok. Ha hajnal-ban feküdtem le és nem volt időm megfürdeni, akkor reggel zuhanyozok is – hideg vízben! Ettől nagyon friss és éhes leszek. De először felöltözöm. A konyhában megreggelizem. Reggelire szeretek sokat és jót enni, és egy jó erős kávét iszom. Délután általában próbára megyek. Nem sok időm van ebédelni, általában gyorsan bekapok valamit a büfében. Előadás előtt sem tudok enni, mert túl ideges vagyok. Este későn vacsorázom, általában a kollégákkal. Utána még sokáig beszélgetünk. Éjfél előtt nem szoktam lefeküdni. Amikor hazaérek, levetkőzöm, megfürdök. Még az ágyban olvasok egy keveset és azután hamar elalszom.

| | |
|---|---|
| **megmosakszik, mosakodik**  *wash oneself* | **bekap** (vmit)  *have a bite of* (sg) |
| **hajnal** (-t, -ok, -a)  *dawn* | **kolléga**  *colleague* |
| **megfürdik**  *have a bath* | **lefekszik** (infinitive: lefeküdni) |
| **zuhanyozik**  *have a shower* | *go to bed* |
| **felöltözik**  *get dressed* | **levetkőzik**  *get undressed* |
| **próba**  *rehearsal* | **egy keveset**  *a little* |

(a)  Mikor szokott Bakos István felkelni?
(b)  Mikor szokott zuhanyozni?
(c)  Mit szokott reggelizni?
(d)  Hol és mit ebédel?

(e)  Mit szokott este otthon csinálni?

Now write a similar passage about yourself. Say it aloud.

6  Kriszta was really looking forward to her Sunday outing with her husband and son. Unfortunately things went wrong. This is what she told her colleague in the office on Monday morning. Select the correct form in brackets, and then tell her story aloud.

Vasárnap a Dunakanyarba akartunk (**menni/kimenni**). Gondoltuk, majd (**olvasunk/elolvasunk**) és napozunk, Lacika pedig majd a többi gyerekkel focizik. Már pénteken munka után (**vásároltam/bevásároltam**). A fiam imádja a sült csirkét. A csarnokban (**vettem/megvettem**) a csirkét.Szombaton (**takarítottuk/kitakarítottuk**) a lakást. Lacika (**tanulta/megtanulta**) és (**írta/megírta**) a leckéjét. Én (**sütöttem/megsütöttem**) a csirkét. Este a tv-ben (**néztük/megnéztük**) az időjárásjelentést. Vasárnapra jó időt ígértek. Reggel korán (**keltünk/felkeltünk**) és (**reggeliztünk/megreggeliztünk**). Mindent (**pakoltunk/bepakoltunk**) a kocsiba és (**indultunk/elindultunk**). Hamar (**értünk/leértünk**) Leányfalura. (**Pakoltunk/kipakoltunk**) a kocsiból és (**vettük/felvettük**) a fürdőruhánkat. Dél fele beborult az ég. Reméltük, hogy újra (**süt/kisüt**) majd a nap. Megterítettem a pokrócon és (**kezdtünk/elkezdtünk**) enni. De nem tudtuk (**enni/megenni**) az ebédünket. Hirtelen (**kezdett/elkezdett**) zuhogni az eső. Pillanatok alatt, mindenünk (**ázott/átázott**). Hát így lehet (**hinni/elhinni**) az időjárásjelentésnek!

| | |
|---|---|
| **bepakol** (vmit)  *pack* (sg) | **megterít**  *lay the table* |
| **dél** (delet)  *noon* | **pokróc** (-ot, -ok, -a)  *blanket* |
| **beborul**  *cloud over* | **ígér** (vmit)  *promise* (sg) |
| **ég** (eget, ege)  *sky* | |

7  The boss at Irma's office lets everyone do what they like, so nobody takes their work seriously. They frequently pop out when they have something to buy or do. Who went out for what? Make up sentences using the information given below. Here is the first one for you: (a) Mari banánért ment ki.

(a)  Mari: banán
(b)  Judit: tej és kenyér
(c)  Magdi: hús
(d)  Kati: angol-magyar szótár
(e)  Eszter: újság

8   Zsiga is very chaotic and absent-minded. This morning he had to
    look hard to find everything he needed before going off to work.
    Look at the list below which tells you what was where. Then
    answer the questions that follow.

a cipő: a szekrény alatt
a szemüveg: az újság alatt
a kalap: a fotelban, a kabátja mellett
a táska: a szék mögött
a nyakkendő: az ágy és a fal között

(a)   Honnan kellett kivennie a cipőjét?
(b)   Hová tette a szemüvegét?
(c)   Hová tette a kalapját?
(d)   Honnan kellett kivennie a táskáját?
(e)   Hova dobta a nyakkendőjét?

---

**fotel** (-t, -ek, -e)   *armchair*          **dob** (vmit)   *throw* (sg)

---

# Érti?

Zsuzsa is giving a farewell party for her students, who are soon all
going off to Hungary.

**Zsuzsa**    Hadd mutassalak be benneteket egymásnak! David angol
              diplomata, Gordon amerikai üzletember, Mary félig ma-
              gyar, félig angol származású festő, Richard pedig ügyvéd.
**All**       Sziasztok!
**Zsuzsa**    Mit kértek inni? Van barackpálinka, tokaji, hubertus és
              unicum*.
**Gordon**    Barackpálinkát ne igyatok, hacsak nincs erős gyomrotok!
**Richard**   Én kipróbálom. A többi italt már ismerem.
**Zsuzsa**    Biztos vagy benne? Töltsek?
**Richard**   Tölts! (*having tossed it back*) Uh! Mintha tűz lenne! De az
              íze nagyon jó.
              (*They all laugh and opt for other drinks.*)
**Mary**      Ti miért kezdtetek el magyarul tanulni?
**David**     Hogy őszinte legyek, nekem nem volt más választásom.
              Ősszel már a budapesti Brit Nagykövetségen fogok dol-
              gozni.
**Mary**      Á, az közel van a híres Gerbeaud cukrászdához! Most már

tudom, hol teáznak a brit diplomaták minden délután! És te, Gordon?

**Gordon**   A vállalatomat nagyon érdekli a magyar piac. Nem hiszem, hogy valaha is tökéletesen meg fogok tanulni magyarul, de szerintem néhány kifejezés is sokat segít. Jobb a tárgyalások légköre, ha egy kicsit én is tudok az ő nyelvükön beszélni.

**Richard**   Én csak hobbiból tanulok magyarul. Tíz évvel ezelőtt, diákkoromban jártam először Magyarországon és azonnal beleszerettem.

**David**   Én azt hittem, jó nyelvérzékem van – amíg nem kezdtem el magyarul tanulni! De az tény, hogy a magyar logikus nyelv. Különben is, a nehezén már túl vagyok. Alig várom, hogy Magyarországon lehessek. Mindig érdekes egy egészen másfajta kultúrával megismerkedni. (*turning to Mary*) De te, gondolom, a szüleid kedvéért határoztad el, hogy megtanulsz magyarul.

**Mary**   Csak az édesanyám volt magyar. Gyerekkoromban rengeteget mesélt Magyarországról és Ady Endréről, kedvenc költőjéről. Gyakran vitt Magyarországra. Ma is ott élnek a rokonaim, és minden nyáron odajárok nyaralni. Ha nem mennék, nagyon hiányozna. Csak azt sajnálom, hogy édesanyám gyerekkoromban nem tanított meg magyarul. Akkor sokkal könnyebben tanultam volna, mint most „öreg fejjel" ...

**Zsuzsa**   Milyen lemezt tegyek fel? Mary, válassz te!

**Mary**   Én imádom a magyar népzenét! Hallgassunk meg egy Muzsikás-lemezt!

**Gordon**   (*jokingly*) Zsuzsa, máris meg akarsz tőlünk szabadulni? Nem bírom azokat a vad ritmusokat!

**Richard**   Hidd el, meg fogod szeretni. Eleinte nekem sem tetszett a magyar népzene. De minél többet hallja az ember, annál jobban megkedveli.

**Gordon**   Na jó! Jöjjön, aminek jönnie kell! De előbb egy pohár tokajit kérek. (*having a sip*) Most már jöhetnek a vad ritmusok! (*They put a record on.*)

**Zsuzsa**   Ezt kóstoljátok meg! rigójancsi tejszínhabbal.**

**All**   Nagyon finom. Te sütötted?

**Zsuzsa**   Igen. Örülök, hogy ízlik, mert mást nem tudok sütni.

**David**   (*raising a glass*) Igyunk erre az őrült, de csodálatos nyelvre! Egészségünkre!

**Zsuzsa**  Egészségünkre! És minden jót Magyarországon! Ki tudja, talán legközelebb a Gerbeaud-ban találkozunk...

---

**hadd...** *let me ...*
**ügyvéd** (-et, -ek, -je)  *solicitor, lawyer*
**félig magyar származású**  *of half Hungarian origin*
**Hacsak nincs erős gyomrotok.**  *Unless you have a strong stomach.*
**ital** (-t, -ok, -a)  *drink* (noun)
**tölt**  *pour* (a drink)
**Mintha tűz lenne!**  *It tastes like fire!* (Lit. *As if it were fire.*)
**íz** (-t, -ek, -e)  *taste* (noun)
**hogy őszinte legyek**  *to be honest*
**Nem volt más választásom.**  *I had no other choice.*
**légkör** (*pron.* lékkör) (-t, -e)  *atmosphere*
**diákkoromban**  *in my student days*
**nyelvérzék** (-et, -e)  *gift for languages*
**amíg nem**  *until*
**Tény, hogy...**  *It's a fact that ...*
**(vki) kedvéért**  *for (sy's) sake*

**valaha**  *ever*
**elhatároz** (vmit)  *decide* (sg)
**mesél** (vmiről) (vkiről)  *talk about* (sg) (sy)
**öreg fejjel**  *when one is not so young* (Lit. *with an old head*).
**(vkinek) hiányzik** (vki) (vmi)  *miss* (sy) (sg)
**megszabadul** (vkitől) (vmitől)  *get rid of* (sy) (sg)
**Minél többet hallja az ember, annál jobban megkedveli.**  *The more one hears it, the more one grows to like it.*
**Jöjjön, aminek jönnie kell!**  *Come what may!*
**megkóstol** (vmit)  *taste* (sg)
**tejszínhab** (-ot, -ja)  *whipped cream*
**őrült**  *crazy*
**népzene**  *folk music*
**A nehezén már túl vagyok.**  *I am over the worst now.*

---

*Hubertus (*pron.* hubertusz) (*sweet*) and **unicum** (*pron.* unikum) (*bitter*) are Hungarian liqueurs.
**Hungarians usually use whipped cream for cakes and coffee, not single or double cream.

Igaz vagy nem igaz? Correct and re-write the false statements.

(a) Zsuzsa diákjai a buli előtt nem ismerték egymást.
(b) Gordon szerint a barackpálinka nagyon erős.
(c) David minden délután a Gerbeaud-ban szeretne teázni.
(d) Gordon már majdnem tökéletesen tud magyarul.
(e) Richard beleszeretett a magyar lányokba.
(f) Mary gyerekkorában nem beszélt magyarul.
(g) Zsuzsa sokfajta süteményt tud sütni.

You have made it! As they say in Hungary:
**Bátraké a szerencse!**

# APPENDIX

## The -hat/-het ending
### Present tense: indefinite conjugation

|  | vár | kér |
|---|---|---|
| (én) | várhatok | kérhetek |
| (te) | várhatsz | kérhetsz |
| (maga/ön/ő) | várhat | kérhet |
| (mi) | várhatunk | kérhetünk |
| (ti) | várhattok | kérhettek |
| (maguk/önök/ők) | várhatnak | kérhetnek |

### Present tense: definite conjugation

|  | vár | kér |
|---|---|---|
| (én) | várhatom | kérhetem |
| (te) | várhatod | kérheted |
| (maga/ön/ő) | várhatja | kérheti |
| (mi) | várhatjuk | kérhetjük |
| (ti) | várhatjátok | kérhetitek |
| (maguk/önök/ők) | várhatják | kérhetik |

### Past tense: indefinite conjugation

|  | vár | kér |
|---|---|---|
| (én) | várhattam | kérhettem |
| (te) | várhattál | kérhettél |
| (maga/ön/ő) | várhatott | kérhetett |
| (mi) | várhattunk | kérhettünk |
| (ti) | várhattatok | kérhettetek |
| (maguk/önök/ők) | várhattak | kérhettek |

### Past tense: definite conjugation

|  | vár | kér |
|---|---|---|
| (én) | várhattam | kérhettem |
| (te) | várhattad | kérhetted |
| (maga/ön/ő) | várhatta | kérhette |
| (mi) | várhattuk | kérhettük |
| (ti) | várhattátok | kérhettétek |
| (maguk/önök/ők) | várhatták | kérhették |

### Present conditional: indefinite conjugation

|  | vár | kér |
|---|---|---|
| (én) | várhatnék | kérhetnék |
| (te) | várhatnál | kérhetnél |
| (maga/ön/ő) | várhatna | kérhetne |
| (mi) | várhatnánk | kérhetnénk |
| (ti) | várhatnátok | kérhetnétek |
| (maguk/önök/ők) | várhatnának | kérhetnének |

### Present conditional: definite conjugation

|  | vár | kér |
|---|---|---|
| (én) | várhatnám | kérhetném |
| (te) | várhatnád | kérhetnéd |
| (maga/ön/ő) | várhatná | kérhetné |
| (mi) | várhatnánk | kérhetnénk |
| (ti) | várhatnátok | kérhetnétek |
| (maguk/önök/ők) | várhatnák | kérhetnék |

# KEY TO THE EXERCISES

Note that in the answers to the 'Igaz vagy nem igaz?' (*True or false?*) questions **i** stands for **igaz** and **n** for **nem igaz**.

## Pronunciation

8 (*a*) jungle (*b*) bridge (card game) (*c*) jam (*d*) manager (*e*) jazz (*f*) boiler (*g*) sandwich (*h*) hippie (*i*) gangster

## Part One
## Unit 1

**Párbeszéd 1** (*a*) i (*b*) n, Robert skót. (*c*) i. **2** (*a*) Nem, a fiatalember magyar. (*b*) Robert Stuart a skót turista neve. **Gyakorlatok 1** (*a*) iii (*b*) ii (*c*) iii (*d*) iii (*e*) i. **2** (*a*) Jó reggelt (kívánok)! (*b*) Jó napot (kívánok)! (*c*) Jó estét (kívánok)! (*d*) Viszontlátásra! (*e*) Viszontlátásra!
**3**   (*a*) **Fiatal nő** Neve?
   **Shirley**   Shirley Smith.
   **Fiatal nő** Kanadai?
   **Shirley**   Igen.
   **Fiatal nő** Mi a foglalkozása?
   **Shirley**   Titkárnő vagyok.
   (*b*) **Fiatal nő** Neve?
   **Jane**   Jane Ferguson.
   **Fiatal nő** Brit?
   **Jane**   Igen.
   **Fiatal nő** Mi a foglalkozása?
   **Jane**   Tanár vagyok.
   (*c*) **Fiatal nő** Neve?
   **Michael**   Michael Collins.
   **Fiatal nő** Ír?
   **Michael**   Igen.
   **Fiatal nő** Mi a foglalkozása?
   **Michael**   Üzletember vagyok.
**4** (*a*) Szabó Géza magyar orvos. (*b*) Elizabeth Long amerikai újságíró. (*c*) George Campbell brit rendőr. **5** (*a*) Nem, Tim angol. (*b*) Tim pincér. (*c*) Scott. (*d*) Igen. (*e*) Nem, Jeremy színész. (*f*) Nem, ír. (*g*) Patrick autószerelő. **6** (*a*) Az (*b*) A (*c*) A (*d*) Az
**Érti?** (*a*) n, Henry Trowte angol szakács. (*b*) n, Halász Edit magyar újságíró. (*c*) i.

## Unit 2

**Párbeszéd 1** (*a*) i (*b*) n, Jill egy kicsit fáradt. (*c*) n, Jill kér feketét. (*d*) i (*e*) n, Jill sajnos csak egy kicsit tud magyarul. **2** (*a*) Jill jól van. (*b*) Igen, Jill egy kicsit fáradt. (*c*) Igen, kér. (*d*) Igen, de egy kicsit erős. (*e*) Nem, Jill csak egy kicsit tud magyarul.
**Gyakorlatok 1** (*a*) iii (*b*) i (*c*) iii (*d*) ii (*e*) ii (*f*) iii (*g*) i. **2** Back vowel words: tanár, foglalkozás, fáradt, skót, fiatalember, finom and sajnos; front vowel words: rendőr, ön, itt, étterem and éhes. **3** (*a*) beszélek (*b*) tanul (*c*) beszélsz (*d*) tanul (*e*) tud. **4** (*b*) Elég jól beszél franciául. (*c*) Egy kicsit tudsz németül. (*d*) Nagyon jól beszél olaszul. (*e*) Tanulok magyarul. (*f*) János csak egy kicsit tud spanyolul. **5** (*a*) Tessék? (*b*) Nem értem. (*c*) Angol vagyok. (*d*) Sajnos csak egy kicsit tudok magyarul. (*e*) Beszél angolul? (*f*) Viszontlátásra! **6** (*a*) Szia! (*b*) Kösz jól, csak egy kicsit szomjas vagyok. (*c*) Köszönöm, sört kérek. (*d*) Egészségedre! (*e*) Igen./Nem rossz. (*f*) Igen, éhes vagyok. (*g*) Köszönöm, kérek. (*h*) Köszönöm szépen. **7** (*a*) Szia, ... vagyok. (*b*) ... vagyok. (*c*) Igen./Nem, ... vagyok. (*d*) Sajnos csak egy kicsit tudok magyarul. (*e*) Igen, de érdekes. (*f*) Nagyon tetszik. **8** (*b*) Kati szerint a német elég nehéz nyelv. (*c*) Pál szerint a francia egy kicsit nehéz nyelv. (*d*) Andrea szerint az olasz nehéz nyelv. (*e*) John szerint a magyar nagyon nehéz nyelv. **9** (*a*) fáradt (*b*) halászló (*c*) üzletember (*d*) angol (*e*) Nagyon álmos vagyok. Jó éjszakát (kívánok)!
**Érti?** (*a*) i (*b*) n, Taylor úr amerikai üzletember. (*c*) n, Irénke titkárnő. (*d*) n, Taylor úr kólát kér. (*e*) n, Halmos Géza kávét kér.

## Unit 3

**Párbeszéd 1** (*a*) i (*b*) ii (*c*) i. **2** (*a*) János hideg gyümölcslevest kér. (*b*) Nem,

— **329** —

utána paprikás csirkét kér. (c) Igen,
János is kér salátát. (d) Nem, az egri
bikavér vörös bor,.
**Gyakorlatok 1** (a) ii (b) iii (c) iii (d) i.
**2** (a) iv (b) ii (c) i (d) iii (e) v (f) vi. **4** (a) Jó
napot! Az étlapot, legyen szíves! / Kérek
egy étlapot. (b) Köszönöm. Pincér! (c) Egy
gesztenyepürét kérek. Friss a
gesztenyepüré? (d) Egy teát, legyen
szíves. (e) Köszönöm. Pincér! Fizetek. **5**
Pincér! Hideg a leves. Kérek kenyeret és
sót. **6** (a) Én is amerikai vagyok. (b)
Attila franciául is tud. (c) Éva is beszél
angolul. (d) Sört is kérek. (e) Te is kérsz
üdítőt? (f) Palacsintát is kér? **7** (a)
kérünk (b) beszélnek (c) tanultok (d)
tudnak (e) kérnek **8** (a) leves (b) Attila (c)
somlói (d) savanyúság (e) angol (f) borsó
(g) burgonya (h) amerikai (i) nagyon.
More slowly = Lassabban.
**Érti?** (a) n, Robert Redford egy egyágyas
szobát kér. (b) i (c) i.

## Unit 4

**Párbeszéd 1** (a) ii (b) i (c) i (d) i. **2** (a)
Két liter tej kell. (b) Kati tizenöt deka
sonkát kér. (c) Drága. (d) A közért után
Kati a Ferihegyi repülőtérre megy.
**Gyakorlatok 1** (a) nyolcszázkilencvenhat (b) ezer (c) ezerötszázhuszonhat
(d) ezernyolcszázhuszonöt
(e) ezernyolcszáznegyvennyolc
(f) ezerkilencszázötvenhat. **2** (a)
Mennyibe kerül egy kiló körte? Egy kiló
körte hatvannyolc forintba kerül. (b)
Mennyibe kerül egy kiló szilva? Egy kiló
szilva ötvenöt forintba kerül. (c)
Mennyibe kerül egy kiló narancs? Egy
kiló narancs nyolcvankilenc forintba
kerül. (d) Mennyibe kerül egy kiló
banán? Egy kiló banán kilencvenkét
forintba kerül. (e) Mennyibe kerül egy
kiló szőlő? Egy kiló szőlő hetvennyolc
forintba kerül. (f) Mennyibe kerül egy
kiló cseresznye? Egy kiló cseresznye hetvenöt forintba kerül. (g) Mennyibe kerül
egy kiló alma? Egy kiló alma ötvenöt
forintba kerül. (h) Mennyibe kerül egy
kiló barack? Egy kiló barack hetvenkét
forintba kerül. **3** (b) Másfél kiló szilvát és
fél kiló epret legyen szíves. Tessék, száztizenhét forint ötven fillért kérek. (c) Egy
kiló körtét és egy kiló barackot, legyen
szíves. Tessék, száznegyven forintot
kérek. (d) Másfél kiló almát és fél kiló
szilvát, legyen szíves. Tessék, száztíz

forintot kérek. (e) Két kiló körtét és fél
kiló barackot, legyen szíves. Tessék,
százhetvenkét forintot kérek. **4** (b) Hány
forint egy ausztrál dollár? Ötvennyolc
forint negyven fillér egy ausztrál dollár.
(c) Hány forint egy ír font?
Százharminckét forint ötvennégy fillér
egy ír font. (d) Hány forint egy amerikai
dollár? Hetvenhét forint hetvenkilenc fillér egy amerikai dollár. **5** (a) Kétszáz
ausztrál dollárt szeretnék beváltani.
Tessék, tizenegyezer-hatszáznyolcvan
forint. (b) Százhatvan ír fontot szeretnék
beváltani. Tessék, huszonegyezer-kétszázhat forint negyven fillér. (c)
Száznyolcvan amerikai dollárt szeretnék
beváltani. Tessék, tizennégyezer-két
forint húsz fillér. (d) Hetven angol fontot
szeretnék beváltani. Tessék, tízezerszázharminckét forint ötven fillér. **6** (a)
Tíz deka sajtot és tizenöt deka kolbászt
kérek. (b) Azt, legyen szíves. (c) Jó./Igen.
(d) Igen, sonkát is kérek. Mennyibe kerül
tíz deka sonka? (e) Nagyon olcsó. Húsz
dekát, legyen szíves. És tíz deka téliszalámit is kérek. (f) Köszönöm, mást nem
kérek.
**7** (b) Három jegyet kérek Budapestre. (c)
Öt jegyet kérek Egerbe. (d) Egy jegyet
kérek Sopronba. (e) Négy jegyet kérek
Győrbe. **8** (a) megyek (b) mész (c)
mentek.
**Érti?** (a) i (b) i (c) n, Van Amerikába
bélyeg a postán. (d) i.

## Unit 5

**Párbeszéd 1** (a) i (b) i (c) n, Janet nem
ismeri a Blaha Lujza teret. (d) n, A posta
a Petőfi Sándor utcában van. **2** (a) A Vas
utca tíz perc gyalog. (b) A Vas utca a harmadik utca balra. (c) A Petőfi Sándor
utcában van egy posta. (d) A Blaha Lujza
téren van a metrómegálló.
**Gyakorlatok 1** Hol van a férfi WC? Hol
van a női WC? **3** (b) Hol van az
Országház? Az ötödik kerületben van, a
Kossuth Lajos téren. (c) Hol van a
Mátyás-templom? Az első kerületben
van, a Szentháromság téren. (d) Hol van
a Nemzeti Múzeum? A nyolcadik
kerületben van, a Múzeum körúton. (e)
Hol van a Szent István-bazilika? Az
ötödik kerületben van, a Szent István
téren. (f) Hol van a Király fürdő? A
második kerületben van, a Ganz utcában.
**4** (a) Egy jegy tizennyolc forintba kerül.

(b) (i) **Black úr** Jó napot kívánok!
Nyolc jegyet, legyen
szíves.
**Nő** Száznegyvennégy
forintot kérek.
**Black úr** Tessék. Hányadik
megálló innen az
Oktogon?
**Nő** A harmadik.
**Black úr** Köszönöm.
**Nő** Kérem.
(ii) **Rosalie** Jó napot kívánok!
Négy jegyet, legyen
szíves.
**Nő** Hetvenkét forintot
kérek.
**Rosalie** Tessék. Hányadik
megálló innen a
Széchenyi fürdő?
**Nő** Az első.
**Rosalie** Köszönöm.
**Nő** Kérem.
(iii) **Gordon** Jó napot kívánok! Öt
jegyet, legyen szíves.
**Nő** Kilencven forintot
kérek.
**Gordon** Tessék. Hányadik
megálló innen a
Vörösmarty tér?
**Nő** A harmadik.
**Gordon** Köszönöm.
**Nő** Kérem.
**5** (a) iv (b) i (c) v (d) ii (e) iii (f) vi (g) viii
(h) vii. **6** Strictness. *Tickets and travel-
cards, please! But Lujza, it's Béla your
husband* ... (Lit. *I'm Béla your
husband...*) **7** Légipostán, legyen szíves
(a) Angliába (b) Írországba (c)
Ausztráliába (d) Amerikába/az Egyesült
Államokba (e) Új-Zélandba (f) Kanadába.
**8** (a) teret (b) tudjuk (c) angol (d) nincs
(e) jól van (f) zárva van

# Part Two
# Unit 6

**Párbeszéd 1** (a) i (b) i (c) ii (d) ii (e) i.
**2** (a) Mert Velencében volt. (b) Egy
sörözőben. (c) Mert este franciaóra lesz.
(d) Mert sok volt a munka. (e) Tanul. (f)
Huszonnégy éves. (g) Mert az új tanárnő
nagyon csinos.

**Gyakorlatok 1**
(b) **Tanárnő** Voltál már Rómában,
Attila?
**Attila** Igen, voltam.
**Tanárnő** Szerinted milyen város
Róma?
**Attila** Azt hiszem, hogy szép, de
egy kicsit piszkos város.
(c) Prágában, Azt hiszem, hogy roman-
tikus város. (d) Varsóban, Azt hiszem,
hogy elég csúnya város. (e) Berlinben,
Azt hiszem, hogy egy kicsit unalmas
város. (f) Bécsben, Azt hiszem, hogy
nagyon tiszta város. (g) Londonban, Azt
hiszem, hogy túl nagy város.
(h) **Tanárnő** Voltál már Szegeden,
Attila?
**Attila** Nem, még nem voltam.
**2** Tibor korán reggel fut a parkban.
Délelőtt vásárol az ABC-ben. Délben
ebédel. Délután a Király fürdőbe megy.
Este moziba megy. **3** (a) Bori néni nyolc-
vanhat éves. (b) Karcsi bácsi
kilencvenöt éves. (c) Jutka harmincöt
éves. (d) Péter 1975-ben született.
(e) Kerekes Anna 1958-ban született. (f)
Peti 1987-ben született. **4** (a) i (b) ii. **5** (a)
i (b) ii (c) ii (d) ii (e) ii. **6** (a) v (b) i (c) ii
(d) iv (e) iii (f) vi.
**Érti?** (a) i (b) n, Mrs Jones még nem volt
Szentendrén. (c) i (d) n, Kovács Margit
híres magyar keramikus és szobrász. (e)
n, Mrs Jones szerint a „Családi fénykép-
album" eredeti kerámia.

# Unit 7

**Párbeszéd 1** (a) i (b) n, Zugló a tizen-
negyedik kerület neve. (c) n, János
felesége mérges, mert a szomszédban
hangos a magnó. (d) i (e) n, Az új ház
világos, tágas, kétszobás. (f) i. **2** (a) János
Zuglóba költözik. (b) Ez a lakás nagyon
kicsi. (c) János hatvan éves. (d) Mert
piszkos a lépcső és a kapu éjszaka is
nyitva van. (e) János augusztusban megy
nyugdíjba. (f) János majd dolgozik, a
felesége meg majd napozik és olvas a
kertben. (g) Negyvenezer forintot.
**Gyakorlatok 1** (a) költözöm (b) él (c)
lakik (d) panaszkodsz (e) elég (f) napozol
**2** (a) i or ii (b) ii (c) iii (d) iii (e) i or ii (f) i
or ii. **3** (a) Én sem ismerem Király
Dezsőt. (b) Vörös bort sem kérek. (c)
Zsolt sem tud franciául. (d) Az egri
bikavért sem ismered? (e) Mi sem május-
ban költözünk. (f) Barack sem kell. **4** (a)

Rossz. Ez a ház nem tetszik. (b) Jó. (c) Jó. (d) Rossz. Ez az alma nagyon finom! (e) Jó. (f) Rossz. Az a villamos nem itt jár. 5 (b) A szótár a földön van. (c) A táska a tévén van. (d) A magnó a szőnyegen van. (e) A szék a szekrényen van. 6 (c) A macska az asztalon ül. (d) A macska a polcon ül. (e) A macska a mosógépen ül. (f) A macska a gáztűzhelyen ül. 7 (a) Tegnap kedd volt. (b) Holnap vasárnap lesz. (c) Tegnapelőtt péntek volt. (d) Holnapután csütörtök lesz. 8 Seregi Antal kedden délután Szentendrére megy. Szerdán korán reggel a repülőtérre megy és este főz. Csütörtökön este angolórára megy. Pénteken uszodába megy. Szombaton este színházba megy. Vasárnap a kertben dolgozik. 9 (a) házban (b) lakom (c) panellakásban (d) házban (e) emeleten (f) szomszédban (g) panaszkodik (h) folyosón.

## Unit 8

**Párbeszéd 1** (a) i (b) i (c) n, Iskola után Zoli először eszik valamit. (d) n, Zoli jobban szeret magnót hallgatni vagy tévét nézni, mint leckét írni. (e) n, Zoli egy nagy házat és egy nyugati kocsit szeretne. 2 (a) Zoli vajas kiflit vagy zsemlét eszik reggelire. (b) Az iskolában a második fogás főzelék vagy hús, rizs, krumpli, tészta. (c) Mert az iskolában rosszul főznek. (d) Zoli hétfőn és szerdán focizik. (e) Mert két munkahelyen dolgozik. (f) Zoli egy focimeccset szeretne Angliában látni.
**Gyakorlatok 1** (a) ajánlasz (b) beváltani (c) álltok (d) segíteni (e) értesz (f) tanítanak (g) takarítotok (h) írtok. 2 Zsófi nem tud korcsolyázni. Zsófi imád teniszezni. Zsófi utál kocogni. Zsófi tud kosárlabázni. Zsófi nem szeret röplabdázni. Zsófi tud úszni. Zsófi szeret tornázni. Zsófi utál sakkozni. 3 (b) Asztalos Gizella jobban szeret videót nézni, mint moziba járni. (c) Sípos Kati jobban szeret operába menni, mint úszni. (d) Polgár Géza jobban szeret sörözni, mint színházba járni. (e) Tordai Judit jobban szeret enni, mint sportolni. (f) Balázs Kinga jobban szeret könyvet olvasni, mint tévét nézni. (g) Fekete László jobban szeret rádiót hallgatni, mint újságot olvasni. 4 (a) ma (b) mai (c) januári (d) januárban (e) január (f)

Szeged (g) Szegedi (h) Szegeden (i) Szegedre (j) szegedi. 5 (b) Kati munka után a közértbe siet, mert este vacsorát főz. (c) Zsuzsa munka után az uszodába siet, mert imád úszni. (d) Eszter munka után Pestre siet, mert az édesanyja kórházban van. (e) Ica munka után hazasiet, mert jó film lesz a tévében. 6 (a) Csak egy munkahelyen dolgozom. (b) Igen. Én vásárolok minden nap. (c) Mert a negyedik emeleten lakunk és nincs lift a házban. (d) Igen, este is segítek a házimunkában. (e) Nem hiszem/Azt hiszem nem, mert segítek otthon és nem iszom, nem dohányzom. 8 Mert egy nyugati autót kér a születésnapjára.
**Érti?** (a) i (b) ii (c) ii (d) i (e) ii.

## Unit 9

**Párbeszéd 1** (a) i (b) i (c) n, Kint nem süt a nap. Fúj a szél, esik az eső és hideg van. (d) i (e) n, Mariska néni jobban szereti a konyakot, mint a kávét. 2 (a) Nem, Erzsi szerint Mariska néni még nem öreg. (b) Rossz idő van kint. Fúj a szél, esik az eső és hideg van. (c) Ma 9-10 fok lesz. (d) Mert még nincs fűtés. (e) Amikor egyedül van.
**Gyakorlatok 1** (a) iii (b) ii (c) ii (d) i (e) iii. 2 (a) Londonban esik az eső. (b) Madridban süt a nap. (c) Párizsban esik az eső. (d) Berlinben nincs meleg és nincs hideg. (e) Rómában elég jó idő van. (f) Budapesten egy kicsit hideg van, de süt a nap. (g) Bukarestben esik az eső és fúj a szél. (h) Moszkvában nagyon hideg van és esik a hó. 4 Debrecenben ma huszonöt fok lesz. Tihanyban ma huszonhárom fok lesz. Miskolcon ma huszonegy fok lesz. Pécsen ma huszonhét fok lesz. 5 (a) (i) hanem (ii) de (iii) de (iv) de (v) hanem (b) (i) már (ii) még (iii) még (iv) már (v) már. 6 (a) Hány éves tetszik lenni? (b) Hol tetszik lakni? (c) Tetszik még dolgozni? (d) Mennyi a nyugdíj? (e) Elég ez a nyugdíj, Bori néni? (f) Rosszul tetszik élni?/Hogy tetszik élni? 7 (a) iv (b) v (c) vi (d) i (e) iii (f) ii.

## Unit 10

**Párbeszéd 1** (a) i (b) n, Gábor este moziba szeretne menni. (c) n, Egy régi magyar film megy a moziban. (d) n, Hétkor találkoznak a mozi előtt. (e) i. 2 (a) Az első hívás téves. (b) Gábor Mártával

szeretne beszélni. (c) „Szerelmesfilm" a
Szabó István-film címe. (d) A film negyed
nyolckor kezdődik. (e) Gábor a négyes
villamossal megy a randevúra.
**Gyakorlatok 1** *Her questions*: Hány óra
van? *or* Mennyi az idő? *Answers*: (a)
Háromnegyed kilenc van. (b) Fél tizen-
egy van. (c) Negyed egy van. (d) Egy óra
van. (e) Fél hat van. **2** (a) János
hatkor/hat órakor megy dolgozni. (b)
Jenő bácsi nyolckor/nyolc órakor vásárol
az ABC-ben. (c) Anya hétkor/hét órakor
főz vacsorát. (d) Gabi háromnegyed
egykor segít a házimunkában. (e) A film
fél nyolckor kezdődik. (f) A magyaróra
háromkor/három órakor van. (g) István
tízkor/tíz órakor jön haza. (h) Fél ötkor
van a meccs a tévében. **3** (b) Van/Nincs
kedved kirándulni? Most nincs kedvem
kirándulni. (c) Van/Nincs kedved kon-
certre menni? Most nincs kedvem kon-
certre menni. (d) Van/Nincs kedved
teniszezni? Most nincs kedvem
teniszezni. (e) Van/Nincs kedved színház-
ba menni? Most nincs kedvem színházba
menni. (f) Van/Nincs kedved itthon
maradni? Igen/De igen, van kedvem
itthon maradni. **4** (a) Az elefánt a fa mel-
lett van. (b) Az elefánt a fa előtt van. (c)
Az elefánt a fa mögött van. (d) Az elefánt
két fa között van. **5** (a) nélkül (b) miatt
(c) előtt (d) után (e) alatt (f) körül (g)
között (h) helyett. **6** (a) A kettes villamos
jár a Fórum Hotel előtt. (b) A hetes busz
jár a Rákóczi úton. (c) A hetvennégyes
trolival lehet a Városligetbe menni. (d) A
tizenötös busszal lehet a Várba menni.
(e) A negyvenhármas melléken vagyok. **7**
(b) Márta iskola után autóval megy
Gáborral haza. (c) Délután metróval
megy a Belvárosba. (d) Hatkor
trolibusszal megy vásárolni. (e) Este a
hatos villamossal megy moziba. **8** (b)
Sándor Katival jár sétálni a Duna-part-
ra. (c) Irénkével jár discóba. (d) Edittel
jár mozoba. (e) Arankával jár sörözni. (f)
Anettel jár angolórára. **9** (a) Imádlak. (b)
Utállak. (c) Nem értelek. (d) Hallgatlak.
(e) Holnap. **10** (a) Anyu, tudsz adni egy
százast? (b) Gáborral találkozom hét
órakor. Moziba megyünk. (c) Igen, a he-
tessel. (d) A Bástya moziba megyünk.
Egy régi magyar filmet nézünk meg. A
címe: „Szerelmesfilm". (e) Negyed nyolc-
kor. (f) Te?! Kivel?

# Unit 11

**Párbeszéd 1** (a) n, Kormosné unja a
konyakosmeggyet. (b) n, Kormos Géza
minden évben ugyanazt vásárolja
Kormosnénak. (c) i (d) i (e) i. **2** (a)
Kormos úr minden évben egy csokor
virágot és egy doboz konyakosmeggyet
vesz Kormosnénak. (b) Mert Kormosné
már egy kicsit unja a virágot és a
konyakosmeggyet. (c) Mert Kormosné
elég válogatós./Mert nem tudja, hogy
Kormosnénak milyen színű cipő tetszik.
(d) A szoknya túl hosszú. (e) Mert
Kormos úr szerint minden nő örül a
virágnak és szereti a csokoládét./Mert
nem tud mit venni.
**Gyakorlatok 1** (a) A magyarok
szeretnek sokat enni. (b) Én is imádom
az epret./Én imádom az epret is. (c) Mit
kérsz: kávét vagy teát? (d) Apu egy szép
új biciklit vesz Petinek. (e) Köszönjük a
finom vacsorát! (f) Ugye ismeritek
Bartók Bélát, a híres magyar zene-
szerzőt? **2 Petőfi Rádió** (b) tizennégy
órakor (c) tizennégy óra öt perckor (d)
tizenöt óra tíz perckor (e) tizenöt óra
negyven perckor (f) tizenhat óra öt perc-
kor (g) tizenhat óra harmincöt perckor
(h) tizenhét óra húsz perckor: **TV2** (a)
tizennyolc óra negyvenöt perckor (b)
tizenkilenc óra harminc perckor (c) húsz
órakor (d) húsz óra harminc perckor (e)
huszonkét óra negyven perckor (f) hu-
szonhárom óra negyven perckor. **3** (b)
Szerintem Zsófi néni jobban szereti az
édességet, mint a virágot. Jobb lesz, ha
Zsófi néninek egy doboz csokoládét
veszel. (c) Szerintem Dénes jobban szeret
olvasni, mint zenét hallgatni. Jobb lesz,
ha Dénesnek könyvet ajándékozol. (d)
Szerintem Feri jobban szereti az alko-
holt, mint a külföldi cigarettát. Jobb lesz,
ha Ferinek egy üveg bort veszel. (e)
Szerintem Mónika jobban szereti az álla-
tokat, mint a rágógumit. Jobb lesz, ha
Mónikának egy macskát adsz. (f)
Szerintem Anna jobban szereti a zenét,
mint a parfümöt. Jobb lesz, ha Annának
egy lemezt ajándékozol. **4** (a) veszek (b)
szeret (c) hallgat/hallgatja (d) mondja (e)
tudom (f) utálom (g) ad (h) örül (i) unja
(j) imádja (k) értem (l) vásárolni (m) áll.
**5** (a) A citrom sárga. (b) A narancs
narancssárga. (c) Az elefánt szürke. (d) A
magyar zászló piros, fehér, zöld. (e) A

Duna régen kék volt. **6** (a) Péternek (b) Szeretek (c) szeretnék (d) benne (e) nekem. **7** (a) Dezső nem szereti a sajtot, ugye? (b) Te utálod a margarint, nem/ugye? (c) Éva néni nem tud paprikás csirkét főzni, ugye? (d) Ismeritek az angol reggelit, nem/ugye? (e) Apa a híreket hallgatja, nem/ugye? (f) Zsolt egy francia krimit néz, nem/ugye? **8** (a) iii (b) v (c) iv (d) i (e) vi (f) vii (g) viii (h) ii.
**Érti?** (a) A Népművészeti boltban hímzett terítőt, blúzt, dobozt, zsebkendőt, herendi porcelánt és kerámiát árulnak. (b) Mrs Scott néhány tipikus magyar ajándékot szeretne vásárolni. (c) Mert Mrs Scott fia tipikus tinédzser és nagyon válogatós. (d) Mrs Scottnak. (e) A boltban kicserélik. (f) Mert mindenkinek sikerült ajándékot találni.

## Unit 12

**Párbeszéd 1** (a) i (b) n, Jóska és Klára valószínűleg két vagy három éjszakára maradnak. (c) n, A reggeli plusz 150 forintba kerül. (d) i (e) i. **2** (a) Mert egy kicsit süket./Mert rosszul hall. (b) Egy csendes szobát keresnek szép kilátással. (c) Az egyik ablak a tóra néz, a másik a kertre. (d) Tihanyból indul minden fél órában hajó Balatonfüredre. (e) Mert túl nagy a zaj./Mert Juliska néni férje horkol.
**Gyakorlatok 1** (a) Jó napot kívánok! Szeretnék egy asztalt foglalni ma estére. (b) Nyolc órára, legyen szíves. (c) Öt személyre. (f) Viszonthallásra! **2** (a) Pincér! Piszkos a terítő. És legyen szíves két kanalat, egy villát, három kést, egy tányért és két szalvétát is hozni. (b) Pincér! A bableves sótlan, a töltött paprika sós, a pezsgő túl édes, a saláta túl savanyú és a káposztás kocka keserű. Legyen szíves sót és borsot hozni! (c) Lehet itt hitelkártyával, csekkel, utazási csekkel vagy valutával fizetni? **3** (a) Figyelem! Figyelem! (ii) A harmadik vágányra Pécsről gyorsvonat érkezik. (iii) Az ötödik vágányra Szegedről gyorsvonat érkezik. (iv) A hatodik vágányra Miskolcról személyvonat érkezik. (v) A második vágányra Debrecenből személyvonat érkezik. Kérjük, a vágány mellett tessék vigyázni! (b) (ii) Hányadik vágányról indul Pécsre a vonat? A hetedikről. (iii)

Hányadik vágányról indul Siófokra a vonat? A tizedikről. (iv) Hányadik vágányról indul Egerbe a vonat? A tizenötödikről. (v) Hányadik vágányról indul Sopronba a vonat? A negyedikről. **4** (b) Londonból háromnegyed ötkor érkezik a repülőgép. (c) Bécsből negyed hatkor érkezik a repülőgép. (d) Helsinkiből öt órakor érkezik a repülőgép. (e) Rómából negyed hétkor érkezik a repülőgép. **5** (a) (i) otthonról (ii) uszodából (iii) Magyarországról (iv) Szegedről (v) repülőtérről (b) (i) olvassa (ii) nézzük (iii) hiszem (iv) issza (v) viszszük **6** (a) iv (b) i (c) vi (d) ii (e) iii (f) v (g) vii. **7** (a) remélem (b) megy (c) kerül (d) tudom (e) mondja (f) mondani (g) aggasztja (h) aggaszt (i) él.
**Érti?** (a) Igen. (b) Minden kilométer után harminc centet kell fizetni, és a benzint is Tim veszi. (c) Az autót tele tankkal kell visszahozni. (d) Tim angol fonttal akar fizetni. (e) Akkor tényleg kell majd neki a biztosítás.

## Unit 13

**Párbeszéd 1** (a) n, Balogh János nem a feleségével, hanem Ferivel szeret horgászni. (b) i (c) n, Balogh János szerint költenek a nők sok pénzt. (d) n, Baloghné szerint régen a Duna-parton romantikus volt sétálni. (e) i. **2** (a) Pista szerint Szentendrénél lehet a Dunában sok halat fogni. (b) Andrea egy divatos sötétkék miniszoknyát fog vásárolni Szentendrén. (c) Mert még nincs jó idő, és nem szeret horgászni. (d) Igen. (e) Mert lehet, hogy csak bablevest esznek vasárnap ebédre.
**Gyakorlatok 1** (a) fogunk (b) ballagásra (c) fogok (d) költjük (e) igaza (f) megnézzük (g) fognak (h) fognak (i) bevásárolunk (j) veszünk. **2** (g), (b), (e), (h), (i), (f), (c), (d), (a). **3** látod, kiabálsz, látnak, hallanak, figyelik, hiszem, eszünk. **4** (a) nem fogok korán kelni (b) takarítani fogok (c) ebédelek (d) főz majd (e) alszom majd (f) úszni fogok (g) majd felhívom (h) jön (i) megyünk (j) emlékszem (k) találom (l) fogja tudni (m) várnak. **6** (a) nálunk (b) péknél (c) veletek (d) veled (e) Eszterrel.
**Érti?** (a) ii (b) i (c) i (d) ii (e) ii.

## Unit 14

**Párbeszéd 1** (a) i (b) i (c) n, Kardos Pál

ismerte Márta nénit. (*d*) n, Mária a Balett Intézetben tanított jazz-balettot. (*e*) i. **2** (*a*) Mária 1967. február 4-én született Egerben. (*b*) Mert soha sem szeretett tanulni. (*c*) Mária Kocsis Márta nénihez járt különórára. (*d*) Mert sokáig beteg volt. (*e*) Máriához. **Gyakorlatok 1** (*a*) 1966. április 23-án születtem Szegeden. (*b*) Igen. (*c*) 1987-ben költöztem a fővárosba. (*d*) Pesten a Duna utcai cipőgyárban dolgoztam. (*e*) A gimnáziumban kezdtem angolul tanulni, majd este nyelvtanfolyamon és 1986-ban Oxfordban egy rövid nyelvtanfolyamon tanultam. (*f*) Mert 1989-ben fiam, 1990-ben pedig lányom született. A férjem elég jól keres, és én otthon maradtam a gyerekekkel. **2** Lehoczky Klára 1966. április 23-án született Egerben. Itt járt általános iskolába, majd gimnáziumba is. A gimnáziumban kezdett angolul tanulni. 1986-ban Angliába, Oxfordba utazott egy rövid nyelvtanfolyamra. 1987-ben Budapestre költözött. Először a Duna utcai cipőgyárban dolgozott a XIV. kerületben. Az igazgató mellett volt titkárnő. Közben este nyelvtanfolyamon tanult angolul. 1988-ban férjhez ment. 1989-ben született a fia, Márton, 1990-ben pedig a lánya, Anikó. A férje újságíró és elég jól keres. Így Klára otthon maradt a gyerekekkel. Folyékonyan beszél angolul és tud egy kicsit franciául is. Nagyon szeretne ismét dolgozni. **4** ment, maradtam, meghalt, szerettem, ittam, hittem, feküdtem, jártam, ettem, lakott, segített, főzött, mosott, takarított, küldött, lettem, akartam, talált, kezdtem. **5** (*a*) mozinál (*b*) Andráshoz (*c*) amerikaihoz (*d*) Balatonhoz (*e*) Hozzád (*f*) nagyvállalatnál. **6** (*b*) Ezerkilencszáznyolcvankettő szeptember tizedike azért fontos, mert dolgozni kezdett. (*c*) Ezerkilencszáznyolcvanhét december tizenkilencedike azért fontos, mert megnősült. (*d*) Ezerkilencszázkilencven szeptember huszadika azért fontos, mert fia született. (*e*) Ezerkilencszázkilencvenegy október harmincegyedike azért fontos, mert lánya született. (*f*) Ezerkilencszázkilencvenkettő augusztus elseje azért fontos, mert vezérigazgató lett. **7** (*a*) Balassi Bálint ezerötszázötvennégy október huszadikán született. (*b*) Arany János ezernyolcszáztizenhét már-

cius másodikán született. (*c*) Petőfi Sándor ezernyolcszázhuszonhárom január elsején született. (*d*) Ady Endre ezernyolcszázhetvenhét november huszonkettedikén született. (*e*) Móricz Zsigmond ezernyolcszázhetvenkilenc június huszonkilencedikén született. **8** (*a*) Nem János bácsi vett ma friss húst a hentesnél. Nem friss húst vett János bácsi ma a hentesnél. Nem vett ma János bácsi friss húst a hentesnél. Nem ma vett János bácsi friss húst a hentesnél. Nem a hentesnél vett friss húst ma János bácsi. (*b*) Nem Peti evett három palacsintát tegnap ebédre. Nem három palacsintát evett tegnap Peti ebédre. Nem evett Peti három palacsintát tegnap ebédre. Nem tegnap evett Peti három palacsintát ebédre. Nem ebédre evett Peti három palacsintát tegnap. **9** (*a*) Rossz. Még soha nem/sem jártam Párizsban. (*b*) Rossz. Külföldön senki nem/sem ismeri Balassi Bálintot. (*c*) Jó. (*d*) Jó. (*e*) Rossz. János feleségül vette Esztert. **Érti?** (*a*) n, Széchényi Ferenc alapította a Nemzeti Múzeumot. (*b*) i (*c*) n, Magyarország a XIX. század elején igen elmaradott ország volt. (*d*) i (*e*) n, Széchenyi 1860. április 7-én halt meg.

## Unit 15

**Párbeszéd 1** (*a*) i (*b*) n, Sári régen írt. (*c*) n, Elég késő volt, ezért már csak csirke és pörkölt maradt. (*d*) i (*e*) i **2** (*a*) Mert rengeteg minden történt vele. (*b*) Mert egy hátizsák feküdt mellette a földön. (*c*) Mert a fiú akcentussal beszélt magyarul. (*d*) Este nyolcig. (*e*) Sári a hét húszas vonattal érkezik Budapestről Szegedre.

**Gyakorlatok 1** (*a*) történt (*b*) megismerkedtem (*c*) jártam (*d*) láttam (*e*) tetszett (*f*) lehetett (*g*) találtam (*h*) kértem (*i*) értette (*j*) megismételtem (*k*) nézett (*l*) segített (*m*) értette (*n*) mondta. **2** Kedves István! Egy hónappal ezelőtt írtam neked levelet, de még nem kaptam tőled választ. Remélem, nincs baj. Augusztus 5-én, szombaton a 6.45-ös vonattal érkezem Debrecenbe. Már alig várom az augusztust! Üdvözlettel: John. London, 1992. júl. 16. **3** mentem, élek, meghalt, lakom, laktam, sportoltam, teniszeztem, sétálok, szerettem, szeret, csodálom, várom.

**4** (*a*) (i) Tőletek (ii) Kitől (iii) üdvözlöm (iv) mozitól (v) 5-től (*b*) (i) kérdeztelek (ii) Láttátok (iii) vitték (iv) tudtuk (v) hívták. **5** (*a*) Az Éden discó bár este tíztől reggel hatig van nyitva. (*b*) Az új magyar rockopera este héttől kb. este negyed tízig tart. (*c*) Este fél nyolckor. (*d*) A görög táncház délután 5-től 6-ig tart. **6** (*a*) erre az (*b*) azzal a (*c*) Ebben a (*d*) abba a (*e*) Ezen a (*f*) abban a (*g*) Erről a (*h*) Annál a

## Unit 16

**Párbeszéd 1** (*a*) n, Edit szerint fárasztó 11–14 éves gyerekekre vigyázni. (*b*) n, Edit csak eleinte járt a discóba szórakozni. (*c*) i (*d*) i (*e*) i. **2** (*a*) Attól, hogy sokat napozott. (*b*) A hétvégeken sokféle program volt: koncertek, kiállítások. (*c*) Mert Andrást nem érdeklik a gyerekek és szerinte a Balaton már nem a régi. (*d*) András a kutyát szokta levinni sétálni minden nap kétszer. (*e*) A Balatonnál főtt kolbászt, sült halat és finom palacsintákat lehet kapni. **Gyakorlatok 1** (*a*) szoktunk (*b*) szokott (*c*) szoktam (*d*) szokta (*e*) szokta (*f*) szokta (*g*) szoktam (*h*) szoktak (*i*) szoktunk (*j*) szoktunk (*k*) szoktunk. **2** (*a*) férfiakat, nők (*b*) rendőrök, buták (*c*) fiatalok (*d*) politikusok (*e*) kínaiak, kicsik (*f*) asszonyok, kíváncsiak. **3** (*b*) A franciák kulturáltak. (*c*) Az angolok hidegvérűek. (*d*) Az olaszok szenvedélyesek. (*e*) A németek mindig pontosak. (*f*) A skótok fukarok. **4** (*a*) iv (*b*) i (*c*) ii (*d*) v (*e*) iii. **5** (*b*) Erzsi egy nap sokszor szokott mosogatni. (*c*) Egy nap egyszer szokott vasalni. (*d*) Egy héten kétszer szokott porszívózni. (*e*) Egy hónapban egyszer szokott ablakot tisztítani. **6** (*a*) Rossz. Engem már csak az okos nők érdekelnek. (*b*) Jó. (*c*) Rossz. Úgy látszik, néha bizony szoktál hazudni. (*d*) Jó. (*e*) Rossz. Most voltál először külföldön? (*f*) Rossz. Az ablakból csak a házakat lehet látni. **7** (*c*), (*a*), (*b*), (*d*). **Érti?** (*a*) Minden este 8 óra körül szoktak vacsorázni és aztán általában valahova szórakozni mennek. (*b*) Betörték az ablakot és azon keresztül másztak be. (*c*) A tolvajok egy arany nyakláncot, egy pár fülbevalót, egy Olympos fényképezőgépet és ruhákat vittek el. (*d*) Mert Jeremy és a felesége elfelejtették magukkal vinni. (*e*) Mert Jeremy és a felesége nem

szokott magánál készpénzt tartani.

## Unit 17

**Párbeszéd 1** (*a*) i (*b*) n, Márkus Tivadarnak nem hőmérője, hanem lázmérője nincsen. (*c*) i (*d*) n, Márkus úrnak csak influenzája van. **2** (*a*) Mert mindene fáj. (*b*) Márkus úrnak 39 fokos láza van. (*c*) A gyógyszert naponta háromszor kell beszedni étkezés után. (*d*) Az orvos szerint a gyógyfürdő tesz jót Márkus úrnak. (*e*) Mert Hévíz is és Gyula is rettenetesen drága lett. **Gyakorlatok 1** (*b*) Fáj a torkom. (*c*) Fáj a hasam. (*d*) Fáj a karom. (*e*) Fáj a derekam. (*f*) Fáj a kezem. **2** (*c*), (*b*), (*a*). **3** (*a*) Fáj a torkom, doktor úr. (*b*) Tegnap nagyon fájt a fejem, de ma nem fáj. (*c*) Igen, elég magas, 38 fokos lázam van. (*d*) Nincs étvágyam. Tegnap alig ettem valamit. **4** Kedves Barátom! Nagyon megijedtem, amikor megtudtam, hogy baleseted volt. Szerencsére csak a lábad törted el. Túl gyorsan vezettél? Hogy történt a baleset? Péntek délután meglátogatlak a kórházban. Mielőbbi gyógyulást kívánok szeretettel. **5** (*a*) Elrontottam a gyomrom. (*b*) Halat ettem. (*c*) Igen, hánytam is és hasmenésem is volt. (*d*) Két napig. (*e*) Igen, az idegenvezetőnk felesége is rossz volt. **6** (*b*) Andrea kedvenc költője Radnóti Miklós. (*c*) Anita kedvenc filmrendezője Huszárik Zoltán. (*d*) Attila kedvenc festője Csontváry Kosztka Tivadar. (*e*) Árpád kedvenc zeneszerzője Bartók Béla. (*f*) Mariann kedvenc színésze Latinovits Zoltán. **7** (*a*) iii, (*b*) vi, (*c*) i, (*d*) iv, (*e*) ii, (*f*) v. **8** nagyon, Kíváncsian, bátran, fiatalon, lassan, izgatottan, csúnyán, hosszan, nehezen.

## Unit 18

**Párbeszéd 1** (*a*), n, Almási Katalinnak csak négy testvére van. (*b*) n, Almási Katalin édesanyja nem volt színésznő. (*c*) i (*d*) n, Almási Katalint katolikusnak nevelték. (*e*) i. **2** (*a*) Almási Katalin a házuk mögötti óriási kertben szokott a testvéreivel játszani. (*b*) Az édesanyja mindig vidám, kedves, igen vallásos ember volt. (*c*) Az édesapja jóképű, nagy bajuszos, fekete hajú férfi volt. (*d*) Az édesanyja nővérének a férje.

(*e*) Nincsenek.
**Gyakorlatok 1** (*a*) az öcsém vagy én
(*b*) a nagypapám/nagyapám (*c*) a nagy-
néném (*d*) az unokatestvérem
(*e*) a vejem/vőm. **2** Kerekes Zoltán elég
magas, fiatal, sovány férfi. Bajusza nin-
csen. A szeme kék, a haja fekete, a fülei
kicsik. Szemüveget visel. Kerekes Zoltán
taxisofőr. Nőtlen. Mindenkivel udvari-
asan viselkedik, intelligens. Nagyon val-
lásos ember, minden vasárnap templom-
ba jár. **4** (*b*) ... a nagyszüleimé csak
egyszintes. (*c*) ... Annáének Ügyes. (*d*) ...
az unokaöcsémét még nem. (*e*) ...
Keresztesékéi még gyerekek. (*f*) ... a
miénken jazz-zenekar. **5** nagyszüleink,
nagypapáméknak, állatuk, nagypapám,
lovait, lovaival, nagymamám, munkája,
szomszédaik, gyerekeivel, házaik. **6** (*a*)
tiétekben (*b*) tieddel (*c*) övével (*d*)
enyémtől (*e*) miénkben. **7** Csilla szülei
sokat veszekednek egymással. Az apja
minden este részegen jár haza. Az anyja
állandóan fáradt és ingerült. Csilla
szülei néha verekednek és kiabálnak.
Csilla a testvéreivel a szomszédokhoz
vagy a térre menekül.
**Érti?** (*a*) Ismeretlen tettesek megölték
Kozma Sándor 25 éves szolnoki
taxisofőrt. (*b*) Az első fiatalembernek
hosszú, göndör, fekete haja volt. (*c*) A
második férfinak kissé elálló fülei voltak.
(*d*) A fekete bőrtáska a farmeröltönyös
fiatalemberé volt. (*e*) Kalmáréknál volt
este a buli. (*f*) Jelentkezni kell a Szolnok
Megyei Rendőrfőkapitányság 62–745-ös
telefonszámán.

## Unit 19

**Párbeszéd 1** (*a*) ii, (*b*) i, (*c*) i, (*d*) ii, (*e*) i.
**2** (*a*) Tibor két hónapja dolgozik új vál-
lalatnál. (*b*) Mert most valamivel
messzebb dolgozik. (*c*) Igen, jól meg-
fizették. (*d*) Legutóbb Tibort pár napra
küldték Londonba tárgyalni. (*e*) Tibor
vállalata az egyik legnagyobb brit gépi-
pari vállalattal folytat tárgyalásokat.
**Gyakorlatok 1** (*b*) A magyar nehezebb,
mint az orosz, de a kínai a legnehezebb
nyelv. (*c*) Ingrid Bergman szebb, mint
Marilyn Monroe, de Grace Kelly a
legszebb. (*d*) A krikett érdekesebb, mint
a golf, de a foci a legérdekesebb sport. (*e*)
A narancslé finomabb, mint a kóla, de az
almalé a legfinomabb üdítőital. (*f*) Párizs
nagyobb, mint Budapest, de London a

legnagyobb város. **2** Péter 180 cm magas,
András 185 cm magas, Gyuri 180 cm
magas és Lajos 188 cm magas. **3** (*b*) Edit
gyorsan tud gépelni, de Nóra gyorsabban
gépel nála, és Brigitta gépel a leggyor-
sabban. (*c*) Nórának sok tapasztalata
van, de Editnek több tapasztalata van
nála, és Brigittának van a legtöbb
tapasztalata. **4** (*a*) A szegények az ol-
csóbb élelmiszereket vásárolják, és
kevesebbet költenek élelmiszerekre,
mint néhány évvel ezelőtt. (*b*) A
szegények több kenyeret, zsírt, tésztát és
szalonnát fogyasztanak, mint az átlagos
szinten élők. (*c*) A szegények kevesebb
friss gyümölcsöt, zöldséget, főzeléket,
sajtot és tojást fogyasztanak, mint az
átlagos szinten élők. (*d*) Az átlagos szin-
ten élők többet sportolnak, mint a
szegények. **5** (*a*) el (*b*) vissza (*c*) el (*d*) Fel
(*e*) le (*f*) Át (*g*) végig (*h*) Be (*i*) fel. **7** napja,
hétre, 5 órakor/5 órára, Hétkor/Hétre,
napja. **8** cigarettáznom, főznöm, lennem,
telefonálnom, használnom, felvinnem,
keresnem, találnom. **9** Éva nem bírja
tovább. Elköltözik. Képzeld, a lakásban
tilos cigarettáznia. Csak akkor szabad
főznie, ha a házinéniek befejezték a va-
csorát. Legkésőbb este tízre otthon kell
lennie. Az utcáról kell telefonálnia, mert
az ő telefonjukat nem szabad használnia.
Ráadásul a barátját sem szabad felvin-
nie. Muszáj lesz új albérletet keresnie.
Reméli, hogy sikerül majd jó helyet talál-
nia.
**Érti?** (*a*) Balázsnak elege van a
Velencei-tóból, mert drága, és szerinte
unalmas egész nap a vízparton ülni. (*b*)
Mert Ibolya édesapjáéknak saját
nyaralójuk van ott, és nem kell szállást
fizetniük. (*c*) Balázsék négy éve járnak
minden nyáron a Velencei-tóhoz. (*d*)
Mert szebbnél szebb helyeken jártak, és
sokkal több emberrel sikerült megis-
merkedniük, mint a Velencei-tónál. (*e*)
Ha a gyerekek nagyobbak lesznek,
Balázsék könnyebben tudnak majd
utazni.

## Unit 20

**Párbeszéd 1** (*a*) n, Robi keresztmamája
Robiékat disznóölésre hívta meg. (*b*) i
(*c*) n, Robi a szilveszteri műsort szeretné
megnézni a tv-ben. (*d*) i (*e*) i. **2** (*a*)
Hajdúékat disznóölésre hívták meg a
rokonaik. (*b*) Mert Pali bácsiéknak nincs

színes tévéjük, és ő meg szeretné nézni a szilveszteri műsort. (c) Hajdúék húsvétkor egy hetet töltöttek falun. (d) Mert sokat kell enniük, és a férje nővére egész nap csak pletykálna./Mert sokkal fárasztóbb vendégségbe menni, mintha otthon maradnának, és mindent neki kellene egyedül csinálnia. (e) Tavalyelőtt azt mondták, hogy a nagy hó miatt leálltak a vonatok.

**Gyakorlatok 1** (a) vi (b) iii (c) i (d) v (e) ii (f) iv.

**2 Ilona**       A szombat délutáni előadásra szeretnék egy jegyet venni.

**Pénztáros**   Sajnos szombat délutánra már minden jegy elfogyott.

**Ilona**         És este hétre lehet még jegyet kapni?

**Pénztáros**   Igen, Hová parancsolja a jegyet: az erkélyre vagy páholyba?

**Ilona**         Kaphatnék az erkélyre egy jegyet?

**Pénztáros**   Hogyne. Elöl vagy hátul szeretne ülni?

**Ilona**         Elöl.

**Pénztáros**   Az első sorba tudnék még egy jegyet adni.

**Ilona**         Az jó lesz.

**Pénztáros**   Tessék, kétszáz forintot kérek.

**3** (b) Jobb lett volna, ha 7 órára vettél volna jegyet. (c) Jobb lett volna, ha az erkélyre vettél volna jegyet. (d) Jobb lett volna, ha olcsóbb jegyet vettél volna.
**4** „Lassabban is vezethetnél, Zoltán! Bárcsak egyszer hallgatnál rám! Nekem kellene vezetnem, mert én kevesebbet ittam Paliéknál, mint te. Bárcsak te se ittál volna olyan sok sört! Nem kellett volna még a pálinkát is elfogadnod! Vigyázz! Jobb lenne, ha ezután én vezetnék." „Jobb lenne, ha kevesebbet beszélnél, akkor jobban tudnék figyelni." „Ha nem lennél részeg, nem aludtál volna el és nem karamboloztunk volna."
**5** Zoltán azt válaszolta, hogy (b) nem látta a lámpát. (c) csak egy keveset ivott. (d) nem emlékszik. (e) az talán jobb lett volna, mert akkor a felesége nem beszélt volna olyan sokat, és ő jobban tudott volna figyelni. **6** (a) le (b) rá (c) meg (d) be (e) el (f) ki (g) be (h) fel (i) le (j) fel (k) meg. **7** (a) Végre be szeretném fejezni a könyvet. (b) Meg akartuk venni

Pistáéktól a kocsit. (c) Meg tudtátok inni azt a sok bort? (d) Holnap el fogsz menni keresztmamáékhoz? (e) Most haza kell mennem. **8** (b) Még nem lehet kiülni a kertbe napozni. (c) Nem kell elmenned! (d) Nem tudok visszaadni ötszázasból. (e) Nem akarok kimenni! **9** (a) Kinyithatom az ablakot? (b) Bejöhetek? (c) Segíthetek? (d) Elhozhatom a barátom is?/Jöhet a barátom is? (e) Mit ehetek? **10** (b) A londoni gép harminc percet késik. (c) A római gép tizenöt percet késik. (d) A prágai gép negyven percet késik. (e) A moszkvai gép huszonöt percet késik. (f) A New York-i gép két órát késik.

## Unit 21

**Párbeszéd 1** (a) i (b) n, Teri nem akarja megnézni a „Rémálom a Hotel Vadkacsában" című filmet, mert utána este nem tud elaludni. (c) n, Teri szerint kínos lenne Feriékhez menni, mert nem hívták meg őket. (d) i. **2** (a) Mert Teri piros ruhája a tisztítóban van. (b) A tv mellé. (c) Mert utána nem tud elaludni. (d) Tibor elfelejtette Terinek megmondani, hogy Feri meghívta őket a szalonnasütésre. (e) Az ismerőseik közül Icáék, Péterék és Gabiék lesznek még ott.
**Gyakorlatok 1** ne menj be, Várj, Ne verekedj!, ne igyál, játssz, Ne bántsd, Szégyelld magad!,  Gyere. **2** A csirkét hideg vízben mosd meg, majd darabold fel! A vöröshagymát vágd finomra és zsírban vagy olajban a fedő alatt pirítsd aranysárgára, majd szórd meg pirospaprikával! Ezután tedd bele a csirkét, sózd meg és önts hozzá 2 dl vizet! Fedő alatt főzd puhára a csirkét! Közben vágd darabokra a paradicsomot és a paprikát és add hozzá! Amikor a csirke puhára főtt, a tejfölt és a lisztet keverd össze és öntsd a csirke levéhez! Miután felforrt, forrald 2–3 percig! Galuskával tálald! **3** (a) Nagyon szeretném, ha a szüleid megkedvelnének. Mit csináljak? (b) Mit vegyek fel? (c) Milyen ajándékot hozzak/vigyek nekik? (d) Pontos legyek vagy elkéshetek egy kicsit? Már fél hét van. **4** Azt kérdezte, hogy mit csináljon és mit vegyen fel. Azt is kérdezte, hogy milyen ajándékot hozzon a szüleinknek. Végül Anikó ezt kérdezte: „Pontos legyek vagy elkéshetek egy kicsit?" **5** (a) Bakos István későn, általában tízkor szokott felkelni. (b) Ha hajnalban feküdt le és

nem volt ideje megfürdeni. (c) Reggelire
sokat eszik és egy jó erős kávét iszik. (d)
Gyorsan bekap valamit a büfében.
(e) Amikor hazaér, levetkőzik,
megfürdik. Még az ágyban olvas egy
keveset és azután hamar elalszik.
6 menni, olvasunk, bevásároltam,
megvettem, kitakarítottuk, megtanulta,
megírta, megsütöttem, megnéztük,
felkeltünk, megreggeliztünk,
bepakoltunk, elindultunk, leértünk,
kipakoltunk, felvettük, kisüt,
elkezdtünk, megenni, elkezdett, átázott,
hinni. 7 (b) Judit tejért és kenyérért
ment ki. (c) Magdi húsért ment ki. (d)
Kati angol-magyar szótárért ment ki. (e)
Eszter újságért ment ki. 8 (a) A szekrény
alól kellett kivennie a cipőjét. (b) Az
újság alá tette a szemüvegét. (c) A fotel-
ba tette a kalapját, a kabátja mellé. (d) A
szék mögül kellett kivennie a táskáját.
(e) Az ágy és a fal közé dobta a
nyakkendőjét.
Érti? (a) i (b) i (c) n, Mary szerint a brit
diplomaták minden délután a Gerbeaud
cukrászdában teáznak. (d) n, Gordon
nem tud tökéletesen magyarul. (e) n,
Richard Magyarországba szeretett bele.
(f) i (g) n, Zsuzsa csak egyfajta
süteményt tud sütni.

# HUNGARIAN–ENGLISH VOCABULARY

After each noun ending in a consonant the object, the plural and the 3rd person singular possessive ending is given. A *(c)* marks compound words that take front vowel endings. After each verb the following is given: the stem with the imperative ending, the irregular infinitive and the ending(s) it takes.

ablak (-ot, -ok, -a) *window*
ad vkinek vmit (adj) *give sy sg*
aggaszt vkit vmi (agassz) *sg worries sy*
aggódik (aggódj) *worry (verb)*
ágy (-at, -ak, -a) *bed*
ajándék (-ot, -ok, -a) *present, gift*
ajándékoz vkinek vmit (ajándékozz) *give sy sg as a gift*
ajánl vkinek vmit (ajánlj) *recommend sy sg, suggest*
ajtó (ajtaja) *door*
akar vmit (akarj) *want sg*
akárhova/akárhová *wherever*
akcentus (-t, -ok, -a) *accent*
akkor *then*
alacsony *short*
alap (vmi alapján) *basis (on the basis of sg)*
alatt *under, below, in, during*
alig *hardly*
alkohol (-t) *alcohol*
alkoholista *alcoholic*
áll vkinek (jól/rosszul áll nekem) *suit sy (it suits me/it does not suit me)*
áll (állj) *stand*
állandó *permanent*
állandóan *constantly, all the time*
állás (-t, -ok, -a) *job*
állat (-ot, -ok, -a) *animal*
állítólag *supposedly*
alma *apple*
almalé (almalevet, almaleve) *(c) apple juice*
álmos *sleepy*
álom (álmot, álmok, álma) *dream*
alszik (aludj, aludni) *sleep*
általában *generally, usually*
Amerika *America, the United States*
amerikai *American*
angol *English*
anya *mother, mum*

anyu *mum*
apa *father, dad*
apu *dad*
ár (-at, -ak, -a) *price*
árul vmit (árulj) *sell sg*
asszony (-t, -ok, -a) *woman*
asztal (-t, -ok, -a) *table*
átlag *average*
átszáll vmiről vmire *change from sg to sg*
ausztrál *Australian*
autó *car*
autószerelő *(c) car mechanic*
az (-t, -ok) *that, that one*
azonnal *straightaway*
aztán, azután *afterwards*
bab (-ot, -ok, -ja) *bean*
baj (-t, -ok, -a) *matter*
bajusz (-t, -ok, -a) *moustache*
bal *left*
balett (-ot, -ok, -ja) *ballet*
balett-táncos (-t, -ok, -a) *ballet dancer*
balettozik (baletozz) *do ballet*
bár (-t, -ok, -ja) *bar*
barack (-ot, -ok, -ja) *peach, apricot*
barackpálinka *apricot brandy*
barát (-ot, -ok, -ja) *friend, boyfriend*
barátnő *(c) friend, girlfriend*
bárcsak *if only*
barna *brown*
bátor (bátrak) *brave*
befejez vmit (befejezz) *finish sg*
bekapcsol vmit (bekapcsolj) *switch on sg*
beleszeret vkibe (beleszeress) *fall in love with sy*
Belváros (-t) *Vth district in Budapest*
bélyeg (-et, -ek, -e) *stamp*
bemutat vkinek vkit (bemutass) *introduce sy to sy*
bemutatkozik vkinek (bemutatkozz) *introduce oneself to sy*

beszél (beszélj) *speak*
beszélget vkivel vmiről (beszélgess) *talk to sy about sg*
beteg (-et, -ek, -e) *patient, ill*
bevált (pénzt) beválts *change* (money)
bevásárol (bevásárolj) *do one's shopping*
bevesz (bevegy, bevenni) (gyógyszert) *take* (medicine)
biciklitúra *bicycle tour*
bír vmit (bírj) *bear sg*
blokk (-ot, -ok, -ja) *bill*
blúz (-t, -ok, -a) *blouse*
bocsánat *sorry, excuse me*
bojler (-t, -ek, -e) *boiler*
boldog *happy*
boldogság (-ot, -a) *happiness*
bolt (-ot, -ok, -ja) *shop*
bor (-t, -ok, -a) *wine*
borsó *pea*
bő *loose*
bőr (-t, -ök, -e) *skin, leather*
bőrtáska *leather bag*
bridzs (-et) *bridge* (card game)
brit *British*
burgonya *potato*
busz (-t, -ok, -a) *bus*
buta *stupid, dumb*
butik (-ot, -ok, -ja) *boutique.*
ceruza *pencil*
cigaretta *cigarette*
cigarettázik (cigarettázz) *smoke*
cím (-et, -ek, -e) *address, title*
cipő *shoes*
cipőgyár (-at, -ak, -a) *shoe factory*
citrom (-ot, -ok, -a) *lemon*
cukor (cukrot, cukra) *sugar*
cukorbeteg (-et, -ek, -e) *(c) diabetic*
csak *only, if only, just*
család (-ot, -ok, -ja) *family*
csekk (-et, -ek, -e) *cheque*
csendes *quiet*
csinál vmit (csinálj) *do sg*
csinos *pretty*
csirke *chicken*
csodálatos *wonderful*
csókol vkit (csókolj) *kiss sy*
csokoládé *chocolate*
csokor (csokrot, csokrok, csokra) *bunch*
csúnya *ugly*
de *but, how, what*
dehogynem *but of course*
dél (delet) *noon, south*
délelőtt (-öt, -ök, -je) *morning, a.m., in the morning*

délután (-t, -ok, -ja) *afternoon, in the afternoon*
diák (-ot, -ok, -ja) *student, pupil*
diplomata *diplomat*
díszít vmit (díszíts) *decorate* (Xmas tree)
disznó *pig*
divatos *fashionable*
doboz (-t, -ok, -a) *box*
dohányzik (dohányozz, dohányozni) *smoke*
doktor (-t, -ok, -a) *doctor*
dolgozik (dolgozz) *work*
dolog (dolgot, dolgok, dolga) (sok a dolgom) *work* (I have a lot to do)
drága *dear, expensive*
dzsem (-et, -ek, -je) *jam*
dzsessz (-t, -e) *jazz*
dzsungel (-t, -ek, -e) *jungle*
ebéd (-et, -ek, -je) *lunch*
ebédel (ebédelj) *have lunch*
édes *sweet*
édesség (-et, -ek, -e) *dessert, sweets*
edz (eddz) *train*
edzés (-t, -ek, -e) *training*
edzőcipő *trainers*
ég (égj) *be on* (light)
egész *whole, all*
egészség (-et, -e) *health*
egészséges *healthy*
egyedül *on one's own*
egyenes *straight*
egyetlen *single, the only*
egymás (-t) *each other, one another*
éhes *hungry*
éjjel *at night*
éjszaka *night, at night*
ekkor *at this time*
él (élj) *live*
eladó *sales assistant*
elálló (fül) *protuberant* (ears)
elalszik (elaludj, elaludni) *fall asleep*
elefánt (-ot, -ok, -ja) *elephant*
elég (eleget, elege) *quite, enough*
eleinte *at first*
eleje *beginning of*
elér vmit (elérj) *achieve sg*
élet (-et, -ek, -e) *life*
elfárad (elfáradj) *get tired*
elfelejt vmit (elfelejts) *forget sg*
elfogad vmit (elfogadj) *accept sg*
elfoglalt *busy*
elhisz vmit (elhiggy) *believe sg to be true*
elindít vmit (elindíts) *start sg* (e.g. car)
elindul (elindulj) *start*

HUNGARIAN

elkezd vmit (elkezdj) *start* sg
elköltözik (elköltözz) *move house*
ellátogat (ellátogass) *pay a visit*
ellen *against*
elmegy (elmenj, elmenni) *go*
elmond vkinek vmit (elmondj) *tell* sy sg
előadás (-t, -ok, -a) *performance*
előre *ahead, in advance*
először *first of all, for the first time*
előtt *in front of, outside, before*
eltéved (eltévedj) *lose one's way*
eltör vmit (eltörj) *break* sg
ember (-t, -ek, -e) *man, person*
emelet (-et, -ek, -e) *floor*
emlékszik vkire, vmire (emlékezz, emlékezni) *remember* sy, sg
énekel vmit (énekelj) *sing* sg
ennyi *this much, that much*
épít vmit (építs) *build* sg
éppen *just, precisely, happen to*
épület (-et, -ek, -e) *building*
érdekel vkit vki, vmi (érdekelj) sy, sg *interests* sy
érdekes *interesting*
eredeti *original*
érdemes *worth*
érez (érezz) *feel*
erkély (-t, -ek, -e) *balcony*
érkezik (érkezz) *arrive*
erős *strong*
ért vmit (érts) *understand*
esetleg *perhaps, possibly*
esik (ess) *fall*
esküvő *wedding*
eső *rain*
esőkabát (-ot, -ok, -ja) *raincoat*
este *evening, in the evening*
eszébe jut vkinek vmi sg *comes to sy's mind*
eszik (egy, enni) *eat*
étel (-t, -ek, -e) *food* (prepared)
étkezés (-t, -ek, -e) után *after meals*
étlap (-ot, -ok, -ja) *menu*
étterem (éttermet, éttermek, étterme) *restaurant*
étvágy (-at, -a) *appetite*
Európa *Europe*
év (-et, -ek, -e) *year*
ez (-t, -ek) *this, this one*

fa *tree*
fagylalt (-ot, -ok, -ja) *ice-cream*
fáj (fájj) *hurt, ache*

fal (-at, -ak, -a) *wall*
falu (faluk, falvak) *village*
fáradt *tired*
fárasztó *tiring*
fázik (fázz) *be cold*
fehér *white*
fej (-et, -ek, -e) *head*
fekete *black, black coffee*
fekszik (feküdj, feküdni) *lie* (e.g. in bed)
fel *up*
fél (felet, fele) *half*
feláll (felállj) *get up, stand up*
fele/felé *about, at about*
felel vmit (felelj) *answer* sg
felelőtlen *irresponsible*
feleség (-et, -ek, -e) *wife*
felett *above, over*
felforr (felforrj) *come to the boil*
félig (e.g. magyar) *half* (e.g. Hungarian)
felír (gyógyszert) (felírj) *prescribe* (medicine)
felnőtt (-et, -ek) *grown up, adult*
felpróbál vmit (felpróbálj) *try* sg *on*
felszáll vmire (felszállj) *get on* sg
feltétlenül (nem feltétlenül) *by all means* (not necessarily)
feltéve ha *provided that*
felvesz vmit (felvegy, felvenni) *put on* sg (clothes)
fénykép (-et, -ek, -e) *photo*
fényképalbum (-ot, -ok, -a) *photo album*
fényképez (fényképezz) *take photographs*
fényképezőgép (-et, -ek, -e) *camera*
férfi *man*
férj (-et, -ek, -e) *husband*
fiatal *young*
fiatalember (-t, -ek, -e) (c) *young man*
figyel vkit, vmit (figyelj) *watch* sy, sg *closely*
filmsztár (-t, -ok, -ja) *film star*
finom *delicious*
fiú *boy, son*
fizet (fizess) *pay*
focimeccs (-et, -ek, -e) (c) *football match*
focizik (focizz) *play football*
fog vmit (fogj) (halat fog) *catch* sg (catch fish)
fog (-at, -ak, -a) *tooth*
fogás (-t, -ok, -a) *course* (of a meal)
foglal vmit (foglalj) *book, occupy* sg
foglalkozás (-t, -ok, -a) *occupation, job, profession*

foglalt *occupied, taken, engaged*
fok (-ot, -a) *degree*
folyékony *fluent*
folyó *river*
folytat vmit (folytass) *continue, carry on* sg
font (-ot, -ok, -ja) *pound*
fontos *important*
föld (-et, -ek, -je) *land, floor*
Föld (-et) *Earth*
földalatti *underground*
földszint (-et, -ek, -je) *ground floor*
főleg *especially*
főz vmit (főzz) *cook* sg
főzelék (-et, -ek, -e) *vegetable dish*
francia *French*
friss *fresh*
fut (fuss) *run*
függ vmitől (függj) *depend on* sg
fül (-et, -ek, -e) *ear*
fürdik (fürödj, fürdeni, fürödni) *bathe, have a bath*
fürdő *baths*
fürdőnadrág (-ot, -ok, -ja) *bathing trunks*
fürdőruha *swimsuit*
fűtés (-t, -e) *heating*

garázs (-t, -ok, -a) *garage*
gáz (-t, -ok, -a) *gas*
gazdag *rich*
gáztűzhely (-t, -ek, -e) *(c) gas cooker*
gengszter (-t, -ek, -e) *gangster*
gimnázium (-ot, -ok, -a) *secondary school*
gomba *mushroom*
gondol vmit (gondolj) *think* sg
Görögország (-ot, -a) *Greece*
gyakorlat (-ot, -ok, -a) *exercise*
gyakran *often*
gyalog *on foot*
gyalogtúra *walking tour*
gyár (-at, -ak, -a) *factory*
gyenge *weak*
gyerek (-et, -ek, -e) *child*
gyerekkor (-t, -a) *childhood*
gyógyfürdő *medicinal baths*
gyógyszer (-t, -ek, -e) *medicine*
gyomorrontás (-t, -ok, -a) *upset stomach*
gyönyörű *gorgeous, very beautiful*
gyümölcs (-öt, ök, -e) *fruit*

ha *if*
haj (-at, -a) *hair*
hajó *ship, boat*
hal (-at, -ak, -a) *fish*

halász (-t, -ok, -a) *fisherman*
halászlé (halászlevet, halászleve) *(c) fish soup*
hall vmit (hallj) *hear* sg
hallgat vkire (hallgass) *listen to* sy
hallgató *listener*
hamar *soon, quickly*
hamarosan *soon*
hanem *but*
hang (-ot, -ok, -ja) *voice*
hangos *loud*
hangzik (hangozz, hangozni) *sound*
hány? *how many?*
hányan? *how many people?*
hányszor? *how many times?*
haragszik (haragudj, haragudni) *be angry*
háromnegyed *three quarters*
használ vmit (használj) *use* sg
hát (-at, -ak, -a) *back*
hát *well, why, then*
hátha *in case, suppose, what if*
ház (-at, -ak, -a) *house*
haza *home*
házi *home made*
házimunka *housework*
hazudik (hazudj) *tell a lie*
hegy (-et, -ek, -e) *hill, mountain*
hely (-et, -ek, -e) *place, space*
helyett *instead of*
hentes (-t, -ek, -e) *butcher*
hét (hetet, hetek, hete) *week*
hétvége *weekend*
hiába *well, in vain*
híd (hidat, hidak, hídja) *bridge*
hideg *cold*
hímzett *embroidered*
hippi *hippie*
hír (-t, -ek, -e) *news*
híres *famous*
hisz vmit (higgy, hinni) *believe, think* sg
hit (-et, -ek, -e) *faith*
hitelkártya *credit card*
hív vkit (hívj) *call* sy
hó (havat) *snow*
hobbi *hobby*
hogy(?) *how?, how well?, that*
hogyhogy? *what do you mean?, how come?*
hogyne *of course, by all means*
hol? *where?*
holnap *tomorrow*
holnapután *the day after tomorrow*

hónap (-ot, -ok, -ja) *month*
honnan? *where from?*
hord vmit (hordj) *wear sg*
horgászik (horgássz) *fish*
horkol (horkolj) *snore*
hosszú *long*
hova/hová? *where to?*
hoz vmit (hozz) *bring sg*
humorérzék (-et, -e) *sense of humour*
hurka *white or black pudding*
hús (-t, -ok, -a) *meat*
húsvét (-ot, -ok, -ja) *Easter*
hűtőszekrény (-t, -ek, -e) *refrigerator*
hűvös *chilly*

ide (to) *here*
idegenvezető *guide*
ideges *irritable, short-tempered*
idén *this year*
idő (ideje) *time, weather*
időjárásjelentés (-t, -ek, -e) *(c) weather*
 *forecast*
idős *old, elderly*
igaz *true*
igazgató *director, manager*
igazi *real, true*
igen *yes, very*
így *so, like this*
ilyen *like this, like that, such (a)*
imád vkit, vmit (imádj) *adore, love sy, sg*
indul (indulj) *leave* (verb)
infláció *inflation*
influenza *flu*
influenzás *have influenza* (adj.)
ing (-et, -ek, -e) *shirt*
inkább *would rather, preferably*
innen *from here*
intelligens *intelligent*
intézet (-et, -ek, -e) *institute*
ír vmit (írj) *write sg*
ír *Irish*
író *writer*
iroda *office*
is *also, too, as well*
iskola *school*
ismer vkit, vmit (ismerj) *know sy, sg*
ismeret (-et, -ek, -e) *knowledge*
ismét *again*
Isten (-t, -ek, -e) *God*
iszik vmit (igy, inni) *drink sg*
ital (-t, -ok, -a) *drink*
itt *here*
itthon *at home*

izgalmas *exciting*
ízlik *like sg, tastes good*

ja *oh, I see*
japán *Japanese*
jár (járj) *go* (frequently)
játékos (-t, -ok, -a) *player*
javasol vkinek vmit (javasolj) *recom-
 mend, suggest sy sg*
jegy (-et, -ek, -e) *ticket*
jegypénztár (-t, -ak, -a) *ticket office*
jelen *present*
jelenleg *at present*
jelent vmit *mean sg*
jó *good*
jobb *right* (direction)
jóképű *handsome*
jön (jöjj, gyere) *come*
jövő *next, future, coming*

kabát (-ot, -ok, -ja) *coat*
kakaó *cocoa*
kanadai *Canadian*
kanál (kanalat, kanalak, kanala) *spoon*
kánikula *hot spell*
kap vmit (kapj) *get, receive sg*
káposzta *cabbage*
kapu *gate, door*
kar (-t, -ok, -ja) *arm*
kár (hogy) *it is a pity (that)*
karácsony (-t, -ok, -a) *Christmas*
karácsonyfa *Christmas tree*
kávé *coffee*
kedv (-et, -e) *mood, fancy*
kedvenc *favourite*
kedves *dear, kind, nice*
kelet *east*
kell *have to, must, is necessary, needed*
kemping (-et, -ek, -je) *camp-site*
kendő *scarf, shawl*
kenyér (kenyeret, kenyerek, kenyere)
 *bread*
kép (-et, -ek, -e) *picture*
képes vmit csinálni *capable of doing sg*
képeslap (-ot, -ok, -ja) *postcard*
képzel vmit (képzelj) *imagine, fancy sg*
kér vmit (kérj) *ask for sg*
kérdés (-t, -ek, -e) *question*
kérem *you are welcome*
keres (keress) *earn*
keres vkit (keress) *look for sy, is here to
 see you*
keresztmama *godmother*
keresztül (vmin) *through* (sg)

kert (-et, -ek, -je) *garden*
kerül vmibe (kerülj) *cost* sg
kerület (-et, -ek, -e) *district*
kés (-t, -ek, -e) *knife*
késik (késs) *be late*
késő, későn *late*
később *later*
kész, készen *ready, finished*
készít vmit (készíts) *make* sg
készpénz (-t, -e) *cash*
kevés (keveset) *a little, a few*
kezd vmit (kezdj) *start, begin* sg
kezdődik vmivel (kezdődj) *start with* sg
ki? *who?*
kiabál (kiabálj) *shout*
kiadó (szoba) *to let* (room)
kiállítás (-t, -ok, -a) *exhibition*
kibír vmit (kibírj) *stand* sg, *afford* sg
kicserél vmit (kicserélj) *change* sg
kicsi *small*
kiejtés (-t, -ek, -e) *pronunciation*
kifejezés (-t, -ek, -e) *expression, phrase*
kifli *Hungarian croissant*
kihasznál vmit (kihasználj) *take advantage of* sg
kilátás (-t) *view* (e.g. from a window)
kimegy (kimenj, kimenni) *go out*
kimos vmit (kimoss) *wash* sg (clothes)
kínai *Chinese*
kínos *embarrassing*
kinyit vmit (kinyiss) *open* sg
kipróbál vmit (kipróbálj) *try* sg
kirándul (kirándulj) *hike* (verb)
kirándulás (-t, -ok, -a) *outing, trip*
kis *small, little*
kissé *slightly*
kisüt a nap *the sun comes out*
kisváros (-t, -ok, -a) *small town*
kisvendéglő *small restaurant*
kiszáll vmiből (kiszállj) *get out of* sg
kitalál vmit (kitalálj) *guess, tell* sg
kitűnő *excellent*
kiváló *outstanding*
kíván vmit (kívánj) *wish* sg
kíváncsi *curious*
kivesz vmit (kivegy, kivenni) *take* sg *out*
kocog (kocogj) *jog*
kocsi *car*
kocsonya *cold pork in aspic*
kóla *coke*
kolbász (-t, -ok, -a) *sausage*
kollégium (-ot, -ok, -a) *college*
komolyzene *classical music*

koncentrál (koncentrálj) *concentrate*
koncert (-et, -ek, -je) *concert*
konferencia *conference*
konyak (-ot, -ok, -ja) *brandy, cognac*
konyakosmeggy (-et, -e) *chocolates filled with morello cherries*
kor (-t, -ok, -a) *age*
korán *early*
kórház (-at, -ak, -a) *hospital*
korsó *glass* (about a pint)
köhög (köhögj) *cough*
költ (pénzt) (költs) *spend* (money)
költő *poet*
költözik (költözz) *move house*
könnyű *easy*
könyv (-et, -ek, -e) *book*
körtér (körteret, körterek, körtere) *circus* (as in Piccadilly Circus)
körút (körutat, körutak, -ja) *boulevard*
körül *around*
körülbelül *approximately*
kösz *thanks*
köszön vkinek vmit (köszönj) *thank sy for* sg
köszön vkinek (köszönj) *greet sy*
köt vmit (köss) *knit* sg
kövér *fat*
következik (következz) *follow, be sy's turn*
közel *near*
középkorú *middle aged*
közlekedés (-t, -e) *transport*
közös vkivel *shared with sy*
között *between, among*
krumpli *potato*
kulcs (-ot, -ok, -a) *key*
kultúra *culture*
kutya *dog*
küld vkinek vmit (küldj) *send sy sg*
külföld (-et) *foreign countries*
külföldön *abroad*
különféle *various kinds of*
különóra *private lesson*
különösen *especially, particularly*

láb (-at, -ak, -a) *leg, foot*
lakás (-t, -ok, -a) *flat*
lakáskulcs (-ot, -ok, -a) *key to a flat*
lakik (lakj) *live*
lángos (-t, -ok, -a) *fried dough*
lány (-t, -ok, -a) *girl, daughter*
lassú *slow*
lát vkit, vmit (láss) *see sy, sg*

latin *Latin*

látszik (látssz) (úgy látszik, hogy) *seem* (it seems that)

láz (-at, -a) *temperature*

lázas *have a temperature* (adj.)

lázmérő *(c) thermometer*

lebeszél vkit vmiről (lebeszélj) *talk sy out of* sg

lecke *homework*

legalább *at least*

légiposta *air mail*

legközelebb *next time*

legutóbb *last time*

lehet *can, may, possible*

lehetőség (-et, -ek, -e) *opportunity*

lelkesedik (lelkesedj) *be enthusiastic*

lemez (-t, -ek, -e) *record*

lemezjátszó *record player*

lépcső *stairs*

lesz (legy, lenni) *become*

leszáll vmiről (leszállj) *get off* sg

levél (levelet, levelek, levele) *letter*

leves (-t, -ek, -e) *soup*

levesz vmit (levegy, levenni) *take sg off* (clothes)

lila *purple, lilac*

ló (lovat, lovak, lova) *horse*

logikus *logical*

lusta *lazy*

ma *today*

macska *cat*

magam (-at) *myself*

magas *tall*

magnó *tape recorder*

magyar *Hungarian*

Magyarország (-ot, -a) *Hungary*

magyartanár (-t, -ok, -a) *teacher of Hungarian*

majd *some time in the future*

majdnem *almost, nearly*

manapság *these days*

már *already, before, previously, ever, yet*

marad (maradj) *stay*

más (-t, -ok) *someone else, different*

másfél (másfelet) *one and a half*

másik *another*

matematika *mathematics*

meccs (-et, -ek, -e) *football match*

meddig? *how long?*

meg *and, on the other hand*

még *yet, before, even, else, still*

még egyszer *once more, again*

megáll (megállj) *stop*

megálló *stop*

megbeszél vkivel vmit (megbeszélj) *discuss* sg *with* sy

megbocsát vkinek vmit (megbocsáss) *forgive* sy sg

megfelel (megfelelj) *it will do*

megfigyel vmit (megfigyelj) *observe*

megfogad (tanácsot) (megfogadj) *take* (advice)

meggyógyul (meggyógyulj) *recover*

meghal (meghalj) *die*

meghívás (-t, -ok, -a) *invitation*

megint *again*

mégiscsak *after all*

megismer vkit (megismerj) *meet* sy

megismerkedik vkivel (megismerkedj) *meet* sy (for the first time)

megismétel vmit (megismételj) *repeat* sg

megkap vmit (megkapj) *get* sg

megkeres vmit (megkeress) *look for* sg

meglát (megláss) (majd meglátjuk) *see* (we shall see)

megmér (lázat) (megmérj) *take* (temperature)

megmond vkinek vmit (megmondj) *tell* sy sg

megmutat vkinek vmit (megmutass) *show* sy sg

megnéz vmit (megnézz) *have a look at, examine, see, watch* sg

megpróbál vmit (megpróbálj) *try* sg

megszeret vkit, vmit (megszeress) *come to like* sy, sg

megszólal (megszólalj) *start to ring / speak*

megtanít vmit (megtaníts) *teach* sg

megtanul vmit (megtanulj) *learn, master* sg

megtud vmit (megtudj) *get to know, learn* sg

megun vkit, vmit (megunj) *get tired of* sy, sg

megvan *got it*

megvizsgál vkit (megvizsgálj) *examine* sy

megy (menj, menni) *go*

meleg *warm, hot*

mellett *by, beside, next to*

melyik? *which? which one?*

menedzser (-t, -ek, -e) *manager*

mennyi? *how much?*

méret (-et, -ek, -e) *size*

mérges *angry*

mérnök (-öt, -ök, -e) *engineer*

mert *because*

mese *fairy tale, fable*

messze *far, far away*

mettől? *since when?, from where?*

méz (-et, -e) *honey*

mi? *what?*

miatt *because of*

miért? *why?*

mikor? *when?*

milyen *how, what*

milyen? *what?, what . . . like?, what kind of? what sort of?*

mindannyian *all of us / you / them*

minden *every, everything*

mindenki *everybody*

mindez (-t, -ek) *all this*

mindig *always*

mindjárt *right away*

minőség (-et, -e) *quality*

mint *like, as*

mióta? *how long? since when?*

mit? *what?*

mond vmit (mondj) *say sg*

mos vmit (moss) *wash sg*

mosakszik (mosakodj, mosakodni) *wash oneself*

mosógép (-et, -ek, -e) (c) *washing machine*

mosolyog (mosolyogj) *smile*

most *now*

mostanában *nowadays*

mostanáig *until now*

mozgólépcső (c) *escalator*

mozi *cinema*

múlt (hét) *last (week)*

múlva *in . . . time*

munka *work*

munkahely (-et, -ek, -e) (c) *workplace*

munkanélküli (c) *unemployed*

muszáj *must, have to, necessary*

mutat vmit (mutass) *show sg*

múzeum (-ot, -ok, -a) *museum*

műsor (-t, -ok, -a) *programme*

nadrág (-ot, -ok, -ja) *trousers*

nagy *big, great*

nagykövetség (-et, -ek, -e) (c) *embassy*

nagyon *very*

nagyvállalat (-ot, -ok, -a) *big company*

nap (-ot, -ok, -ja) *day, sun*

napközben *during the day*

napolaj (-at, -ak, -a) *sun tan oil*

napozik (napozz) *sunbathe*

napsütés (-t) (c) *sunshine*

napszemüveg (-et, -ek, -e) (c) *sunglasses*

naptár (-at, -ak, -a) *calendar*

narancslé (narancslevet, narancsleve) (c) *orange juice*

-né *Mrs*

negyed (-et, -e) *quarter*

néha *sometimes*

néhány *a few*

nehéz *difficult*

nélkül *without*

nem *no, not*

nemcsak *not only*

német *German*

nemrég *not long ago*

nemsokára *soon*

nemzeti *national*

népművészet (-et, -e) *folk art*

név (nevet, nevek, neve) *name*

nevet (nevess) *laugh*

néz vmire (nézz) *look on to sg*

néz vkit, vmit (nézz) *watch, look at sy, sg*

nincs, nincsen *there is no(t), have no(t)*

nő *woman*

női *female*

nőtlen *unmarried, single (man)*

nyakkendő (c) *tie*

nyár (nyarat, nyarak, nyara) *summer*

nyaral (nyaralj) *be on summer holiday*

nyaraló *summer / weekend cottage*

nyelv (-et, -ek, -e) *language*

nyelvtan (-t, -ok, -a) *grammar*

nyelvtanfolyam (-ot, -ok, -a) *language course*

nyer vmit (nyerj) *win sg*

nyilván *obviously*

nyitva *open*

nyugdíj (-at, -ak, -a) *pension, retirement*

nyugdíjas (-t, -ok, -a) *pensioner*

oda *(to) there*

odahív vkit (odahívj) *call sy there*

odajár (odajárj) *go there*

okos *clever*

olaj (-at, -ak, -a) *oil*

olasz *Italian*

olcsó *cheap*

olvas vmit (olvass) *read sg*

olvasás (-t, -a) *reading*

olyan *that, like that, such (a), so*

onnan *from there*
operaénekes (-t, -ek, -e) *opera singer*
óra *watch, clock, hour, o'clock, lesson*
óriási *huge, gigantic*
orosz *Russian*
ország (-ot, -ok, -a) *country*
országház (-at, -ak, -a) *parliament*
  (building)
orvos (-t, -ok, -a) *doctor*
orvosság (-ot, -ok, -a) *medicine*
osztály (-t, -ok, -a) *department*
óta *since*
ott *there*
otthagy vmit (otthagyj) *leave sg there*
otthon (-t, -ok, -a) *home, at home*
óvatos *careful*
óvoda *nursery school*
öcs (öccse) *younger brother*
öltöny (-t, -ök, -e) *suit*
öltözködik (öltözködj) *dress*
öreg *old*
öregkor (-t, -a) *old age*
öregség (-et, -e) *old age*
örül vminek (örülj) *be glad about sg*
ősz (-t, -e) *autumn, grey-haired*
őszinte *sincere, heartfelt*
ötlet (-et, -ek, -e) *idea*

palacsinta *pancake*
pályaudvar (-t, -ok, -a) *railway station*
panasz (-t, -ok, -a) *complaint*
panaszkodik (panaszkodj) *complain*
paprika *pepper*
paradicsom (-ot, -ok, -a) *tomato*
paradicsomlé (paradicsomlevet, paradi-
  csomleve) *(c) tomato juice*
párbeszéd (-et, -ek, -e) *(c) dialogue*
part (-ot, -ok, -ja) *bank, shore*
patyolat (-ot, -ok, -a) *dry cleaner's*
pedig *and, however, but, on the other
  hand*
pék (-et, -ek, -je) *baker*
például *for example*
pénz (-t, -ek, -e) *money*
pénztár (-t, -ok, -a) *cash-desk*
perc (-et, -ek, -e) *minute*
persze *of course*
pezsgő *champagne*
pihen (pihenj) *have a rest*
pillanat (-ot, -ok, -a) *moment*
pincér (-t, -ek, -e) *waiter*
piros *red*
pirospaprika *red pepper*

piszok (piszkot, piszkok, piszka) *dirt*
pizsama *pyjamas*
pohár (poharat, poharak, pohara) *glass*
polc (-ot, -ok, -a) *shelf*
politikus (-t, -ok, -a) *politician*
pontos *punctual, on time*
posta *post office*
portás (-t, -ok, -a) *receptionist*
pörkölt (-et, -ek, -je) *stew*
próbafülke *(c) fitting room*
próbál vmit (próbálj) *try sg*
program (-ot, -ok, -ja) *programme*
pulóver (-t, -ek, -e) *pullover*
puszi *kiss, peck*
puszta *Hungarian lowland*

ráadásul *on top of all that*
rábeszél vkit vmire (rábeszélj) *persuade
  sy to do sg*
rádió *radio*
rádiósmagnó *radio cassette*
ráér (ráérj) *have time*
randevú *rendezvous, date*
rántott *fried in breadcrumbs*
recepció *reception* (at a hotel)
recept (-et, -ek, -je) *prescription*
régen *in the past, formerly, long ago*
reggel *morning, in the morning*
reggeli *breakfast*
reggelizik (reggelizz) *have breakfast*
régi *old*
régóta *for a long time*
remél vmit (remélj) *hope sg*
rendel (rendelj) *receive patients*
rendelő *surgery*
rendesen *properly*
rendőr (-t, -ök, -e) *policeman*
rendőrfőkapitányság (-ot, -ok, -a) *police
  station*
rendszeresen *regularly*
repül (repülj) *fly*
repülőgép (-et, -ek, -e) *aeroplane*
repülőtér (repülőteret, repülőterek,
  repülőtere) *airport*
részt vesz vmiben *take part in sg*
rétes (-t, -ek, -e) *strudel*
reuma *rheumatism*
reumás *have rheumatism* (adj.)
riporter (-t, -ek, -e) *reporter, interviewer*
ritkán *rarely*
ritmus (-t, -ok, -a) *rhythm*
rizs (-t, -e) *rice*
rohan (rohanj) *rush about, hurry*

romantikus *romantic*
rossz *bad, wrong*
rögtön *straightaway*
rövid *short*
ruha *dress, clothes*

saját *own*
sajnos *unfortunately*
sajt (-ot, -ok, -ja) *cheese*
sál (-at, -ak, -a) *scarf*
saláta *salad*
sapka *cap*
segít vkinek (segíts) *help sy*
sem *neither, not . . . either*
semmi *nothing*
sertés (-t, -ek, -e) *pig*
sétál (sétálj) *walk, stroll*
síel (síelj) *ski*
siet (siess) *hurry*
sikerül (sikerülj) *succeed, manage to*
skót *Scottish*
só *salt*
sok *a lot of, many, much, a lot*
sokféle *all sorts of*
sonka *ham*
sovány *thin*
sör (-t, -ök, -e) *beer*
sörözik (sörözz) *drink beer*
söröző *pub*
sötét *dark*
sötétkék *navy*
spanyol *Spanish*
sportol vmit (sportolj) *do some sport*
strand (-ot, -ok, -ja) *lido*
sült *fried, baked*
süt (a nap) (süss) *shine (the sun)*
süt (süss) *bake, roast, fry*
sütemény (-t, -ek, -e) *cake*
szabad *allowed, free*
szabadidő *(c) free time*
szabadnap (-ot, -ok, -ja) *day off*
szabadság (-ot, -a) *holiday*
szakács (-ot, -ok, -a) *cook*
szakáll (-at, -ak, -a) *beard*
szalad (szaladj) *run*
szalámi *salami*
száll (szállj) *fly*
szálloda *hotel*
szalonna *type of bacon*
szám (-ot, -ok, -a) *size, number*
száraz *dry*
század (-ot, -ok, -a) *century*
szed (gyógyszert) (szedj) *take (medicine)*

szegény (-t, -ek, -e) *poor, poor thing*
szék (-et, -ek, -e) *chair*
szekrény (-t, -ek, -e) *cupboard, wardrobe*
szél (szelet, szelek, szele) *wind*
szelet (-et, -ek, -e) *slice, cutlet*
szem (-et, -ek, -e) *eye*
személy (-t, -ek, -e) *person*
szemüveg (-et, -ek, -e) *glasses*
szendvics (-et, -ek, -e) *sandwich*
szent (-et, -ek, -je) *saint*
szenvedélyes *passionate*
szép *beautiful*
szerencse *luck*
szerencsére *luckily*
szerencsés *lucky*
szeret vkit, vmit (szeress) *like, love,
  be fond of sy, sg*
szeretet (-et, -e) *love, affection*
szerez vmit (szerezz) *get, obtain sg*
szerint *according to*
szervez vmit (szervezz) *organise sg*
sziget (-et, -ek, -je) *island*
szilveszter (-t, -ek, -e) *New Year's Eve*
szimpatikus *likeable*
szín (-t, -ek, -e) *colour*
színes *colour* (adj.)
színész (-t, -ek, -e) *actor*
színésznő *actress*
színház (-at, -ak, -a) *theatre*
szint (-et, -ek, -je) *level, storey*
szívesen *you are welcome*
szó (szót, szavak, szava) *word*
szoba *room*
szoknya *skirt*
szól (szólj) (szól a telefon) *be on (the
  phone is ringing)*
szól vkiről, vmiről *is about sy, sg*
szomjas *thirsty*
szomszéd (-ot, -ok, -ja) *neighbour, neigh-
  bouring*
szórakozik (szórakozz) *have fun*
szórakozni megy/jár *go out*
szótár (-t, -ak, -a) *vocabulary, dictionary*
szóval *so*
szőnyeg (-et, -ek, -e) *carpet*
szörfözik (szörfözz) *surf*
szörnyű *terrible*
szűk *tight*
szüksége van vmire *needs sg*
szül vkit (szülj) *give birth to sy*
születik (szüless) *be born*

tágas *spacious*

takarít vmit (takaríts) *do the cleaning*
talál vmit (találj) *find sg*
találkozik vkivel (találkozz) *meet sy*
talán *perhaps*
tanács (-ot, -ok, -a) *advice*
tanár (-t, -ok, -a) *teacher*
tánc (-ot, -ok, -a) *dance*
tánciskola *dancing-school*
táncol (táncolj) *dance*
tanít vkit (taníts) *teach sy*
tanul vmit (tanulj) *learn, study*
tányér (-t, -ok, -ja) *plate*
tárgyal (tárgyalj) *negotiate*
tárgyalás (-t, -ok, -a) *negotiation*
tart (tarts) *last*
tartózkodik (tartózkodj) *be, stay some-where*
tavaly *last year*
tavalyelőtt *the year before last*
tavasz (-t, -ok, -a) *spring*
taxisofőr (-t, -ök, -e) *taxi driver*
teázik (teázz) *drink tea*
tegnap *yesterday*
tegnapelőtt *the day before yesterday*
tehát *so*
tej (-et, -ek, -e) *milk*
tél (telet, telek, tele) *winter*
telefon (-t, -ok, -ja) *telephone*
telefonál vkinek (telefonálj) *telephone sy*
telefonszám (-ot, -ok, -a) *telephone number*
televízió *television*
téliszalámi *Hungarian salami*
teljesen *entirely, totally*
templom (-ot, -ok, -a) *church*
tengerpart (-ot, -ok, -ja) *seashore*
tényleg *really*
tér (teret, terek, tere) *square, play-ground*
terhes *pregnant*
terítő *table cloth*
térkép (-et, -ek, -e) *map*
természetesen *naturally, of course*
tervez vmit (tervezz) *plan sg*
testvér (-t, -ek, -e) *sibling*
tesz vmit (tegy, tenni) *put sg*
tészta *pasta*
tetszik vkinek vki, vmi (tetssz) *like sy, sg*
terv (-et, -ek, -e) *plan*
tévé *TV*
tilos *forbidden*
tinédzser (-t, -ek, -e) *teenager*

tipikus *typical*
tiszta *clean*
tisztít vmit (tisztíts) *clean sg*
titkárnő (c) *secretary*
titok (titkot, titkok, titka) *secret*
tó (tavat, tavak, tava) *lake*
toll (-at, -ak, -a) *pen*
torok (torkot, torkok, torka) *throat*
torta *cream cake*
tovább *on, farther*
több *several, a number of, more*
többé nem *not any more*
a többi *the rest*
a többiek *the others*
tökéletes *perfect*
tölt vmit (tölts) *pour (a drink), spend (time)*
tömeg (-et, -ek, -e) *crowd*
Törökország (-ot, -a) *Turkey*
történik (történj) *happen*
trafik (-ot, -ok, -ja) *tobacconist's*
trafikos (-t, -ok, -a) *tobbacconist*
trolibusz (-t, -ok, -a) *trolley bus*
tud vmit (tudj) *know, know of, can*
túl (nagy) *too (big)*
túlóra *overtime*
turista *tourist*
túró *cottage cheese*
türelmes *patient*
türelmetlen *impatient*
tyúk (-ot, -ok, -ja) *hen*
uborka *cucumber*
udvarias *polite*
ugrik (ugorj, ugorni) *jump*
úgy látszik (hogy) *it seems (that)*
ugyan *nonsense, rubbish*
ugyanaz (-t, -ok) *the same*
úgysem *anyhow*
új *new*
új-zélandi *New Zealander*
újra *again*
újság (-ot, -ok, -ja) *news, newspaper*
újságíró *journalist*
un vkit, vmit (unj) *be bored with sy, sg*
unalmas *boring*
unatkozik (unatkozz) *be bored*
úr (urat, urak, ura) *Mr, sir*
úszik (ússz) *swim*
uszoda *swimming-pool*
út (utat, utak, útja) *road, trip, journey*
utál vkit, vmit (utálj) *hate sy, sg*
után *after*
utána *afterwards, after then*

utazik (utazz) *travel*
utca *street*
útlevél (útlevelet, útlevelek, útlevele)
 *passport*
utoljára *last time*
utolsó *last*
üdítő *soft drink*
üdítőital (-t, -ok, -a) *soft drink*
üdvözlet (-et, -ek, -e) *regards*
üdvözöl vkit (üdvözölj) *give sy one's
 regards*
ügyfél (ügyfelet, ügyfelek, ügyfele) *client*
ül (ülj) *sit*
ünnep (-et, -ek, -e) *holiday*
üres *empty*
üveg (-et, -ek, -e) *bottle*
üzlet (-et, -ek, -e) *shop*
üzletember (-t, -ek, -e) *businessman*
vacsora *supper*
vacsorázik (vacsorázz) *have supper*
vad *wild*
vág vmit (vágj) *chop, cut* sg
vagy *or*
vagyon (-t, -ok, -a) *fortune*
vaj (-at, -ak, -a) *butter*
vajas *buttered*
valahol *somewhere*
valami *something*
válasz (-t, -ok, -a) *answer*
válaszol vmit (válaszolj) *answer* sg
választ vkit, vmit (válassz) *choose* sy, sg
választék (-ot, -ok, -a) *choice, selection*
vállalat (-ot, -ok, -a) *company*
vallásos *religious*
valóban *indeed*
válogatós *choosy*
valószínűleg *probably*
változás (-t, -ok, -a) *change*
változik (változz) *change*
vár vkit, vmit (várj) *wait, expect, look
 forward to*
vár (-at, -ak, -a) *castle, fortress*
város (-t, -ok, -a) *town, city*
vasal vmit (vasalj) *iron*
vásárol vmit (vásárolj) *do some shop-
 ping, buy* sg
vécé *toilet*
vége *it is over, it finishes*
vegetáriánus *vegetarian*
végez vmit (végezz) *finish* sg
végig *to the end*

végül *in the end*
vegyes *mixed*
vékony *thin*
véletlenül *by any chance*
verekedik (verekedj) *fight*
vesz vmit (vegy, venni) *buy* sg
veszekedik vkivel (veszekedj) *quarrel
 with* sy
veszélyes *dangerous*
vezérigazgató *managing director*
vezet vmit (vezess) *drive*
viccel (viccelj) *joke*
vidám *cheerful*
vigyáz vmire (vigyázz) *watch out*
vigyáz vkire *look after* sy
világos *light*
villa *fork*
villamos (-t, -ok, -a) *tram*
villany (-t, -ok, -a) *light, electricity*
virág (-ot, -ok, -a) *flower, plant*
visel vmit (viselj) *wear* sg
visszabeszél vkinek (visszabeszélj)
 *answer* sy *back*
visszahoz vmit (visszahozz) *bring back*
visszajön (visszajöjj, visszajönni) *come
 back*
visszamegy (visszamenj, visszamenni)
 *go back*
visz vkit, vmit (vigy, vinni) *take, carry*
 sy, sg
viszont *but, on the other hand, the same
 to you*
viszonylag *relatively*
vízpart (-ot, -ok, -ja) *bank, riverside,
 shore*
vizsgaeredmény (-t, -ek, -e) (c) *exam
 result*
vonat (-ot, -ok, -a) *train*
vonatjegy (-et, -ek, -e) (c) *train ticket*
vörös *red*
zaj (-t, -ok, -a) *noise*
zajos *noisy*
zene *music*
zeneszerző *composer*
zöld *green*
zöldség (-et, -ek, -e) *vegetable*
zöldséges (-t, -ek, -e) *greengrocer*
zseb (-et, -ek, -e) *pocket*
zsebkendő *handkerchief*
zsemle *roll*
zsír (-t, -ok, -ja) *cooking lard, fat*

# INDEX

The first number in each entry refers to the unit, the second to the number within the **Nyelvtan** (*Grammar*) section of the unit.